fy nodiadau **adolygu**

CBAC TGAU

CANLLAW ADOLYGU MATHEMATEG

UWCH

Gareth Cole
Karen Hughes
Linda Mason
Joe Petran
Keith Pledger

HODDER EDUCATION
AN HACHETTE UK COMPANY

CBAC TGAU Canllaw Adolygu Mathemateg Uwch

Addasiad Cymraeg o *WJEC GCSE Mathematics Revision Guide Higher* a gyhoeddwyd yn 2017 gan Hodder Education

Cyhoeddwyd dan nawdd Cynllun Adnoddau Addysgu a Dysgu CBAC

Mae CBAC yn cymeradwyo'r deunydd hwn sy'n cynnig cefnogaeth ar gyfer cyflwyno cymwysterau CBAC. Er bod y deunydd wedi bod drwy broses sicrhau ansawdd CBAC, mae'r cyhoeddwr yn dal yn llwyr gyfrifol am y cynnwys.

Cydnabyddiaethau
Gwnaed pob ymdrech i olrhain pob deiliad hawlfraint, ond os oes unrhyw rai wedi'u hesgeuluso'n anfwriadol bydd y Cyhoeddwr yn barod i wneud y trefniadau angenrheidiol ar y cyfle cyntaf.

Ymdrechwyd i sicrhau bod cyfeiriadau gwefannau yn gywir adeg mynd i'r wasg, ond ni ellir dal Hodder Education yn gyfrifol am gynnwys unrhyw wefan a grybwyllir yn y llyfr hwn. Mae weithiau yn bosibl dod o hyd i dudalen we a adleolwyd drwy deipio cyfeiriad tudalen gartref gwefan yn ffenestr LlAU (*URL*) eich porwr.

Polisi Hachette UK yw defnyddio papurau sy'n gynhyrchion naturiol, adnewyddadwy ac ailgylchadwy o goed a dyfwyd mewn coedwigoedd cynaliadwy. Disgwylir i'r prosesau torri coed a gweithgynhyrchu gydymffurfio â rheoliadau amgylcheddol y wlad y mae'r cynnyrch yn tarddu ohoni.

Archebion: cysylltwch â Hachette UK Distribution, Hely Hutchinson Centre, Milton Road, Didcot, Oxfordshire, OX11 7HH. Ffôn: +44 (0)1235 827827. E-bost: education@hachette.co.uk. Mae'r llinellau ar agor rhwng 9.00 a 17.00 o ddydd Llun i ddydd Gwener. Gallwch hefyd archebu trwy wefan Hodder Education: www.hoddereducation.co.uk.

ISBN: 978-1-510-43478-3

Cyhoeddwyd gyntaf yn 2017 gan

Hodder Education
An Hachette UK Company
Carmelite House
50 Victoria Embankment
London EC4Y 0DZ

www.hoddereducation.co.uk

Rhif yr argraffiad 10 9 8 7 6 5

Blwyddyn 2021 2020

Cysodwyd gan Integra Software Services Pvt. Ltd., Pondicherry, India
Argraffwyd yn Sbaen

Mae cofnod catalog ar gyfer y teitl hwn ar gael gan y Llyfrgell Brydeinig.

Gwneud y gorau o'r llyfr hwn

Croeso i'ch Canllaw Adolygu ar gyfer cwrs TGAU Mathemateg Uwch CBAC. Bydd y llyfr hwn yn rhoi crynodeb cadarn i chi o'r wybodaeth a'r sgiliau bydd disgwyl i chi eu dangos yn yr arholiadau, ynghyd ag awgrymiadau a thechnegau ychwanegol ar bob tudalen. Drwy'r llyfr cyfan, byddwch hefyd yn gweld llawer o gymorth ychwanegol i sicrhau y byddwch chi'n teimlo'n hyderus ac yn hollol barod ar gyfer eich arholiadau TGAU Mathemateg Uwch.

Mae'r Canllaw Adolygu hwn wedi'i rannu'n bedair prif adran, gyda chymorth ychwanegol yn rhan olaf y llyfr. Mae'r pedair prif adran yn ymdrin â'r pedair thema fathemategol fydd yn cael eu cynnwys yn eich cwrs ac yn cael eu harholi: Rhif, Algebra, Geometreg a Mesurau ac Ystadegaeth a Thebygolrwydd.

Nodweddion i'ch helpu chi i lwyddo

Mae pob thema wedi'i rhannu'n destunau un-dudalen fel sydd i'w weld yn yr enghraifft hon:

Mae'r wybodaeth byddwch chi wedi'i dysgu yn ystod eich cwrs yn cael ei lleihau i'r rheolau allweddol ar gyfer y maes testun hwn. Bydd angen i chi ddeall a chofio'r rhain ar gyfer eich arholiad.

Rydyn ni'n rhoi enghreifftiau i'ch atgoffa chi sut mae'r rheolau'n gweithio. Rydyn ni wedi amlygu pob rheol gyferbyn â lle mae'n cael ei defnyddio.

Mae cwestiynau dull arholiad yn darparu ymarfer go iawn ar y maes testun. Mae'r marciau sy'n cael eu rhoi wedi'u nodi fel y gallwch chi weld y lefel o ateb sy'n ofynnol.

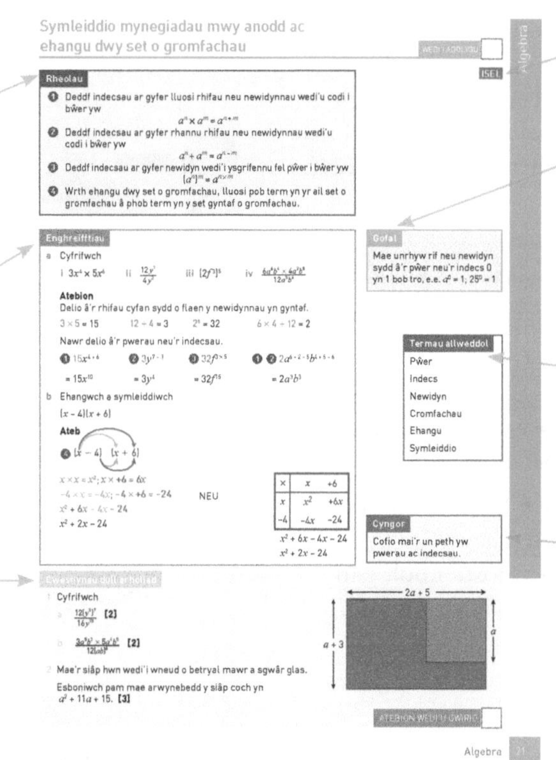

Symleiddio mynegiadau mwy anodd ac ehangu dwy set o gromfachau

WEDI'I ADOLYGU

ISEL

Algebra

Rheolau

1. Deddf indecsau ar gyfer lluosi rhifau neu newidynnau wedi'u codi i bŵer yw $a^n \times a^m = a^{n+m}$
2. Deddf indecsau ar gyfer rhannu rhifau neu newidynnau wedi'u codi i bŵer yw $a^n \div a^m = a^{n-m}$
3. Deddf indecsau ar gyfer newidyn wedi'i ysgrifennu fel pŵer i bŵer yw $(a^n)^m = a^{n \times m}$
4. Wrth ehangu dwy set o gromfachau, lluosi pob term yn yr ail set o gromfachau â phob term yn y set gyntaf o gromfachau.

Enghreifftiau

a Cyfrifwch

i $3x^4 \times 5x^6$ ii $\frac{12y^7}{4y^3}$ iii $(2f^3)^5$ iv $\frac{6a^6b^4 \times 4a^2b^5}{12a^5b^6}$

Atebion

Delio â'r rhifau cyfan sydd o flaen y newidynnau yn gyntaf.

$3 \times 5 = 15$ $12 \div 4 = 3$ $2^5 = 32$ $6 \times 4 \div 12 = 2$

Nawr delio â'r pwerau neu'r indecsau.

1 $15x^{4+6}$ $= 15x^{10}$ 2 $3y^{7-3}$ $= 3y^4$ 3 $32f^{3\times5}$ $= 32f^{15}$ 1 2 $2a^{6+2-5}b^{4+5-6}$ $= 2a^3b^3$

b Ehangwch a symleiddiwch

$(x-4)(x+6)$

Ateb

4 $(x-4)(x+6)$

$x \times x = x^2$; $x \times +6 = 6x$

$-4 \times x = -4x$; $-4 \times +6 = -24$

$x^2 + 6x - 4x - 24$

$x^2 + 2x - 24$

NEU

×	x	$+6$
x	x^2	$+6x$
-4	$-4x$	-24

$x^2 + 6x - 4x - 24$

$x^2 + 2x - 24$

Gofal

Mae unrhyw rif neu newidyn sydd â'r pŵer neu'r indecs 0 yn 1 bob tro, e.e. $a^0 = 1$; $25^0 = 1$

Termau allweddol

Pŵer
Indecs
Newidyn
Cromfachau
Ehangu
Symleiddio

Cyngor

Cofio mai'r un peth yw pwerau ac indecsau.

Cwestiynau dull arholiad

1 Cyfrifwch

a $\frac{12(y^3)^5}{16y^{15}}$ **[2]**

b $\frac{3a^5b^2 \times 5a^4b^5}{12(ab)^3}$ **[2]**

2 Mae'r siâp hwn wedi'i wneud o betryal mawr a sgwâr glas.

Esboniwch pam mae arwynebedd y siâp coch yn $a^2 + 11a + 15$. **[3]**

ATEBION WEDI'U GWIRIO

Algebra 21

Mae lefel o anhawster wedi'i nodi ar bob tudalen fel y gallwch chi ddeall lefel yr her – isel, canolig, uchel.

Rydyn ni wedi amlygu meysydd lle mae gwallau cyffredin yn aml yn cael eu gwneud er mwyn eich helpu chi i osgoi gwneud camgymeriadau tebyg.

Dyma'r termau y bydd angen i chi eu cofio ar gyfer y testun hwn.

Bydd y blychau Cyngor yn awgrymu beth i'w gofio neu sut i ymdrin â chwestiwn arholiad.

Mae pob adran hefyd yn cynnwys y canlynol:

Gwiriad cyn adolygu

Mae pob adran yn dechrau gyda phrawf o gwestiynau sy'n ymdrin â phob testun o fewn y thema honno. Dyma fan cychwyn defnyddiol er mwyn gweld a oes unrhyw feysydd y gall fod angen i chi roi sylw arbennig iddyn nhw wrth adolygu. I'w gwneud yn haws, rydyn ni wedi nodi'r dudalen berthnasol ar gyfer pob testun gyferbyn â phob cwestiwn.

Profion cwestiynau dull arholiad

Dwy set o brofion yw'r rhain sy'n rhoi cyfle i chi ymarfer cwestiynau dull arholiad i'ch helpu chi i wirio eich cynnydd wrth i chi fynd ymlaen. Mae'r rhain i'w gweld yng nghanol pob thema ac ar ddiwedd pob thema. Mae'r **Atebion** i'r profion hyn yn rhan olaf y llyfr.

Yn rhan olaf y llyfr, byddwch hefyd yn gweld gwybodaeth ddefnyddiol iawn sydd wedi'i darparu gan ein harbenigwyr asesu:

Yr iaith sy'n cael ei defnyddio mewn arholiadau mathemateg

Mae'r dudalen hon yn esbonio'r geiriad fydd yn cael ei ddefnyddio yn yr arholiad er mwyn eich helpu chi i ddeall beth sy'n cael ei ofyn. Hefyd mae awgrymiadau ychwanegol i'ch atgoffa chi sut orau i gyflwyno eich atebion.

Techneg arholiad a fformiwlâu fydd yn cael eu rhoi

Rhestr o gyngor defnyddiol ar gyfer cyn ac yn ystod yr arholiadau.

Meysydd cyffredin lle mae myfyrwyr yn gwneud camgymeriadau

Bydd y tudalennau hyn yn eich helpu chi i ddeall ac osgoi y camsyniadau cyffredin mae dysgwyr wedi'u gwneud mewn arholiadau yn y gorffennol, gan sicrhau na fyddwch chi'n colli marciau pwysig.

Wythnos i fynd...

Pethau i'ch atgoffa a fformiwlâu.

Ticio i dracio eich cynnydd

Defnyddiwch y rhestr wirio adolygu ar dudalennau v–viii i gynllunio eich adolygu, fesul testun. Ticiwch bob blwch pan fyddwch chi wedi:

- gweithio drwy'r gwiriad cyn adolygu
- adolygu'r testun
- gwirio eich atebion ac yn barod ar gyfer yr arholiad.

Gallwch chi hefyd gadw trefn ar eich adolygu drwy roi tic wrth ymyl penawdau pob testun drwy'r llyfr. Efallai bydd yn ddefnyddiol i chi wneud eich nodiadau eich hun wrth i chi weithio drwy bob testun.

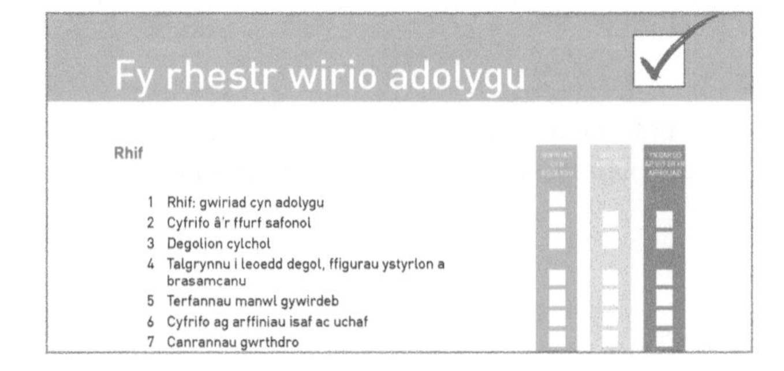

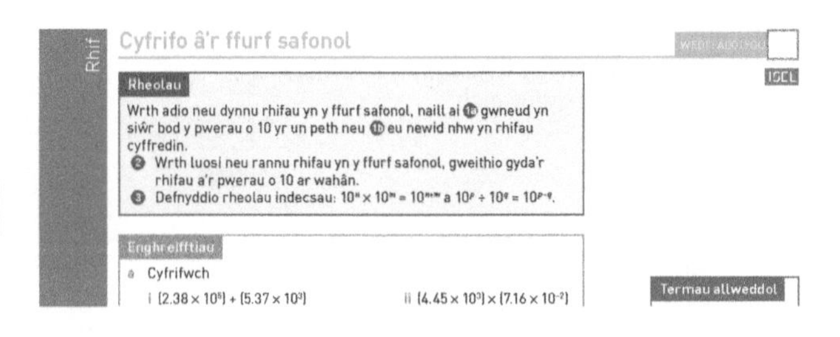

Fy rhestr wirio adolygu

Rhif

		GWIRIAD CYN ADOLYGU	WEDI'I ADOLYGU	YN BAROD AR GYFER YR ARHOLIAD
1	Rhif: gwiriad cyn adolygu	☐		
2	Cyfrifo â'r ffurf safonol	☐	☐	☐
3	Degolion cylchol	☐	☐	☐
4	Talgrynnu i leoedd degol, ffigurau ystyrlon a brasamcanu	☐	☐	☐
5	Terfannau manwl gywirdeb	☐	☐	☐
6	Cyfrifo ag arffiniau isaf ac uchaf	☐	☐	☐
7	Canrannau gwrthdro	☐	☐	☐
8	Cynnydd/gostyngiad canrannol sy'n cael ei ailadrodd	☐	☐	☐
9	Twf a dirywiad	☐	☐	☐
10	Cwestiynau dull arholiad cymysg	☐	☐	☐
11	Gweithio gyda meintiau cyfrannol	☐	☐	☐
12	Y cysonyn cyfrannol	☐	☐	☐
13	Gweithio â mesurau sydd mewn cyfrannedd gwrthdro	☐	☐	☐
14	Llunio hafaliadau i ddatrys problemau cyfrannedd	☐	☐	☐
15	Nodiant indecs a rheolau indecsau	☐	☐	☐
16	Indecsau ffracsiynol	☐	☐	☐
17	Syrdiau	☐	☐	☐
18	Cwestiynau dull arholiad cymysg	☐	☐	☐

Algebra

		GWIRIAD CYN ADOLYGU	WEDI'I ADOLYGU	YN BAROD AR GYFER YR ARHOLIAD
19	Algebra: gwiriad cyn adolygu	☐		
21	Symleiddio mynegiadau mwy anodd ac ehangu dwy set o gromfachau	☐	☐	☐
22	Defnyddio fformiwlâu cymhleth a newid testun fformiwla	☐	☐	☐
23	Unfathiannau	☐	☐	☐
24	Defnyddio indecsau mewn algebra	☐	☐	☐
25	Trin mwy o fynegiadau; ffracsiynau algebraidd a hafaliadau	☐	☐	☐
26	Ad-drefnu mwy o fformiwlâu	☐	☐	☐
27	Dilyniannau arbennig	☐	☐	☐
28	Dilyniannau cwadratig	☐	☐	☐

	GWIRIAD CYN ADOLYGU	WEDI'I ADOLYGU	YN BAROD AR GYFER YR ARHOLIAD

Geometreg a Mesurau

	GWIRIAD CYN ADOLYGU	WEDI'I ADOLYGU	YN BAROD AR GYFER YR ARHOLIAD

Ystadegaeth a Thebygolrwydd

Paratoi ar gyfer yr arholiad

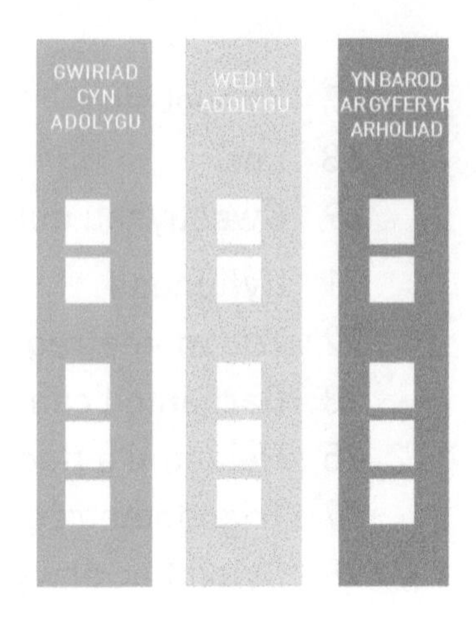

Rhif: gwiriad cyn adolygu

Gwiriwch pa mor dda rydych chi'n gwybod pob testun drwy ateb y cwestiynau hyn. Os cewch chi gwestiwn yn anghywir, ewch i'r dudalen sydd â'i rhif mewn cromfachau i adolygu'r testun hwnnw.

1 Cyfrifwch:
 a $(1.5 \times 10^3) \div (2.8 \times 10^{-1})$
 b $(9.42 \times 10^2) + (1.36 \times 10^3)$ (tudalen 2)

2 **a** Ysgrifennwch 1.037 373 737 … yn nodiant degolion cylchol.
 b Trawsnewidiwch $0.\dot{1}\dot{8}$ yn ffracsiwn. (tudalen 3)

3 Mae rhif yn cael ei roi fel 8.37 yn gywir i 2 le degol.
Ysgrifennwch arffiniau isaf ac uchaf y rhif hwn. (tudalen 5)

4 Mae 5.62 a 2.39 wedi'u hysgrifennu yn gywir i 2 le degol. Ysgrifennwch arffiniau isaf ac uchaf:
 a $5.62 - 2.39$
 b 5.62×2.39 (tudalen 6)

5 Mae cost gyfartalog tŷ newydd yn Brinton wedi cynyddu 6%. Y gost gyfartalog nawr yw £118 720. Beth oedd y gost gyfartalog cyn y cynnydd hwn? (tudalen 7)

6 Mae Rehan yn prynu car am £12 000. Mae gwerth y car yn dibrisio 10.5% bob blwyddyn am y 3 blynedd cyntaf. Beth yw gwerth car Rehan ar ôl 3 blynedd? (tudalen 8)

7 Mae Mirza yn buddsoddi £5000 mewn cyfrif sy'n talu adlog ar gyfradd o 3.2% y flwyddyn. Sawl blwyddyn fydd wedi mynd heibio cyn bod y buddsoddiad hwn yn werth mwy na £6000 am y tro cyntaf? (tudalen 9)

8 Pa un o'r tablau hyn o werthoedd sy'n dangos cyfrannedd union a pha un sy'n dangos cyfrannedd gwrthdro? (tudalen 12)

A

x	1	2	5	12	20
y	300	150	60	25	15

B

x	10	20	30	40	50
y	2.5	5	7.5	10	12.5

C

x	0.1	0.2	0.3	0.4	0.5
y	180	90	60	45	36

9 Mae T mewn cyfrannedd gwrthdro ag x. Pan fo $x = 1.4$, mae $T = 25$. Ysgrifennwch fformiwla ar gyfer T yn nhermau x. (tudalen 13)

10 Mae P mewn cyfrannedd union ag ail isradd A. Pan fo $A = 25$, mae $P = 30$.
Ysgrfiennwch fformiwla ar gyfer P yn nhermau A. (tudalen 14)

11 Cyfrifwch beth yw gwerth y canlynol.
 a $(2^4 \div 2^{-3}) \times 2^{-5}$
 b $(10^9 \times 10^{-4} \div 10^3)^2$ (tudalen 15)

12 Cyfrifwch beth yw gwerth y canlynol.
 a $27^{\frac{2}{3}}$
 b $3125^{-\frac{1}{5}}$ (tudalen 16)

13 **a** Symleiddiwch $\sqrt{700}$.
 b Rhesymolwch enwadur $\frac{1}{2\sqrt{3}}$. (tudalen 17)

Cyfrifo â'r ffurf safonol

WEDI'I ADOLYGU

ISEL

Rheolau

Wrth adio neu dynnu rhifau yn y ffurf safonol, naill ai (1a) gwneud yn siŵr bod y pwerau o 10 yr un peth neu (1b) eu newid nhw yn rhifau cyffredin.

(2) Wrth luosi neu rannu rhifau yn y ffurf safonol, gweithio gyda'r rhifau a'r pwerau o 10 ar wahân.

(3) Defnyddio rheolau indecsau: $10^n \times 10^m = 10^{n+m}$ a $10^p \div 10^q = 10^{p-q}$.

Enghreifftiau

a Cyfrifwch

i $(2.38 \times 10^5) + (5.37 \times 10^3)$ ii $(4.45 \times 10^3) \times (7.16 \times 10^{-2})$

gan roi eich atebion yn y ffurf safonol.

Atebion

i $2.38 \times 10^5 + 5.37 \times 10^3$

(1a) $= 238 \times 10^3 + 5.37 \times 10^3$
$= (238 + 5.37) \times 10^3$
$= 243.37 \times 10^3$
$= 2.4337 \times 10^5$

NEU $2.38 \times 10^5 + 5.37 \times 10^3$

(1b) $= 238\,000 + 5370$
$= 243\,370$
$= 2.4337 \times 10^5$

ii $4.45 \times 10^3 \times 7.16 \times 10^{-2}$

(2) $= 4.45 \times 7.16 \times 10^3 \times 10^{-2}$
$= 31.862 \times 10^1$ (3)
$= 3.1862 \times 10 \times 10^1$
$= 3.1862 \times 10^2$

b Sawl gwaith yn fwy na 9.27×10^3 yw 3.16×10^8?

Ateb

Nifer y gweithiau yw $(3.16 \times 10^8) \div (9.27 \times 10^3)$

$= 3.16 \div 9.27 \times 10^8 \div 10^3$ (2)
$= 0.34088... \times 10^5$ (3)
$= 3.4088... \times 10^{-1} \times 10^5$ (2)
$= 3.4088... \times 10^4$

Termau allweddol

Ffurf safonol

Rhif cyffredin

Pwerau

Indecsau

Cyngor

Rhoi eich ateb yn y ffurf safonol os yw'r cwestiwn yn gofyn am hynny.

Gofal

Peidio ag ysgrifennu:

$3.16 \div 9.27 \times 10^8 \times 10^3$, mae angen rhannu'r pwerau o 10 hefyd.

Cwestiynau dull arholiad

1 $p = 6.32 \times 10^4$ $q = 7.15 \times 10^{-2}$

Cyfrifwch

a pq **[2]**

b $(p + q)^2$ **[2]**

Rhowch eich atebion yn y ffurf safonol.

2 Diamedr moleciwl o ddŵr yw 2.9×10^{-8} cm.
Mae un nanometr = 1×10^{-9} metr.
Beth yw diamedr y moleciwl hwn o ddŵr mewn nanometrau?
Rhowch eich ateb yn y ffurf safonol. **[2]**

3 Mae un flwyddyn golau = 9.461×10^{12} km.
Y pellter cyfartalog o'r Haul i'r Ddaear = 1.496×10^8
Sawl gwaith yn fwy na'r pellter cyfartalog o'r Haul i'r Ddaear yw un flwyddyn golau?
Rhowch eich ateb yn y ffurf safonol. **[2]**

Cyngor

Peidio â cheisio gwneud y cyfan o bob cyfrifiad ar eich cyfrifiannell. Ysgrifennu pob cam o'ch gwaith cyfrifo.

ATEBION WEDI'U GWIRIO

Degolion cylchol

WEDI'I ADOLYGU ☐

UCHEL

Rheolau

1. I ddehongli nodiant degolion cylchol (dotiau ar ben y digid 1af a'r digid olaf), ysgrifennu'r amrediad hwn o rifau dro ar ôl tro; er enghraifft, $1.2\dot{3}4\dot{5} = 1.2345345345345\ldots$
2. I ysgrifennu degolyn cylchol fel ffracsiwn, lluosi'r degolyn â phwerau addas o 10 fel bod y gwahaniaeth rhwng **dau** ateb dilynol yn rhif cymarebol.

Enghreifftiau

a Trawsnewidiwch $1.\dot{7}$ yn ffracsiwn.

Ateb

Gadewch i $x = 1.\dot{7} = 1.77777\ldots$ ❶

$10x = 1.77777\ldots \times 10 = 17.77777\ldots$ ❷

$10x - x = 17.77777\ldots - 1.77777\ldots = 16$ (rhif cymarebol)

$9x = 16$, felly $x = 1.\dot{7} = \frac{16}{9}$

b Trawsnewidiwch $2.8\dot{4}\dot{5}$ yn ffracsiwn.

Ateb

Gadewch i $x = 2.8\dot{4}\dot{5} = 2.8454545\ldots$ ❶

$10x = 2.8454545\ldots \times 10 = 28.454545\ldots$ ❷

$1000x = 2.8454545\ldots \times 1000 = 2845.454545\ldots$

$1000x - 10x = 2845.454545\ldots - 28.454545\ldots = 2817$ (rhif cymarebol)

$990x = 2817$, felly $x = 2.8\dot{4}\dot{5} = \frac{2817}{990}$

Cwestiynau dull arholiad

1. Profwch yn algebraidd fod y degolyn cylchol $0.5\dot{4}$ yn gallu cael ei ysgrifennu fel y ffracsiwn $\frac{49}{90}$. **[3]**
2. Profwch yn algebraidd fod y degolyn cylchol $0.\dot{4}2\dot{5}$ yn gallu cael ei ysgrifennu fel y ffracsiwn $\frac{425}{999}$. **[3]**
3. Profwch yn algebraidd fod y gwahaniaeth rhwng $2.\dot{1}\dot{8}$ ac $1.\dot{1}$ yn gallu cael ei ysgrifennu fel y ffracsiwn $1\frac{7}{99}$. **[3]**

ATEBION WEDI'U GWIRIO ☐

Term allweddol

Degolyn cylchol

Cyngor

Peidio **byth** â cheisio defnyddio cyfrifiannell i drawsnewid; bydd y cwestiwn yn golygu dull algebraidd bob tro.

Os yw'r cwestiwn ar bapur lle caniateir cyfrifiannell, gwirio eich ateb.

Cyngor

Camgymeriad cyffredin yw dangos bod y ffracsiwn $\left(\frac{49}{90}\right)$ yn gallu cael ei drawsnewid, drwy rannu, i fod y degolyn cylchol sy'n cael ei roi. Fyddai hyn ddim yn cael marciau, gan fod angen dull algebraidd.

Talgrynnu i leoedd degol, ffigurau ystyrlon a brasamcanu

WEDI'I ADOLYGU

CANOLIG

Rheolau

1. I dalgrynnu rhif i leoedd degol, edrych ar y rhif nesaf ar ôl y nifer gofynnol o leoedd degol; (1a) os yw'n 5 neu'n fwy, cynyddu rhif y lle blaenorol gan 1; (1b) os yw'n llai na 5, peidio â newid rhif y lle blaenorol.
2. I dalgrynnu rhif i ffigurau ystyrlon, cyfrif nifer y digidau o'r digid cyntaf sydd ddim yn sero, gan ddechrau o'r chwith, yna talgrynnu fel yr uchod.
3. I amcangyfrif ateb bras i gyfrifiad, talgrynnu pob rhif i **un** ffigur ystyrlon (1 ff.y.).

Termau allweddol

Lleoedd degol

Ffigurau ystyrlon

Brasamcan

Amcangyfrif

Enghreifftiau

a Ysgrifennwch 4.754
 i yn gywir i 1 lle degol
 ii yn gywir i 3 ffigur ystyrlon.

Atebion

(1) i 4.754 = 4.8
(2) ii 4.754 = 4.75

(1a) y rhif nesaf ar ôl y nifer gofynnol o leoedd degol

(2a) y rhif nesaf ar ôl y nifer gofynnol o ffigurau ystyrlon

b Ysgrifennwch 0.01278
 i yn gywir i 2 le degol,
 ii yn gywir i 2 ffigur ystyrlon.

Atebion

(1) i 0.01278 = 0.01
(2) ii 0.01278 = 0.013

(1b) y rhif nesaf ar ôl y nifer gofynnol o leoedd degol

(2b) y rhif nesaf ar ôl y nifer gofynnol o ffigurau ystyrlon

c Ysgrifennwch amcangyfrif ar gyfer gwerth
 i 1026
 ii 0.498

Atebion

(3) i $1026 \approx 1000$
 ii $0.498 \approx 0.5$

Gofal

Wrth nodi ffigurau ystyrlon, cofio nad yw'r ddau 0 cyntaf, fel sydd yn bii, yn ystyrlon; y rhif 1 yw'r ffigur ystyrlon cyntaf.

Cyngor

Dydy maint y rhif ddim yn newid.

Gofal

Camgymeriad cyffredin yw ysgrifennu 0.498 = 0

Cwestiynau dull arholiad

1 Dimensiynau petryal yw 4.87 cm × 2.35 cm.
 Cyfrifwch arwynebedd y petryal hwn.
 Rhowch eich ateb yn gywir i 2 le degol. **[2]**

2 Rydych chi'n cael gwybod mai hyd llinyn yw 12 cm yn gywir i 2 ffigur ystyrlon.
 Ysgrifennwch hyd gwirioneddol lleiaf posibl y llinyn hwn. **[1]**

3 Darganfyddwch amcangyfrif ar gyfer gwerth $\frac{4.83 \times 204}{0.51}$ **[2]**

Cyngor

Talgrynnu pob rhif yn gywir i **un** ffigur ystyrlon.

ATEBION WEDI'U GWIRIO

Terfannau manwl gywirdeb

WEDI'I ADOLYGU

ISEL

Rheolau

1. Os oes graddau o fanwl gywirdeb wedi'u rhoi ar gyfer rhif, i ddarganfod arffin isaf, ysgrifennu canolbwynt y rhif sydd wedi'i roi a'r rhif gydag un radd yn llai o fanwl gywirdeb.
2. Os oes graddau o fanwl gywirdeb wedi'u rhoi ar gyfer rhif, i ddarganfod arffin uchaf, ysgrifennu canolbwynt y rhif sydd wedi'i roi a'r rhif gydag un radd yn fwy o fanwl gywirdeb.

Enghreifftiau

a Mae hyd maes pêl-droed wedi'i fesur fel 120 o lathenni i'r llathen agosaf.

Ysgrifennwch
i arffin isaf
ii arffin uchaf yr hyd hwn.

Atebion

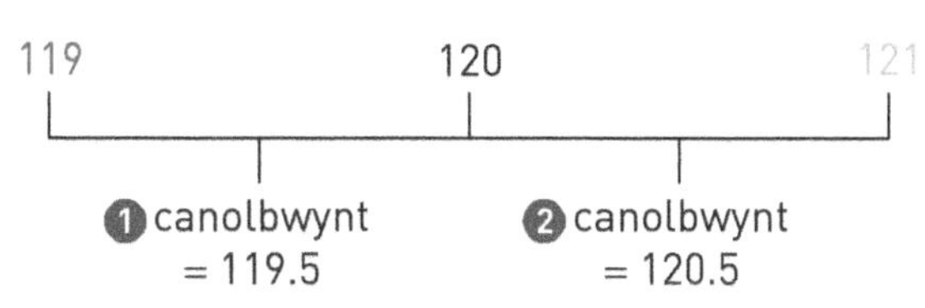

i arffin isaf = 119.5 o lathenni
ii arffin uchaf = 120.5 o lathenni

b Cyfaint potel yw 85 cm^3 yn gywir i'r 5 cm^3 agosaf. Ysgrifennwch i arffin isaf a ii arffin uchaf y cyfaint hwn.

Atebion

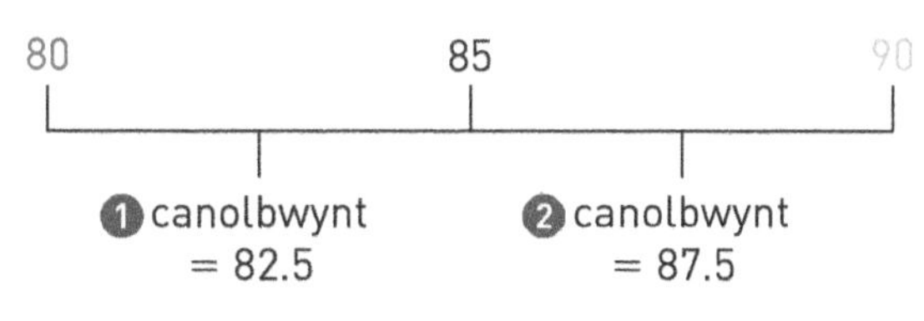

i arffin isaf = 82.5 cm^3
ii arffin uchaf = 87.5 cm^3

Termau allweddol

Arffin uchaf

Arffin isaf

Graddau o fanwl gywirdeb

Cyngor

Lluniadu diagram i ddangos y rhifau islaw ac uwchlaw y rhif sydd wedi'i roi.

Gofal

5 cm^3 yw'r graddau o fanwl gywirdeb, felly rhaid i'r raddfa fynd 5 cm^3 yn is a 5 cm^3 yn uwch.

Cofio

Ffiniau yw'r arffiniau uchaf, nid gwerthoedd y gallai'r maint fod yn hafal iddyn nhw mewn gwirionedd; felly **peidio** ag ysgrifennu, 120.49... yn aii, nac 87.49... yn bii.

Cwestiynau dull arholiad

1 Mae dimensiynau pen bwrdd wedi'u rhoi fel 2.3 m × 1.2 m wedi'u mesur yn gywir i 1 lle degol. Ysgrifennwch
a arffin isaf
b arffin uchaf y dimensiynau hyn. **[2]**

2 Mae Mo yn rhedeg pellter o 2.5 km wedi'i fesur yn gywir i'r 10 metr agosaf. Darganfyddwch arffin isaf rhediad Mo. **[1]**

3 Y pellter rhwng tŷ Milly a thŷ ei thad-cu yw 190 o filltiroedd wedi'i fesur i'r 10 milltir agosaf. Cymerodd Milly 3 awr **yn union** i yrru i dŷ ei thad-cu. Mae Milly yn dweud 'y buanedd cyfartalog oedd 60 m.y.a.'. Allai Milly fod yn gywir? Esboniwch eich ateb. **[3]**

Cyngor

Cofio: buanedd = $\frac{\text{pellter}}{\text{amser}}$

ATEBION WEDI'U GWIRIO

Cyfrifo ag arffiniau isaf ac uchaf

WEDI'I ADOLYGU

UCHEL

Rheolau

1. Defnyddio'r ddwy arffin isaf (neu arffin uchaf) wrth ddarganfod arffin isaf (neu arffin uchaf) swm neu luoswm dau faint.
2. Wrth ddarganfod arffin isaf cyniferydd neu'r gwahaniaeth rhwng dau faint, cyfrifo'r arffin isaf wedi'i rannu â'r arffin uchaf neu'r arffin isaf minws yr arffin uchaf.
3. Wrth ddarganfod arffin uchaf cyniferydd neu'r gwahaniaeth rhwng dau faint, cyfrifo'r arffin uchaf wedi'i rannu â'r arffin isaf neu'r arffin uchaf minws yr arffin isaf.
4. Mae'r ateb i radd briodol o fanwl gywirdeb ar gyfer cyfrifiad yn cael ei roi drwy dalgrynnu'r arffin uchaf i ffigurau ystyrlon cyffredin.

Enghreifftiau

a Mae dimensiynau petryal wedi'i rhoi fel 12.0 cm × 8.0 cm wedi'u mesur yn gywir i 1 lle degol.

i Darganfyddwch arffiniau'r perimedr.

ii Darganfyddwch arffiniau arwynebedd y petryal hwn.

iii Darganfyddwch yr arwynebedd i radd briodol o fanwl gywirdeb.

Atebion

i arffin isaf yr hyd = 11.95 cm

arffin uchaf yr hyd = 12.05 cm

arffin isaf y lled = 7.95 cm   arffin uchaf y lled = 8.05 cm

arffin isaf y perimedr = 2 × (11.95 + 7.95) = 39.8 cm ❶

arffin uchaf y perimedr = 2 × (12.05 + 8.05) = 40.2 cm ❶

ii arffin isaf yr arwynebedd = 11.95 × 7.95 = 95.0025 cm² ❶

arffin uchaf yr arwynebedd = 12.05 × 8.05 = 97.0025 cm² ❶

iii Yr arwynebedd i radd briodol o fanwl gywirdeb = 100 cm² ❹

(gan fod 95.0025 a 97.0025 yn talgrynnu i 100)

b $D = 28$ milltir yn gywir i'r 2 filltir agosaf. $T = 15$ munud yn gywir i'r munud agosaf. Cyfrifwch arffin uchaf S, lle mae $S = \frac{D}{T}$.

Ateb

arffin uchaf $S = \frac{\text{arffin uchaf } D}{\text{arffin isaf } T}$ ❸ $= 29 \div 14.5 = 2$ filltir/munud

Termau allweddol

Arffin uchaf

Arffin isaf

Graddau o fanwl gywirdeb

Cyngor

Lluniadu diagram i ddarganfod arffiniau uchaf ac isaf, fel terfannau manwl gywirdeb.

Gofal

Efallai bydd newid mewn unedau; gallai fod gofyn am m.y.a. yma.

Cwestiynau dull arholiad

1. Mae rhywun yn amcangyfrif mai arwynebedd cylch yw 54 cm² i'r 2 cm² agosaf. Mae gwerth π yn cael ei gymryd i fod yn 3.14 i 2 le degol.
   Cyfrifwch hyd y radiws i radd briodol o fanwl gywirdeb. **[4]**
2. Mae Gerry yn gallu dal ei anadl am 58.5 eiliad wedi'i fesur i'r hanner eiliad agosaf. Mae Mary yn gallu dal ei hanadl am 1 munud 2.5 eiliad wedi'i fesur i'r hanner eiliad agosaf.
   Cyfrifwch y gwahaniaeth lleiaf posibl rhwng y ddau amser hyn. **[3]**

Gofal

Camgymeriad cyffredin yw gweithio gyda'r holl arffiniau uchaf (isaf) wrth ddarganfod arffin uchaf (isaf) cyfrifiad. Defnyddio Rheolau ❶, ❷ a ❸.

ATEBION WEDI'U GWIRIO

Canrannau gwrthdro

WEDI'I ADOLYGU

ISEL

Rheolau

1. Os yw'r gwerth terfynol yn ganlyniad cynnydd canrannol, adio 100% at y cynnydd canrannol a rhannu'r gwerth terfynol â'r ganran newydd hon.
2. Os yw'r gwerth terfynol yn ganlyniad gostyngiad canrannol, tynnu'r gostyngiad canrannol o 100% a rhannu'r gwerth terfynol â'r ganran newydd hon.

Termau allweddol

Cynnydd canrannol

Gostyngiad canrannol

Enghreifftiau

a Mewn sêl mae pris set deledu yn cael ei ostwng 15%.
Os yw'r pris yn y sêl yn £544, cyfrifwch beth oedd pris gwreiddiol y set deledu.

Ateb
Gostyngiad yw'r pris, ac felly: 100% – 15% = 85% (sef $\frac{85}{100}$)

❷ $544 \div \frac{85}{100} = 544 \times \frac{100}{85} = £640$

Cofio

I rannu â ffracsiwn, gwrthdroi'r ffracsiwn ac yna lluosi ag ef.

b Mae n yn cael ei gynyddu 80%. Ei werth nawr yw 126.
Beth oedd gwerth n?

Ateb
Cynnydd yw hwn, ac felly: 100% + 80% = 180% (sef $\frac{180}{100}$ =1.8)

$n = 126 \div 1.8 = 70$

Dyma luosydd y cynnydd

Cyngor

Os ydych chi'n defnyddio lluosydd, dangoswch sut rydych chi'n ei gael.

Cwestiynau dull arholiad

1 Prynodd Ismail ffôn clyfar a gliniadur. Cyfanswm y gost, yn cynnwys TAW ar gyfradd o 20%, oedd £684. Pris y ffôn clyfar heb gynnwys TAW oedd £250.

Beth oedd pris y gliniadur heb gynnwys TAW? **[3]**

2 Mae David yn cadw gwenyn. Yn 2015 roedd ganddo 6400 o wenyn. Roedd hyn yn gynnydd o 27.5% ers 2014.

Dywedodd David fod ganddo lai na 5000 o wenyn yn 2014. Ydy David yn gywir? **[3]**

3 Mae Ben wedi newid ei swydd. Mae'r cyflog newydd 5% yn llai nag o'r blaen. Mae Jane, gwraig Ben, newydd gael cynnydd o 8% yn ei chyflog hi.

Cyflog Ben nawr yw £26 500 y flwyddyn. Cyflog Jane nawr yw £22 000 y flwyddyn.

Ydy cyfanswm eu henillion yn well neu'n waeth nawr? **[4]**

Gofal

Bod yn glir a yw'r ateb yn mynd i fod yn fwy neu'n llai na'r gwerth gwreiddiol.

Gofal

Camgymeriad cyffredin yw darganfod y ganran o'r swm terfynol a thynnu neu adio yn dibynnu ar p'un ai bydd y gwerth gwreiddiol yn llai neu'n fwy.

ATEBION WEDI'U GWIRIO

Cynnydd/gostyngiad canrannol sy'n cael ei ailadrodd

WEDI'I ADOLYGU ☐

ISEL

Rheolau

1. Darganfod y cynnydd (gostyngiad) ar ôl un cyfnod amser ac adio hyn at y swm gwreiddiol (tynnu hyn o'r swm gwreiddiol). Yna mae'r cynnydd (gostyngiad) canrannol yn cael ei gymhwyso at y cyfanswm hwn ac mae cyfanswm newydd yn cael ei ddarganfod. Mae hyn yn parhau am y nifer gofynnol o ailadroddiadau.
2. Os yw cynnydd neu ostyngiad canrannol yn cael ei ailadrodd n gwaith, mae'n bosibl darganfod y gwerth wedi'i adlogi gan ddefnyddio'r lluosydd wedi'i godi i'r pŵer n.

Term allweddol

Adlog

Enghreifftiau

a Mae Tim yn buddsoddi £4000 mewn cyfrif cynilo. Mae adlog yn cael ei dalu ar gyfradd o 3.5% y flwyddyn. Faint fydd gan Tim yn ei gyfrif ar ôl 4 blynedd?

Ateb

❶ 3.5% o $4000 = \frac{3.5}{100} \times 4000 = 140$

Cyfanswm ar ôl 1 flwyddyn = 4000 + 140 = 4140

❶ 3.5% o $4140 = \frac{3.5}{100} \times 4140 = 144.90$

Cyfanswm ar ôl 2 flynedd = 4140 + 144.90 = 4284.90

❶ 3.5% o $4284.90 = \frac{3.5}{100} \times 4284.90 = 149.97$

Cyfanswm ar ôl 3 blynedd = 4284.90 + 149.97 = 4434.87

❶ 3.5% o $4434.87 = \frac{3.5}{100} \times 4434.87 = 155.22$

Cyfanswm ar ôl 4 blynedd = 4434.87 + 155.22 = 4590.09

❷ Lluosydd = $\frac{100 + 3.5}{100} = 1.035$

$n = 4$ gan ei fod yn gyfnod o 4 blynedd

Cyfanswm ar ôl 4 blynedd = $4000 \times 1.035^4 = 4590.09$

b Poblogaeth yr adar mewn gwarchodfa adar yw 4500. Mae rhywun wedi amcangyfrif bydd y boblogaeth yn gostwng ar gyfradd o 12% bob blwyddyn am y 3 blynedd nesaf. Beth yw'r boblogaeth ddisgwyliedig ar ôl y 3 blynedd nesaf?

Ateb

Lluosydd = $\frac{100 - 12}{100} = 0.88$

❷ Poblogaeth ddisgwyliedig = $4500 \times 0.88^3 = 3066$

Cyngor

Mae 1.035^4 yn cael ei ddarganfod gan ddefnyddio'r botwm y^x ar y cyfrifiannell. Does dim y^x gan rai cyfrifianellau.

Cyngor

Yn amlwg mae dull ❷ yn ddull mwy uniongyrchol.

Gofal

Bod yn glir a yw'r ateb yn mynd i fod yn fwy neu'n llai na'r gwerth gwreiddiol.

Cwestiynau dull arholiad

1. Mae banc yn talu llog ar gyfradd o 4.5% am y flwyddyn gyntaf a 2% am bob blwyddyn ddilynol. Mae Tess yn buddsoddi £35 000 am 5 mlynedd. Cyfrifwch beth yw cyfanswm y llog fydd yn cael ei dalu ar ddiwedd 5 mlynedd. **[3]**
2. Mae Chris yn prynu car newydd am £17 500. Mae rhywun wedi amcangyfrif bydd gwerth y car yn dibrisio 20% yn y flwyddyn gyntaf, 15% yn yr ail flwyddyn ac 12% y flwyddyn am y 3 blynedd ar ôl hynny. Mae Chris yn dweud bydd gwerth y car ar ôl 5 mlynedd yn fwy na hanner cost y car. Ydy Chris yn gywir? **[4]**
3. Mae Jose newydd agor tŷ bwyta newydd. Mae e'n rhagfynegi bydd ei elw'n cynyddu 12.5% bob 6 mis. Sawl blwyddyn fydd wedi mynd heibio cyn y bydd elw Jose yn ddwbl yr elw ar ôl y cyfnod cyntaf o 6 mis? **[3]**

Cyngor

Defnyddio lluosyddion lle bynnag mae'n bosibl yn yr ymarfer hwn.

ATEBION WEDI'U GWIRIO ☐

Twf a dirywiad

WEDI'I ADOLYGU

CANOLIG

Rheolau

1. Os yw cynnydd neu ostyngiad canrannol yn cael ei ailadrodd n gwaith, mae'n bosibl darganfod y gwerth wedi'i adlogi gan ddefnyddio'r lluosydd wedi'i godi i'r pŵer n.
2. I ddarganfod y cynnydd (neu'r gostyngiad) canrannol sy'n cael ei ailadrodd o wybod n, sef nifer yr ailadroddiadau, rhannu'r swm terfynol â'r swm gwreiddiol ac yna darganfod yr $n$fed isradd. Yr $n$fed isradd yw'r lluosydd. Yna darganfod y newid canrannol drwy luosi â 100 ac yna naill ai adio at 100 neu dynnu o 100.
3. I ddarganfod nifer yr ailadroddiadau mewn problem dwf neu ddirywiad, rhannu'r swm terfynol â'r swm gwreiddiol i roi ffactor graddfa. Yna hafalu pŵer o'r lluosydd sydd wedi'i ddeillio o'r canran â hyn, a'i ddatrys i roi nifer yr ailadroddiadau.

Termau allweddol

Twf a dirywiad esbonyddol

Enghreifftiau

a Mae poblogaeth rhywogaeth brin o gorryn yn gostwng ar gyfradd o 60% y flwyddyn. 12 o flynyddoedd yn ôl, poblogaeth y corryn hwn oedd 6 miliwn. Beth yw'r boblogaeth nawr?

Gofal

Rhaid i'r ateb yn yr achos hwn fod yn rhif cyfan.

Ateb

Gostyngiad o 60% y flwyddyn, felly lluosydd = $0.4\left(\frac{100-60}{100}\right)$

Poblogaeth ar ôl 12 o flynyddoedd = $6\,000\,000 \times 0.4^{12} = 100$ ❶

b Cynyddodd gwerth paentiad dros gyfnod o 6 blynedd o £25 000 i ychydig dros £33 500. Cyfrifwch y cynnydd canrannol bob blwyddyn.

Ateb

Lluosydd = $\sqrt[6]{33500 \div 25000} = 1.049\,987... = 1.05$

Newid canrannol = $1.05 \times 100 - 100 = 105 - 100 =$ **5%** ❷

Brasamcanu hwn i 1.05 gan fod y gwerth **dros** £33 500

c Mae bond llywodraeth yn talu adlog ar gyfradd o 10% y flwyddyn. Faint o flynyddoedd bydd yn eu cymryd i fuddsoddiad o £1000 ddyblu o ran gwerth?

Ateb

Cyfradd llog yw 10%, felly lluosydd = 1.1

$1000 \times 1.1^x = 2000$

Felly $1.1^x = 2$, $1.1^7 = 1.948$ ac $1.1^8 = 2.14$. Felly $x = 8$ mlynedd. ❸

Cyngor

Gallu defnyddio cynnig a gwella yma.

Cwestiynau dull arholiad

1 Tymheredd cwpanaid o de yw 85 °C. Mae'r tymheredd yn gostwng ar gyfradd o 25% y munud. Cyfrifwch beth yw tymheredd y te ar ôl 6 munud. Rhowch eich ateb yn gywir i 3 ffigur ystyrlon. **[2]**

2 Mae gan blaid wleidyddol 60 sedd yn ei senedd. Y disgwyl yw y bydd nifer y seddau yn cynyddu 12% bob blwyddyn.
Faint o flynyddoedd bydd yn eu cymryd cyn i nifer y seddau fod wedi cynyddu 50%? **[3]**

ATEBION WEDI'U GWIRIO

Cwestiynau dull arholiad cymysg

1 Hyd petryal yw 8.364 cm. Lled y petryal yw 5.549 cm.
Mae Tony yn dweud bod arwynebedd y petryal leiaf pan fydd yr hyd a'r lled yn cael eu talgrynnu i 1 ffigur ystyrlon.
Mae Noreen yn dweud ei fod leiaf pan fydd yr hyd a'r lled yn cael eu talgrynnu i 2 ffigur ystyrlon.
Mae Waqar yn dweud ei fod leiaf pan fydd yr hyd a'r lled yn cael eu talgrynnu i 3 ffigur ystyrlon.
Pwy sy'n gywir? **[4]**

2 Mae Sadwrn 1.25×10^9 km o'r Ddaear. Mae Gwener 4.14×10^7 km o'r Ddaear.
- **a** Sawl gwaith yn bellach o'r Ddaear mae Sadwrn na Gwener? **[2]**
- **b** Faint o filltiroedd o'r Ddaear yw Sadwrn? Defnyddiwch y trawsnewidiad bras hwn: 1.6 km = 1 filltir. **[2]**

3 Profwch yn algebraidd fod y degolyn cylchol $5.7\dot{2}$ yn gallu cael ei ysgrifennu fel y ffracsiwn $5\frac{13}{18}$. **[3]**

4 Mae dimensiynau darn petryal o bapur yn cael eu rhoi fel 30 cm × 18 cm wedi'u mesur yn gywir i'r centimetr agosaf.
Allai arwynebedd y darn hwn o bapur fod yn fwy na 550 cm^2?
Esboniwch eich ateb. **[3]**

5 Mae Heddwen yn gyrru i dŷ ei ffrind.
Y pellter mae Heddwen yn ei yrru yw 3.6 milltir wedi'i fesur yn gywir i'r degfed o filltir agosaf.
Mae'n cymryd 7.2 munud i Heddwen wedi'i fesur yn gywir i un lle degol.
Y terfyn cyflymder drwy daith Heddwen i gyd oedd 30 m.y.a.
Allai Heddwen fod wedi bod yn gyrru dan y terfyn cyflymder drwy'r amser?
Esboniwch eich ateb. **[4]**

6 O ddydd Llun, cafodd pris set deledu ei ostwng 20% mewn sêl.
Ddydd Mercher cafodd pris y set deledu ei ostwng 10% yn ychwanegol.
Prynodd Alan y set deledu ddydd Mercher am £604.80.
Beth oedd pris y set deledu cyn y sêl? **[4]**

7 Ar ddiwedd 2014, poblogaeth Summerstown oedd 15 500.
Ar ddiwedd 2015 roedd y boblogaeth wedi cynyddu 500.
Cafodd ei ragfynegi y byddai'r cynnydd canrannol ym mhoblogaeth Summerstown yn cynyddu ar gyfradd gyson am y 9 mlynedd nesaf.
Dywedodd Dafydd fod hyn yn golygu bydd y boblogaeth wedi cynyddu 5000 ar ôl y 10 mlynedd hyn.
Esboniwch yn llawn pam mae Dafydd yn anghywir a defnyddiwch y wybodaeth hon i ragfynegi'n gywir boblogaeth Summerstown ar ddiwedd 2024. **[4]**

8 Mae Lois yn bridio pysgod trofannol.
Ar ôl 4 mis, mae ganddi 1200 o bysgod.
Ar ôl 6 mis mae ganddi 1500 o bysgod.
Gan dybio bod nifer y pysgod wedi cynyddu'n esbonyddol, faint o bysgod oedd gan Lois ar ôl blwyddyn? **[5]**

Gweithio gyda meintiau cyfrannol

WEDI'I ADOLYGU

UCHEL

Rheolau

1. I ddefnyddio'r dull unedol, darganfod gwerth **un** rhan o'r swm cyfan.
2. Yna mae'n bosibl darganfod lluosrifau.

Termau allweddol

Cymhareb

Cyfran

Lluosrifau

Enghreifftiau

a Mae 12 llyfr unfath yn costio £23.88.
Cyfrifwch beth yw cost 5 o'r llyfrau hyn.

Ateb

1. 23.88 ÷ 12 = £1.99 y llyfr ← Gwerth **un** uned
2. Mae 5 llyfr yn costio £1.99 × 5 = £9.95

b Cyfrifwch pa un yw'r gwerth gorau yn achos y bagiau hyn o datws; 6 kg am £8.16 neu 11 kg am £15.18.

Ateb

1. £8.16 ÷ 6 = £1.36 y kg

1. £15.18 ÷ 11 = £1.38 y kg

Felly 6 kg am £8.16 yw'r gwerth gorau.

Cyngor

Rhoi atebion mewn brawddeg bob amser a chefnogi'r atebion â gwaith cyfrifo.

Cwestiynau dull arholiad

1 Mae 8 beiro yn costio £5.20.

Cyfrifwch beth yw cost 15 o'r beiros hyn. **[2]**

2 Mae Jay yn prynu tri dogn o sglodion a dwy bei am £6.45. Mae Mandy yn prynu 5 pei am £6.

Beth yw cost un dogn o sglodion? **[3]**

3 Dyma'r cynhwysion i wneud 40 bisged.
600 g menyn, 300 g siwgr a 900 g blawd.
Mae gan Mrs Bee y cynhwysion canlynol yn ei chwpwrdd.
1.5 kg menyn, 1 kg siwgr a 2 kg blawd.

Cyfrifwch y nifer mwyaf o'r bisgedi hyn mae Mrs Bee yn gallu eu gwneud. **[4]**

Cyngor

Cyfrifo gwerth **un** rhan bob amser.

Cyngor

Esbonio pam mai hwn yw'r rhif mwyaf.

ATEBION WEDI'U GWIRIO

Y cysonyn cyfrannol

WEDI'I ADOLYGU

ISEL

Rheolau

1. I gyfrifo cysonyn cyfrannol dau newidyn sydd mewn cyfrannedd union, rhannu un newidyn â'r llall.
2. I lunio fformiwla sy'n disgrifio'r berthynas rhwng dau newidyn, darganfod y cysonyn cyfrannol ac yna amnewid yn y berthynas.

Enghreifftiau

a Mae'r tabl gwerthoedd yn dangos y milltiroedd (D) mae car wedi'u teithio gan ddefnyddio G galwyn o betrol.

D milltiroedd	120	240	480	720	1200
G galwyni	5	10	20	30	50

Ysgrifennwch fformiwla yn cysylltu D a G.

Ateb

$D \propto G$, felly $D = kG$ lle mai k yw'r cysonyn cyfrannol.

(1) $120 \div 5 = 24$; $240 \div 10 = 24$; $480 \div 20 = 24$; $720 \div 30 = 24$; $1200 \div 50 = 24$

$k = 24$ yw'r cysonyn cyfrannol.

(2) $D = 24G$

b Mae y mewn cyfrannedd union ag x.
Pan fo $x = 5$, $y = 11$.
Cyfrifwch beth yw gwerth x pan fo $y = 30$.
Rhowch eich ateb yn gywir i 1 lle degol.

Ateb

$y \propto x$, felly $y = kx$

Pan fo $x = 5$, $y = 11$, felly $11 = k \times 5$

$k = 11 \div 5 = 2.2$ (1)

$y = 2.2x$ (2)

Pan fo $y = 30$, $30 = 2.2x$

$x = 30 \div 2.2 = 13.6$

Cyngor

Cofio: mae '$\propto$' yn golygu 'mewn cyfrannedd â'.

Termau allweddol

Cyfrannedd union
Cysonyn cyfrannol

Cyngor

Cam 1: defnyddio'r wybodaeth sy'n cael ei rhoi i ddarganfod k.

Cam 2: defnyddio gwerth k i ysgrifennu'r fformiwla.

Cam 3: defnyddio'r fformiwla i ddarganfod yr anhysbysyn angenrheidiol.

Cwestiynau dull arholiad

1 Mae'r tabl gwerthoedd yn dangos symiau o arian mewn punnoedd (£P) a'u gwerthoedd cywerth mewn ewros (€E).

Punnoedd (£P)	2.00		6.00		10.00
Ewros (€E)	2.70	5.40		10.80	13.50

a Ysgrifennwch y gwerthoedd sydd ar goll yn y tabl. **[1]**

b Ysgrifennwch fformiwla ar gyfer E yn nhermau P. **[2]**

c Beth mae'r cysonyn cyfrannol yn ei gynrychioli yn y fformiwla hon? **[1]**

2 Mae H mewn cyfrannedd union â t.
Pan fo $t = 5.6$, mae $H = 14$.
Cyfrifwch beth yw gwerth H pan fo $t = 35$. **[3]**

ATEBION WEDI'U GWIRIO

Gweithio â mesurau sydd mewn cyfrannedd gwrthdro

WEDI'I ADOLYGU

ISEL

Rheolau

1. I gyfrifo cysonyn cyfrannol dau newidyn sydd mewn cyfrannedd gwrthdro â'i gilydd, lluosi un newidyn â'r llall.
2. I lunio fformiwla sy'n disgrifio'r berthynas rhwng dau newidyn, darganfod y cysonyn cyfrannol ac yna amnewid yn y berthynas.

Enghreifftiau

a Mae swm o arian yn cael ei rannu'n hafal rhwng N o bobl fel bod pob person yn cael £p.

i Os yw 30 o bobl yn cael £25 yr un, ysgrifennwch fformiwla ar gyfer N yn nhermau p.

ii Beth mae'r cysonyn cyfrannol yn ei gynrychioli?

Atebion

i Mae N mewn cyfrannedd gwrthdro â p, felly $N = \frac{k}{p}$

➊ $k = 30 \times 25 = 750$, felly $N = \frac{750}{p}$ ➋

ii Y cysonyn cyfrannol, 750, yw'r swm o arian sy'n cael ei rannu.

b Mae W mewn cyfrannedd gwrthdro â d. Pan fo $d = 5$, mae $W = 120$. Cyfrifwch beth yw gwerth d pan fo $W = 600$.

Ateb

$W \propto \frac{1}{d}$, felly $W = \frac{k}{d}$, pan fo $d = 5$, $W = 120$, felly $120 = k \div 5$

$k = 120 \times 5 = 600$ ➊

$W = \frac{600}{d}$

Pan fo $W = 600$, $600 = 600 \div d$

$d = 600 \div 600 = 1$

Cyngor

Cofio: mae '$\propto$' yn golygu 'mewn cyfrannedd â', mae 'gwrthdro' yn golygu '1 dros' neu 'cilydd'.

Termau allweddol

Cyfrannedd gwrthdro

Cysonyn cyfrannol

Cyngor

Cam 1: defnyddio'r wybodaeth sy'n cael ei rhoi i ddarganfod k.

Cam 2: defnyddio gwerth k i ysgrifennu'r fformiwla.

Cam 3: defnyddio'r fformiwla i ddarganfod yr anhysbysyn angenrheidiol.

Sylwch: dyma'r **un** broses ag ar gyfer cyfrannedd union.

Cwestiynau dull arholiad

1 Mae'n cymryd 8 dyn 25 diwrnod i adeiladu wal. Mae'n cymryd 10 dyn 20 diwrnod i adeiladu wal unfath.

a Ydy hyn yn enghraifft o gyfrannedd union neu gyfrannedd gwrthdro? Rhaid i chi esbonio eich ateb. **[1]**

b Faint o ddiwrnodau byddai'n eu cymryd i 4 dyn adeiladu'r wal? **[2]**
(Sylwch: Mae pob un o'r dynion yn gweithio ar yr un gyfradd.)

2 Mae y mewn cyfrannedd gwrthdro ag x. Mae un gwall yn unig yn y tabl gwerthoedd. Beth yw'r gwall? **[2]**

x	1.2	1.5	25	30	120
y	250	200	120	10	2.5

3 Mae P mewn cyfrannedd gwrthdro ag s.

Pan fo $s = 20$, mae $P = 100$. Cyfrifwch beth yw gwerth s pan fo $P = 200$. **[2]**

ATEBION WEDI'U GWIRIO

Llunio hafaliadau i ddatrys problemau cyfrannedd

WEDI'I ADOLYGU

UCHEL

Rheolau

1. I lunio fformiwla ar gyfer cyfrannedd union rhwng y a ffwythiant o x, $f(x)$ defnyddio'r fformiwla $y = kf(x)$.
2. I lunio fformiwla ar gyfer cyfrannedd gwrthdro rhwng y a ffwythiant o x, $f(x)$ cyfrannedd gwrthdro, defnyddio'r fformiwla $y = \frac{k}{f(x)}$.
3. Yn achos pob un, rhaid darganfod k, sef y cysonyn cyfrannol.

Termau allweddol

Cyfrannedd union / gwrthdro

Cysonyn cyfrannol

Enghreifftiau

a Mae cyfaint sffêr mewn cyfrannedd union â chiwb ei radiws. Radiws, r, pêl yw 1.5 cm a chyfaint, C, y bêl yw $4.5\pi\,\text{cm}^3$. Ysgrifennwch hafaliad sy'n rhoi C yn nhermau r.

Ateb

$C = k \times r^3$ ❶

Pan fo $r = 1.5$, $C = 4.5\pi$, felly $4.5\pi = k \times 1.5^3$

$k = 4.5\pi \div 1.5^3 = 1.333\dot{3}\,\pi = \frac{4}{3}\pi$ ❸

Felly $C = \frac{4}{3}\pi r^3$

b Mae T mewn cyfrannedd gwrthdro ag ail isradd w.

Pan fo $w = 1.96$, mae $T = 25$.

Ysgrifennwch hafaliad sy'n rhoi T yn nhermau w.

Ateb

$T = k \times \frac{1}{\sqrt{W}}$ ❷

Pan fo $w = 1.96$, $T = 25$. Felly, $25 = k \times \frac{1}{\sqrt{1.96}} = \frac{k}{1.4}$

$k = 25 \times 1.4 = 35$ ❸

Felly $T = \frac{35}{\sqrt{W}}$

Cyngor

Cofio: mae '$= k \times$ ...' yn cymryd lle 'mewn cyfrannedd ... â'.

Cyngor

Mae llawer o gamgymeriadau yn cael eu gwneud drwy anghofio ysgrifennu'r cam olaf, sef rhoi gwerth k yn ôl yn yr hafaliad gwreiddiol.

Cwestiynau dull arholiad

1. Mae carreg fach yn cael ei gollwng i lawr ffynnon. Mae'r pellter wedi'i deithio, D metr, gan y garreg fach mewn cyfrannedd union â sgwâr amser y teithio, t eiliad.
   - a Lluniwch fformiwla ar gyfer D yn nhermau t os yw carreg fach yn disgyn pellter o 20 metr mewn 2 eiliad. **[3]**
   - b Cyfrifwch faint o eiliadau byddai'n eu cymryd i'r garreg fach ddisgyn pellter o 80 metr. **[2]**
2. Mae y mewn cyfrannedd gwrthdro â thrydydd isradd x.
   Darganfyddwch y gwerthoedd coll yn y tabl hwn. **[4]**

x	1	8	64	216	
y				400	240

3. Mae tanbeidrwydd golau, I uned, o ffynhonnell golau mewn cyfrannedd gwrthdro â sgwâr y pellter d cm o'r ffynhonnell golau. Ar bellter o 10 cm o ffynhonnell golau, y tanbeidrwydd yw 64 uned.
   Cyfrifwch y tanbeidrwydd ar bellter o 2 cm o'r ffynhonnell golau. **[4]**

ATEBION WEDI'U GWIRIO

Nodiant indecs a rheolau indecsau

WEDI'I ADOLYGU

Rheolau

1. Rydyn ni'n ysgrifennu $a \times a \times a \times \ldots \times a$ (m gwaith) fel a^m.
2. I luosi rhifau sydd wedi'u hysgrifennu ar ffurf indecs, adio'r pwerau. $a^m \times a^n = a^{m+n}$
3. I rannu rhifau sydd wedi'u hysgrifennu ar ffurf indecs, tynnu'r pwerau. $a^m \div a^n = a^{m-n}$
4. I godi rhif sydd wedi'i ysgrifennu ar ffurf indecs i bŵer penodol, lluosi'r pwerau â'i gilydd. $(a^m)^n = a^{mn}$

ISEL

Termau allweddol

Indecs

Indecsau

Pwerau

Enghreifftiau

a Ysgrifennwch $7 \times 7 \times 7 \times 7 \times 7$ ar ffurf indecs.

Ateb

❶ $7 \times 7 \times 7 \times 7 \times 7 = 7^5$

b Ysgrifennwch $\left(\frac{2^3 \times 2^4}{2^5}\right)^3$ fel pŵer o 2.

Ateb

$\left(\frac{2^3 \times 2^4}{2^5}\right)^3 = \left(\frac{2^7}{2^5}\right)^3$ gan fod $2^3 \times 2^4 = 2^{3+4} = 2^7$ ❷

$= (2^2)^3$ gan fod $2^7 \div 2^5 = 2^{7-5} = 2^2$ ❸

$= 2^6$ gan fod $(2^2)^3 = 2^{2\times3} = 2^6$ ❹

Cyngor

Camgymeriad cyffredin yw lluosi pwerau yn lle adio mewn lluoswm.

Cyngor

Camgymeriad cyffredin yw rhannu pwerau yn lle tynnu mewn cyniferydd.

Gofal

Dilyn rheolau CORLAT a chyfrifo'r cyfrifiad y tu mewn i'r cromfachau yn gyntaf.

Cwestiynau dull arholiad

1 a Ysgrifennwch $10 \times 10 \times 10 \times 10$ mewn nodiant indecs. **[1]**

b Defnyddiwch eich cyfrifiannell i gyfrifo gwerth 8^5. **[1]**

2 $x = 8 \times 2^4 \quad y = 4^2 \times 16$

Cyfrifwch beth yw gwerth xy. Rhowch eich ateb fel pŵer o 2. **[3]**

3 Mae Tom yn ceisio cyfrifo gwerth $\frac{10^4 \times 10^5}{10 \times 10^2}$.

Mae Tom yn ysgrifennu $\frac{10^4 \times 10^5}{10 \times 10^2} = \frac{10^{20}}{10^2} = 10^{10} = 100$.

Ysgrifennwch bob un o'r camgymeriadau mae Tom wedi'u gwneud. **[4]**

ATEBION WEDI'U GWIRIO

Indecsau ffracsiynol

WEDI'I ADOLYGU

UCHEL

Rheolau

1. Enwadur indecs ffracsiynol yw'r isradd; er enghraifft, yn $x^{\frac{m}{n}}$, n yw'r $n$fed isradd.
2. Rhifiadur indecs ffracsiynol yw'r pŵer; er enghraifft, yn $x^{\frac{m}{n}}$, m yw'r $m$fed pŵer.
3. Rydyn ni'n gallu ysgrifennu $x^{\frac{m}{n}}$ fel $(\sqrt[n]{x})^m$.
4. Rydyn ni hefyd yn gallu ei ysgrifennu fel $\sqrt[n]{x^m}$.
5. Mae indecsau negatif yn golygu'r cilydd; er enghraifft, $x^{-\frac{m}{n}} = \frac{1}{(\sqrt[n]{x})^m}$.

Termau allweddol

Indecs ffracsiynol

Pŵer

Isradd

Cilydd

Enghreifftiau

a Ysgrifennwch beth yw gwerth $243^{\frac{1}{5}}$.

Ateb

Yn $243^{\frac{1}{5}}$, mae'r '5' yn golygu 5ed isradd 243 (1)

$243^{\frac{1}{5}} = 3$

b Ysgrifennwch beth yw gwerth $27^{-\frac{2}{3}}$.

Ateb

$$27^{-\frac{2}{3}} = \frac{1}{27^{\frac{2}{3}}} = \frac{1}{(\sqrt[3]{27})^2} = \frac{1}{3^2} = \frac{1}{9}$$

(5) (3)

Neu,

$$27^{-\frac{2}{3}} = \frac{1}{27^{\frac{2}{3}}} = \frac{1}{(\sqrt[3]{27})^2} = \frac{1}{\sqrt[3]{729}} = \frac{1}{9}$$

 (4)

c $x^n = \sqrt{x} \div \frac{1}{x^3}$. Darganfyddwch beth yw gwerth n.

Ateb

$x^n = \sqrt{x} \div \frac{1}{x^3} = x^{\frac{1}{2}} \div x^{-3} = x^{\frac{1}{2}-(-3)} = x^{3.5}$, felly $n = 3.5$

(1) (5)

Cyngor

Yn gyffredinol y cyngor yw cyfrifo'r isradd cyn y pŵer gan fod y cyfrifiadau (er enghraifft, $\sqrt[3]{27} = 3$ a $3^2 = 9$ yn hytrach na $27^2 = 729$ a $\sqrt[3]{729} = 9$) yn haws.

Cwestiynau dull arholiad

1 Darganfyddwch beth yw gwerth:

a $16^{\frac{3}{4}}$ **[1]**

b $8^{-\frac{2}{3}}$ **[2]**

2 Ysgrifennwch y rhifau canlynol yn nhrefn maint. Dechreuwch â'r gwerth lleiaf. **[3]**

$16^{-\frac{1}{4}}$ $\quad 27^0$ $\quad 81^{\frac{3}{4}}$ $\quad 25^{-\frac{1}{2}}$ $\quad \frac{1}{4^{-\frac{1}{2}}}$

3 $5^n = \frac{5 \times \sqrt[3]{5^4}}{(\sqrt[4]{5})^2}$

Darganfyddwch beth yw gwerth n. **[3]**

ATEBION WEDI'U GWIRIO

Syrdiau

WEDI'I ADOLYGU ☐

UCHEL

Rheolau

1. I symleiddio swrd, chwilio am ffactorau sy'n rhifau sgwâr ac yna ffactorio drwy dynnu allan yr ail isradd.
2. I resymoli enwadur ffracsiwn (lle mae'r enwadur ar y ffurf $\sqrt{n}$), lluosi'r ffracsiwn â $\frac{\sqrt{n}}{\sqrt{n}}$.
3. I resymoli enwadur ffracsiwn (lle mae'r enwadur ar y ffurf $\sqrt{n}+m$), lluosi'r ffracsiwn â $\frac{\sqrt{n}-m}{\sqrt{n}-m}$.

Termau allweddol

Rhif cymarebol

Rhif anghymarebol

Rhesymoli enwadur

Enghreifftiau

a Symleiddiwch $\sqrt{180}$.

Ateb

$\sqrt{180} = \sqrt{4 \times 5 \times 9} = \sqrt{4} \times \sqrt{5} \times \sqrt{9} = 2 \times \sqrt{5} \times 3 = 6\sqrt{5}$ ❶

b Rhesymolwch enwadur $\frac{4}{\sqrt{3}}$.

Ateb

$\frac{4}{\sqrt{3}} \times \frac{\sqrt{3}}{\sqrt{3}} = \frac{4\sqrt{3}}{\sqrt{3} \times \sqrt{3}} = \frac{4\sqrt{3}}{3}$ ❷

c Rhesymolwch enwadur $\frac{2}{1-\sqrt{5}}$.

Ateb

$\frac{2}{1-\sqrt{5}} \times \frac{1+\sqrt{5}}{1+\sqrt{5}} = \frac{2(1+\sqrt{5})}{(1-\sqrt{5})(1+\sqrt{5})} = \frac{2+2\sqrt{5}}{1-(\sqrt{5})^2} = \frac{2+2\sqrt{5}}{-4}$ neu $\frac{1+\sqrt{5}}{2}$ ❸

Cyngor

Cofio: mae $\frac{\sqrt{3}}{\sqrt{3}} = 1$, ac felly dydy lluosi â hyn ddim yn newid y gwerth.

Cyngor

Mae hyn yn defnyddio damcaniaeth y gwahaniaeth rhwng dau sgwâr:
$(a-b)(a+b) = a^2 - b^2$.

Cwestiynau dull arholiad

1 Rhesymolwch enwadur y canlynol:

a $\frac{\sqrt{3}}{\sqrt{7}}$ **[1]**

b $\frac{2}{\sqrt{5}-2}$ **[1]**

2 Dau derm cyntaf dilyniant geometrig yw 1 a $\frac{2}{\sqrt{3}}$.
Cyfrifwch 6ed term y dilyniant hwn, gan resymoli enwadur eich ateb. **[3]**

3 Cyfrifwch beth yw cyfaint ciwb sydd â'i ochrau'n $(1+\sqrt{2})$ cm.
Rhowch eich ateb ar y ffurf $a + b\sqrt{2}$. **[3]**

ATEBION WEDI'U GWIRIO ☐

Cwestiynau dull arholiad cymysg

1 Mae y mewn cyfrannedd union ag x ac mae x mewn cyfrannedd union â z.

a Profwch fod y mewn cyfrannedd union â z. **[2]**

b Pan fo $z = 8$, mae $x = 40$ ac $y = 160$.
Cyfrifwch beth yw gwerth y pan fo $z = 2.5$. **[2]**

2 Mae W mewn cyfrannedd gwrthdro â t.
Mae W mewn cyfrannedd union ag s.

a Ysgrifennwch y berthynas rhwng t ac s. **[1]**

b Mae $W = 8s$ a $t = 10$ pan fo $W = 4$.
Darganfyddwch beth yw gwerth t pan fo $s = 1.5$. **[3]**

3 Mae Maria eisiau darganfod uchder, u metr, clogwyn. Mae hi'n gollwng carreg o'r pen uchaf ac yn mesur yr amser, t eiliad, mae'n ei gymryd i gyrraedd y ddaear. Mae'r uchder mewn cyfrannedd union â sgwâr yr amser.
Os yw'n cymryd 2 eiliad i'r garreg ddisgyn 20 metr, cyfrifwch uchder y clogwyn os yw carreg Maria yn cymryd 7.5 eiliad i gyrraedd y ddaear islaw. **[3]**

4 $2^3 \times 2^{2x-1} = 8^{-1}$
Darganfyddwch beth yw gwerth x. **[3]**

5 Darganfyddwch y gwahaniaeth rhwng lluosrif cyffredin lleiaf a ffactor cyffredin mwyaf 90 ac 84. **[4]**

6 Darganfyddwch beth yw gwerth y canlynol:

a $100^{-\frac{1}{2}}$ **[1]**

b $16^{\frac{1}{4}} \times 125^{-\frac{1}{3}}$ **[2]**

7 Rhesymolwch enwadur $\frac{10}{\sqrt{5}}$. **[2]**

Algebra: gwiriad cyn adolygu

Gwiriwch pa mor dda rydych chi'n gwybod pob testun drwy ateb y cwestiynau hyn. Os cewch chi gwestiwn yn anghywir, ewch i'r dudalen sydd â'i rhif mewn cromfachau i adolygu'r testun hwnnw.

1 **a** Symleiddiwch y canlynol.

i $a^4 \times a^6$

ii $\frac{x^8}{x^5}$

iii $\frac{12e^6f^7}{8e^9f^5}$

b Ehangwch a symleiddiwch y canlynol.

i $(t + 2)(t + 5)$

ii $(v - 7)(v + 5)$

iii $(y - 6)(y - 5)$

(tudalen 21)

2 Mae'r fformiwla hon yn cael ei defnyddio i ddarganfod y pellter, s, mae gwrthrych yn ei deithio.

$$s = ut + \frac{1}{2}at^2$$

a Darganfyddwch beth yw gwerth s pan fo $u = 5$, $t = 4$ ac $a = 10$.

b Gwnewch a yn destun y fformiwla.

(tudalen 22)

3 Profwch fod swm y tri rhif dilynol $(n - 1)$, n ac $(n + 1)$ yn lluosrif 3. (tudalen 23)

4 Symleiddiwch y canlynol.

a $\sqrt{\frac{a^6b^8}{c^4}}$

b $\frac{a^3b^{\frac{5}{2}}c^{\frac{3}{4}}}{a^{\frac{3}{2}}b^4c^{\frac{1}{2}}}$

(tudalen 24)

5 Datryswch $\frac{5x}{x+5} - \frac{3}{x-2} = 5$. (tudalen 25)

6 Dyma fformiwla sy'n cael ei defnyddio i ddarganfod buanedd terfynol, v, gwrthrych:

$$v^2 - u^2 = 2as$$

a Darganfyddwch beth yw gwerth v pan fo $u = 20$, $a = 5$ ac $s = 80$.

b Gwnewch x yn destun y fformiwla $y = \frac{x+5}{3-2x}$.

(tudalen 26)

7 $n$fed term dilyniant cwadratig yw $n^2 + 5$.
$m$fed term dilyniant cwadratig gwahanol yw $80 - 2m^2$.
Darganfyddwch y rhif sydd yn y ddau ddilyniant. (tudalen 28)

8 Isod mae dilyniant geomterig.

5 15 45 135 ...

a Darganfyddwch y gymhareb gyffredin.

b Darganfyddwch 10fed term y dilyniant.

(tudalen 29)

9 Darganfyddwch $n$fed term y dilyniant cwadratig hwn:

3 6 13 24 39 ... (tudalen 29)

10 Darganfyddwch hafaliad graff llinell syth sy'n mynd trwy'r pwynt (–3, 3) ac sy'n baralel i'r llinell $x + 2y = 8$. (tudalen 32)

11 **a** Brasluniwch graff y ffwythiant cwadratig $y = x^2 - 4x + 3$ ar gyfer gwerthoedd x o 0 i 5.

b Ysgrifennwch beth yw gwreiddiau'r hafaliad $x^2 - 4x + 3 = 0$.

c Ysgrifennwch linell cymesuredd y graff.

(tudalen 33)

12 Ar grid cyfesurynnau sydd wedi'i luniadu â gwerthoedd x o –3 i +3 a gwerthoedd y o –10 i +30:

a lluniadwch graff $y = x^3 + x^2 - 3x$

b darganfyddwch beth yw gwerthoedd x pan fo $x^3 + x^2 - 3x = 0$. (tudalen 33)

13 Darganfyddwch hafaliad y llinell sy'n berpendicwlar i $y = 2x + 3$ ac sy'n mynd trwy'r pwynt (4, 3). (tudalen 34)

14 **a** Ysgrifennwch yr anhafaledd sy'n cael ei ddangos ar y llinell rif hon.

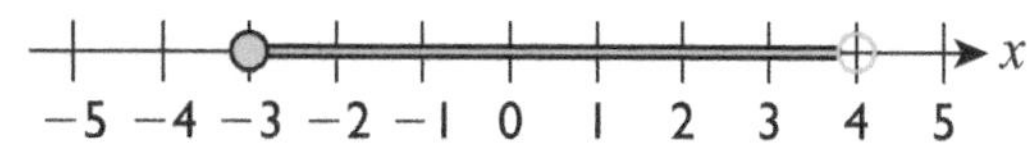

b Datryswch yr anhafaleddau canlynol.

i $2x + 5 < 9$

ii $24 + 2t > 30 - 3t$

iii $5(y - 3) \leq 3y - 6$

(tudalen 41)

15 Datryswch y pâr hwn o hafaliadau cydamserol.

$5x + 2y = 8$

$2x - y = 5$ (tudalen 42)

16 Dyma graff y llinell $y + 2x = 3$.

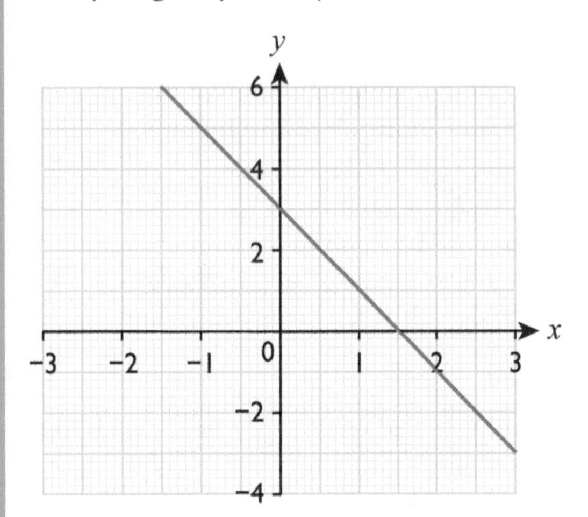

Darganfyddwch yn graffigol y datrysiad i'r hafaliadau cydamserol:

$y + 2x = 3$

$y - 2x = 1$ (tudalen 43)

17 Ar grid cyfesurynnau sydd â gwerthoedd x o −3 i +3 a gwerthoedd y o −4 i +6, dangoswch y rhanbarth sy'n cael ei ddiffinio gan yr anhafaleddau canlynol:

$x + y > -1 \quad y \leqslant 1 - 2x \quad y \leqslant x + 3$

(tudalen 44)

18 a Ehangwch a symleiddiwch y canlynol.

- i $(x + 4)(x - 5)$
- ii $(y + 8)(y - 8)$
- iii $(6 - a)(a + 6)$

b Ffactoriwch y canlynol.

- i $x^2 + 7x + 12$
- ii $e^2 - 3e - 10$
- iii $b^2 - 25$ (tudalen 45)

19 Datryswch yr hafaliadau canlynol.

- **a** $x^2 - 5x + 6 = 0$
- **b** $x^2 - 2x = 15$
- **c** $p^2 - 49 = 0$ (tudalen 46)

20 a Ffactoriwch y canlynol.

- i $4x^2 + 4x - 3$
- ii $9b^2 - 64$

b Datryswch y canlynol.

- i $3x^2 + 11x - 20 = 0$
- ii $\frac{2x}{x+3} - \frac{x}{x+2} = 1$

c Symleiddiwch $\frac{3x+2}{3x^2-13x-10}$. (tudalen 46)

21 Datryswch y canlynol. Rhowch eich ateb i 3 lle degol.

- **a** $2x^2 + 2x - 1 = 0$
- **b** $\frac{4x}{x-3} - \frac{x}{x+1} = 2$ (tudalen 47)

22 Mae'r graff yn dangos buanedd car wrth iddo gyflymu i ffwrdd o ddisymudedd.

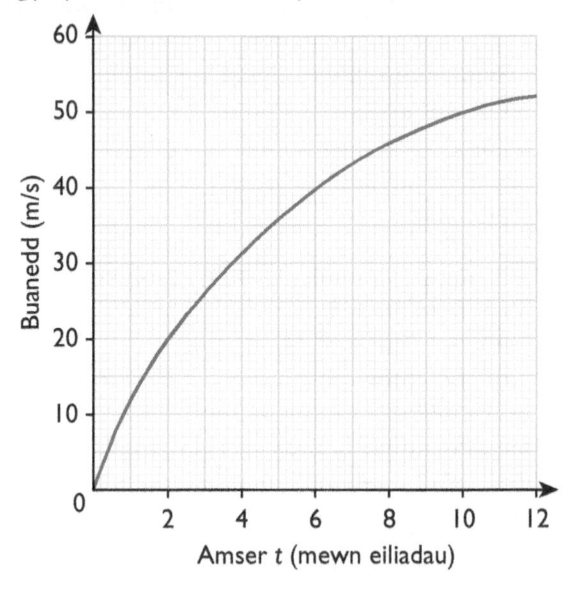

- **a** Darganfyddwch y cyflymiad pan fo $t = 4$.
- **b** Darganfyddwch y cyflymiad cyfartalog rhwng $t = 2$ a $t = 10$. (tudalen 50)

23 Dyma graff $y = f(x)$.

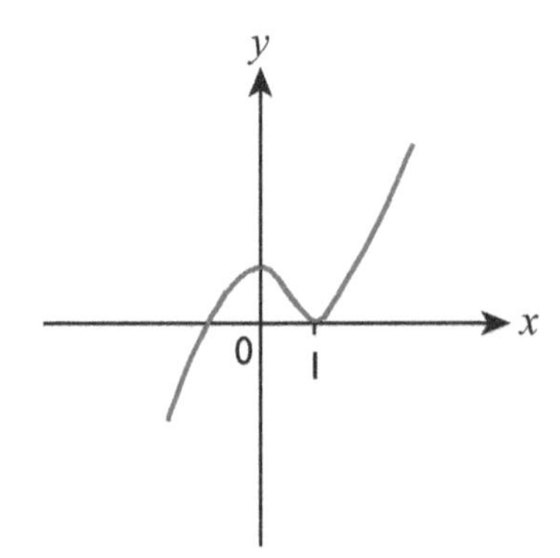

Brasluniwch graff:

- **a** $f(-x)$
- **b** $f(x - 2)$. (tudalen 52)

24 Ar gyfer y graff yng Nghwestiwn 22, darganfyddwch, gan ddefnyddio 5 stribed sydd â lled o 2 eiliad, y pellter wedi'i deithio yn y 10 eiliad cyntaf. (tudalen 53)

Symleiddio mynegiadau mwy anodd ac ehangu dwy set o gromfachau

WEDI'I ADOLYGU

ISEL

Rheolau

1. Deddf indecsau ar gyfer lluosi rhifau neu newidynnau wedi'u codi i bŵer yw
$$a^n \times a^m = a^{n+m}$$
2. Deddf indecsau ar gyfer rhannu rhifau neu newidynnau wedi'u codi i bŵer yw
$$a^n \div a^m = a^{n-m}$$
3. Deddf indecsau ar gyfer newidyn wedi'i ysgrifennu fel pŵer i bŵer yw
$$(a^n)^m = a^{n \times m}$$
4. Wrth ehangu dwy set o gromfachau, lluosi pob term yn yr ail set o gromfachau â phob term yn y set gyntaf o gromfachau.

Enghreifftiau

a Cyfrifwch

i $3x^4 \times 5x^6$ ii $\frac{12y^7}{4y^3}$ iii $(2f^3)^5$ iv $\frac{6a^6b^4 \times 4a^2b^5}{12a^5b^6}$

Atebion

Delio â'r rhifau cyfan sydd o flaen y newidynnau yn gyntaf.

$3 \times 5 = 15$ $12 \div 4 = 3$ $2^5 = 32$ $6 \times 4 \div 12 = 2$

Nawr delio â'r pwerau neu'r indecsau.

❶ $15x^{4+6}$ ❷ $3y^{7-3}$ ❸ $32f^{3\times5}$ ❶ ❷ $2a^{6+2-5}b^{4+5-6}$

$= 15x^{10}$ $= 3y^4$ $= 32f^{15}$ $= 2a^3b^3$

b Ehangwch a symleiddiwch

$(x - 4)(x + 6)$

Ateb

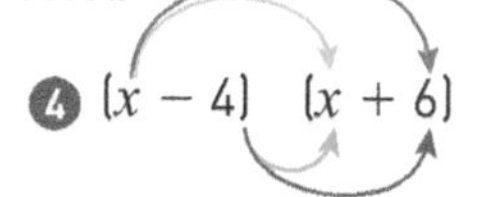

$x \times x = x^2$; $x \times +6 = 6x$
$-4 \times x = -4x$; $-4 \times +6 = -24$
$x^2 + 6x - 4x - 24$
$x^2 + 2x - 24$

NEU

×	x	$+6$
x	x^2	$+6x$
-4	$-4x$	-24

$x^2 + 6x - 4x - 24$
$x^2 + 2x - 24$

Gofal

Mae unrhyw rif neu newidyn sydd â'r pŵer neu'r indecs 0 yn 1 bob tro, e.e. $a^0 = 1$; $25^0 = 1$

Termau allweddol

Pŵer
Indecs
Newidyn
Cromfachau
Ehangu
Symleiddio

Cyngor

Cofio mai'r un peth yw pwerau ac indecsau.

Cwestiynau dull arholiad

1 Cyfrifwch

a $\frac{12(y^3)^7}{16y^{15}}$ **[2]**

b $\frac{3a^5b^3 \times 5a^4b^5}{12(ab)^6}$ **[2]**

2 Mae'r siâp hwn wedi'i wneud o betryal mawr a sgwâr glas.

Esboniwch pam mae arwynebedd y siâp coch yn $a^2 + 11a + 15$. **[3]**

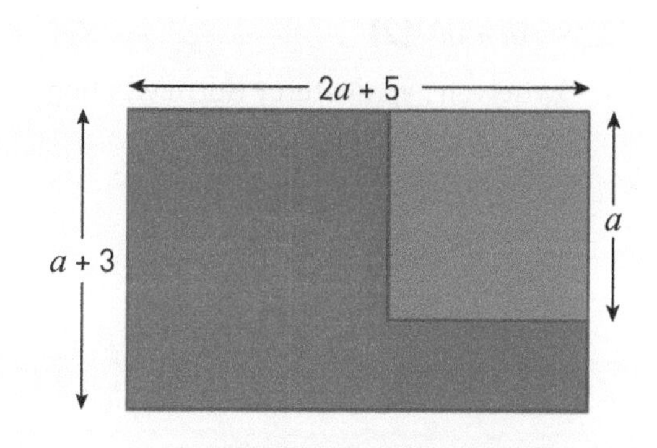

ATEBION WEDI'U GWIRIO

Defnyddio fformiwlâu cymhleth a newid testun fformiwla

WEDI'I ADOLYGU

ISEL

Rheolau

1. Rydyn ni'n gallu rhoi rhifau positif a negatif yn lle'r newidynnau neu'r llythrennau mewn fformiwla.
2. Defnyddio CORLAT a rheolau ar gyfer ymdrin ag adio, tynnu, lluosi a rhannu rhifau positif a negatif i ddarganfod gwerth y llythyren goll.
3. Defnyddio gwrthdroeon i newid testun fformiwla fel bod y newidyn neu'r llythyren sy'n ofynnol ar ei ben/phen ei hun ar un ochr o'r fformiwla neu'r hafaliad.

Enghreifftiau

a Cyfrifwch beth yw gwerth p pan fo $a = 2.5$, $b = -2$ ac $c = -5$.

$$p = \frac{2(a^2 - b^2)}{5 - 3c}$$

Ateb

Yn gyntaf rhoi'r gwerthoedd yn lle'r newidynnau neu'r llythrennau.

$p = \frac{2((2.5)^2 - (-2)^2)}{5 - 3 \times (-5)}$ ❶

Yna defnyddio CORLAT a rheolau'r arwyddion positif a negatif i gael:

$p = \frac{2 \times 6.25 - 2 \times (+4)}{5 + 15}$ $(2.5^2 = 6.25, (-2)^2 = +4$ a $-3 \times -5 = +15)$ ❷

Yna cyfrifo'r cyfan

$p = \frac{12.5 - 8}{20} = 4.5 \div 20 = 0.225$ ❷

b Gwnewch l yn destun y fformiwla: $T = 2\pi\sqrt{\frac{l}{g}}$

Ateb

Rhaid gwneud i'r fformiwla ddechrau ag $l =$

felly **yn gyntaf**, sgwario dwy ochr y fformiwla i gael $T^2 = 4\pi^2 \frac{l}{g}$ ❸

Yna lluosi'r ddwy ochr â g i gael: $gT^2 = 4\pi^2 l$ ❸

Yn olaf rhannu'r ddwy ochr â $4\pi^2$ i gael: $\frac{gT^2}{4\pi^2} = l$ neu $l = \frac{gT^2}{4\pi^2}$ ❸

Gofal

Rydyn ni'n gallu rhoi arwydd **+** yn lle arwyddion tebyg sy'n cael eu lluosi neu eu rhannu.

Rydyn ni'n gallu rhoi arwydd **–** yn lle arwyddion annhebyg sy'n cael eu lluosi neu eu rhannu.

Beth bynnag rydych chi'n **ei wneud i un ochr** o fformiwla rhaid i chi **wneud hynny i'r ochr arall** hefyd.

Termau allweddol

Newidyn

Amnewid

Fformiwla

Hafaliad

Cwestiynau dull arholiad

1. Cyfrifwch beth yw gwerth S pan fo $u = -5$, $t = 10$ ac $a = -4.9$
   $S = ut + at^2$ **[2]**
2. Gwnewch t yn destun y fformiwla hon.
   $y = 5at^2 + 3s$ **[3]**

Cyngor

Cofio dangos y rhifau pan fyddwch chi'n eu hamnewid nhw i mewn i'r fformiwla.

ATEBION WEDI'U GWIRIO

Unfathiannau

WEDI'I ADOLYGU

ISEL

Rheolau

1. **Fformiwla** yw hafaliad ar gyfer cyfrifo gwerth testun y fformiwla.
2. **Mynegiad** yw casgliad o dermau neu newidynnau sydd i'w cael mewn fformiwlâu, hafaliadau ac unfathiannau.
3. Mae **hafaliad** yn gallu cael ei ddatrys i ddarganfod gwerth newidyn anhysbys.
4. Mae **unfathiant** bob amser **yn wir** am holl werthoedd posibl y newidynnau.

Enghreifftiau

a Isod mae rhestr o gasgliadau o dermau.

i $5(2x - 3) = 10x - 15$
ii $5(2x - 3) = 8x + 2$
iii $12x^2y^3$
iv $p = 5(2x - 3)$

Ysgrifennwch yr enw mathemategol arbennig ar gyfer pob casgliad.

Atebion

i Unfathiant yw hwn oherwydd bod y mynegiad ar ddwy ochr yr arwydd hafal i yn unfath ❹

ii Hafaliad yw hwn oherwydd bod gan werth y newidyn werth unigryw. Daw'r hafaliad yn $2x = 17$ neu $x = 8.5$ ❸

iii Mynegiad yw hwn; mae x ac y yn newidynnau ac 12 yw cyfernod y mynegiad ❷

iv Fformiwla yw hwn lle mai p yw testun y fformiwla ❶

b Dangoswch fod $\frac{3(x+1)}{4} - \frac{2(x-3)}{3} \equiv \frac{x+33}{12}$.

Ateb

Yn gyntaf, ysgrifennu'r ochr chwith dros y cyfenwadur 12.

$$\frac{3 \times 3(x+1) - 4 \times 2(x-3)}{12}$$

Yna ehangu'r cromfachau, gan wylio'r arwyddion.

$$\frac{9x + 9 - 8x + 24}{12}$$

Casglu termau tebyg: $\frac{x+33}{12}$ sy'n unfath â'r ochr dde.

Gofal

Os defnyddir n i gynrychioli rhifau cyfan, yna defnyddir $2n$ i gynrychioli eilrifau neu luosrifau **2** ac yna bydd $2n - 1$ neu $2n + 1$ yn cynrychioli odrifau.

Termau allweddol

Newidyn
Term
Testun
Fformiwla
Mynegiad
Hafaliad
Unfathiant
Cyfernod

Cwestiwn dull arholiad

1 Darganfyddwch beth yw gwerth p a q i wneud y mynegiad canlynol yn unfathiant.

$x^2 - 7x + 12 = (x + p)(x + q)$ **[2]**

Cyngor

Cofio dangos pob cam yn eich gwaith cyfrifo bob amser.

ATEBION WEDI'U GWIRIO

Defnyddio indecsau mewn algebra

WEDI'I ADOLYGU ☐

UCHEL

Rheolau

1. Deddf indecsau ar gyfer lluosi rhifau neu newidynnau wedi'u codi i bŵer yw $a^n \times a^m = a^{n+m}$.
2. Deddf indecsau ar gyfer rhannu rhifau neu newidynnau wedi'u codi i bŵer yw $a^n \div a^m = a^{n-m}$.
3. Deddf indecsau ar gyfer codi newidyn wedi'i ysgrifennu fel pŵer i bŵer yw $(a^n)^m = a^{n \times m}$.
4. Deddf indecsau ar gyfer cilyddion neu '1 dros' yw $a^{-1} = \frac{1}{a}$ felly $b^{-3} = \frac{1}{b^3}$ ac $\frac{1}{c^{-1}} = c$.
5. Deddf indecsau ar gyfer israddau yw $\sqrt{x} = x^{\frac{1}{2}}$ felly $\sqrt[3]{y} = y^{\frac{1}{3}}$ a $\sqrt[3]{r^4} = \left(\sqrt[3]{r}\right)^4 = r^{\frac{4}{3}}$.

Termau allweddol

Newidyn

Indecs

Pŵer

Cilydd

Isradd

Enghreifftiau

a Symleiddiwch yn llawn:

i $\dfrac{s^5 t^{\frac{3}{2}} u^{\frac{3}{5}}}{s^{\frac{5}{2}} t^3 u^{\frac{2}{5}}}$ ii $\dfrac{\sqrt[6]{x^4 y^{-3}}}{\sqrt[3]{x^{-4} y^3}}$

Atebion

i $s^{\left(5-\frac{5}{2}\right)} t^{\left(\frac{3}{2}-3\right)} u^{\left(\frac{3}{5}-\frac{2}{5}\right)} = s^{\frac{5}{2}} t^{-\frac{3}{2}} u^{\frac{1}{5}} = \dfrac{s^{\frac{5}{2}} u^{\frac{1}{5}}}{t^{\frac{3}{2}}}$ neu $\dfrac{\sqrt{s^5} \times \sqrt[5]{u}}{\sqrt{t^3}}$ (5)

(2)(4)(5)

ii $x^{\left(\frac{4}{6}--\frac{4}{3}\right)} y^{\left(-\frac{3}{6}-\frac{3}{3}\right)} = x^{\left(\frac{2}{3}+\frac{4}{3}\right)} y^{\left(-\frac{1}{2}-1\right)} = x^{\frac{6}{3}} y^{\left(-\frac{3}{2}\right)} = \dfrac{x^2}{\sqrt{y^3}}$ (5)

b Darganfyddwch beth yw gwerth n sy'n gwneud y gosodiad hwn yn gywir $x^n = \sqrt[3]{x^7 x^{-3}}$.

Ateb

$\sqrt[3]{x^7 x^{-3}} = x^{\frac{7}{3}} \times x^{-\frac{3}{3}} = x^{\left(\frac{7}{3}+-\frac{3}{3}\right)} = x^{\left(\frac{7}{3}-\frac{3}{3}\right)} = x^{\frac{4}{3}}$ (5)(1)

Felly mae n yn hafal i $\frac{4}{3}$.

Gofal

Gwneud yn siŵr eich bod yn gallu adio, tynnu, lluosi a rhannu ffracsiynau a delio â rhifau positif a negatif.

Cwestiynau dull arholiad

1 Symleiddiwch yn llawn:

a $\sqrt[4]{p^8 q^6 r^2}$ **[2]**

b $\dfrac{\sqrt[4]{x^2 y^{-3}}}{\sqrt[3]{x^{-4} y^3}}$ **[3]**

2 Darganfyddwch beth yw gwerth n sy'n gwneud y gosodiad hwn yn gywir.

$\left(e^{\frac{4}{3}}\right)^{-\frac{5}{n}} = \sqrt[4]{e^5}$ **[3]**

ATEBION WEDI'U GWIRIO ☐

Cyngor

Cofio dangos pob cam yn eich gwaith cyfrifo bob amser fel y gallwch ennill marciau.

Trin mwy o fynegiadau; ffracsiynau algebraidd a hafaliadau

WEDI'I ADOLYGU ☐

UCHEL

Rheolau

1. Wrth ehangu tair set o gromfachau, lluosi pob term yn yr ail set o gromfachau â phob term yn y drydedd set o gromfachau ac yna lluosi'r ateb â phob term yn y set gyntaf o gromfachau.
2. I symleiddio ffracsiwn algebraidd mae angen ffactorio'r rhifiadur a'r enwadur fel cam cyntaf.
3. I ddatrys hafaliad sy'n cynnwys ffracsiynau, mae angen ysgrifennu pob term yn yr hafaliad fel ffracsiwn â'r un cyfenwadur.

Enghreifftiau

a Ehangwch a symleiddiwch $(x + 3)(2x - 4)(3x + 5)$.

Ateb

❶ $(x + 3)(2x - 4)(3x + 5)$ $\qquad 2x \times 3x = 6x^2 \qquad -4 \times 3x = -12x$

$2x \times +5 = 10x \qquad -4 \times +5 = -20$

$= (x + 3)(6x^2 + 10x - 12x - 20)$

❶ $= (x + 3)(6x^2 - 2x - 20)$ $\qquad x \times 6x^2 = 6x^3 \qquad 3 \times 6x^2 = 18x^2$

$x \times -2x = -2x^2 \qquad 3 \times -2x = -6x$

$x \times -20 = -20x \qquad 3 \times -20 = -60$

$= 6x^3 - 2x^2 - 20x + 18x^2 - 6x - 60 = \mathbf{6x^3 + 16x^2 - 26x - 60}$

b i Symleiddiwch $\frac{4x^2 - 9}{2x^2 + 7x - 15}$ $\qquad$ ii Datryswch $\frac{3x}{x+4} - \frac{2x}{x-3} = 1$

Atebion

i $\frac{(2x+3)(2x-3)}{(2x-3)(x+5)}$ ❷ ffactorio

$\frac{(2x+3)\cancel{(2x-3)}}{\cancel{(2x-3)}(x+5)}$ canslo

$\frac{2x+3}{x+5}$

ii Ysgrifennu dros gyfenwadur. ❸

$\frac{3x(x-3) - 2x(x+4)}{(x+4)(x-3)} = \frac{(x+4)(x-3)}{(x+4)(x-3)}$

Lluosi'r ddwy ochr ag $(x + 4)(x - 3)$ a chasglu termau tebyg.

(canslo) $3x^2 - 9x - 2x^2 - 8x = x^2 - 3x + 4x - 12$

$x^2 - 17x = x^2 + x - 12$

$12 = 18x$ felly $x = \frac{2}{3}$

Termau allweddol

- Binomaidd
- Lluosrif Cyffredin Lleiaf
- Rhifiadur
- Enwadur
- Canslo

Gofal

Neu gallwch ddefnyddio dull y tabl fel sydd i'w weld ar dudalen 21.

Gofal

Mynegiadau cwadratig sy'n ffactorio pan fydd gennych ffracsiynau algebraidd.

Cwestiynau dull arholiad

1 a Ysgrifennwch fel ffracsiwn sengl $\frac{3}{x+4} + \frac{5x}{x-4}$. **[3]**

b Datryswch $\frac{2x}{x+5} - \frac{3}{x-4} = 2$. **[4]**

2 Profwch fod $(n + 1)^3 - (n + 1)^2 = n(n + 1)^2$ **[3]**

ATEBION WEDI'U GWIRIO ☐

Cyngor

Os ysgrifennwch chi bob cam yn eich gwaith cyfrifo byddwch chi'n gwneud llai o gamgymeriadau ac yn cael marciau am y dull.

Ad-drefnu mwy o fformiwlâu

WEDI'I ADOLYGU

UCHEL

Rheolau

1. Rydyn ni'n gallu rhoi rhifau positif a negatif yn lle newidynnau neu lythrennau mewn fformiwla.
2. Defnyddio CORLAT a rheolau ar gyfer delio ag adio, tynnu, lluosi a rhannu rhifau positif a negatif i ddarganfod gwerth y llythyren goll.
3. Defnyddio gwrthdroeon i ysgrifennu'r fformiwla neu'r hafaliad fel bod y newidyn neu'r llythyren sy'n ofynnol ar ei ben ei hun ar un ochr o'r fformiwla neu'r hafaliad.
4. Os yw testun y fformiwla i'w weld ddwywaith, rhaid casglu'r newidyn hwn ar un ochr a ffactorio'r newidyn y tu allan i gromfachau.

Termau allweddol

Newidyn

Testun

Fformiwla

Hafaliad

Gwrthdro

Enghreifftiau

a Dyma fformiwla sy'n cael ei defnyddio mewn ffiseg $\frac{1}{f}=\frac{1}{u}+\frac{1}{v}$.

Darganfyddwch beth yw gwerth u pan fo $f = 2$ a $v = 3$.

Ateb

❶ Y cam cyntaf yw amnewid y gwerthoedd yn y fformiwla: $\frac{1}{2}=\frac{1}{u}+\frac{1}{3}$.

Yna cael y gwerth rydych chi eisiau ei ddarganfod ar un ochr o'r hafaliad drwy dynnu

❸ $\frac{1}{3}$ o'r ddwy ochr: $\frac{1}{2}-\frac{1}{3}=\frac{1}{u}$ felly $\frac{1}{6}=\frac{1}{u}$.

❸ Yna cymryd cilydd pob ochr o'r hafaliad, felly $u = 6$.

b Gwnewch x yn destun y fformiwla hon $y=\sqrt{\frac{x+k}{x-k}}$.

Ateb

❸ Yn gyntaf, sgwario'r ddwy ochr i gael $y^2=\frac{x+k}{x-k}$.

❹ Yna lluosi'r ddwy ochr ag $(x - k)$: $y^2(x-k)=x+k$.

❷ Ehangu'r cromfachau: $y^2x - y^2k = x + k$.

❹ Casglu pob x ar un ochr: $y^2x - x = y^2k + k$.

❹ Ffactorio'r x a'r k y tu allan i gromfachau: $x(y^2 - 1) = k(y^2 + 1)$.

❸ Rhannu'r ddwy ochr ag $(y^2 - 1)$: $x=\frac{k(y^2+1)}{y^2-1}$.

Gofal

Y newidyn sy'n mynd i gael ei wneud yn destun y fformiwla i'w weld ddwywaith.

Cwestiynau dull arholiad

1 Gwnewch m yn destun y fformiwla $P = c(8 - 3m) + 2m$. **[3]**

2 Gwnewch T yn destun y fformiwla $K=\sqrt{\frac{PT}{S+T}}$. **[3]**

ATEBION WEDI'U GWIRIO

Cyngor

Os ysgrifennwch chi bob cam yn eich gwaith cyfrifo byddwch chi'n gwneud llai o gamgymeriadau.

Dilyniannau arbennig

WEDI'I ADOLYGU

UCHEL

Rheolau

1. Mae'r gwahaniaeth rhwng pob term mewn dilyniant rhif trionglog yn mynd i fyny un yn fwy bob tro: 1, 3, 6, 10, 15, 21, ...
2. Mae'r gwahaniaeth rhwng pob term mewn dilyniant rhif sgwâr yn mynd i fyny yr un rhif ychwanegol bob tro: 1, 4, 9, 16, 25, 36, ...
3. Y gwahaniaeth rhwng pob term yn y dilyniant Fibonacci yw'r dilyniant Fibonacci hefyd: 1, 1, 2, 3, 5, 8, 13, 21 ...
4. Drwy roi rhifau cyfan (1, 2, 3, ...) i mewn i'r $n$fed term rydyn ni'n gallu llunio pob term yn y dilyniant.

Enghreifftiau

a Ysgrifennwch 5 term cyntaf y dilyniannau sydd â'r $n$fed termau
 i $n(n + 1)$
 ii $3n^2 + 1$

Atebion

Rhoi'r gwerthoedd 1, 2, 3, 4, 5 yn lle n i gyfrifo'r 5 term cyntaf. ❹

i Mae 1×2, 2×3, 3×4, 4×5, 5×6 yn rhoi 2, 6, 12, 20, 30.

ii Mae $3 \times 1^2 + 1$, $3 \times 2^2 + 1$, $3 \times 3^2 + 1$, $3 \times 4^2 + 1$, $3 \times 5^2 + 1$, yn rhoi $3 \times 1 + 1$, $3 \times 4 + 1$, $3 \times 9 + 1$, $3 \times 16 + 1$, $3 \times 25 + 1$, neu 4, 13, 28, 49, 76.

b Darganfyddwch $n$fed termau'r patrymau rhif canlynol.
 i 2, 5, 10, 17, 26, ...
 ii 4, 12, 24, 40, 60, ...

Atebion

i Y gwahaniaeth rhwng pob term yw 3, 5, 7, 9; mae'r gwahaniaeth yn mynd i fyny fesul 2 ac felly mae'n rhaid bod hwn yn batrwm rhif sgwâr. ❷
Yr $n$fed term yw $n^2 + 1$, un yn fwy na'r rhifau sgwâr.

ii Y gwahaniaeth rhwng pob term yw 8, 12, 16, 20; mae'r gwahaniaeth yn mynd i fyny 4 yn ychwanegol bob tro ac felly mae'n rhaid bod hwn yn batrwm rhif trionglog. ❶
Yr $n$fed term yw $2n(n + 1)$, pedwar wedi'i luosi â'r rhifau trionglog.

Gofal

Yr $n$fed term ar gyfer rhif sgwâr yw n^2.

Yr $n$fed term ar gyfer rhif trionglog yw $\frac{n(n+1)}{2}$.

Termau allweddol

- Dilyniant
- Rhifau trionglog
- Rhifau sgwâr
- Rhifau Fibonacci
- Term
- $n$fed term
- Gwahaniaeth

Cwestiynau dull arholiad

1 Mae Rachel yn gwneud patrwm o sgwariau.

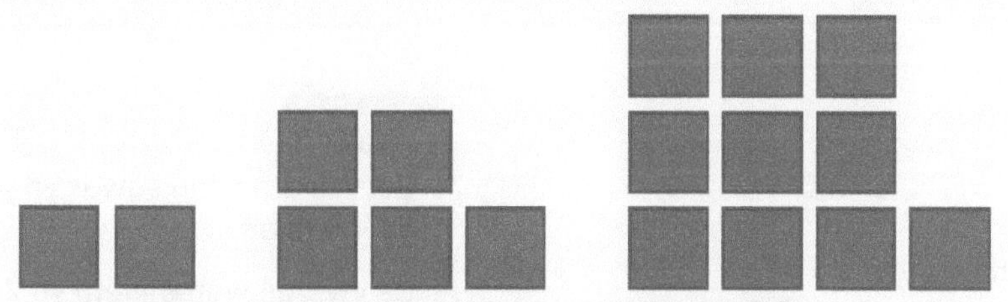

 a Darganfyddwch $n$fed term patrwm Rachel. **[2]**
 b Sawl sgwâr sydd yn y patrwm rhif 20? **[1]**

2 Patrwm rhif yw hwn: 6, 12, 20, 30, 42, ...

Darganfyddwch $n$fed term y patrwm. **[3]**

Cyngor

Edrych bob amser am y gwahaniaeth rhwng pob term mewn patrwm rhif i helpu i benderfynu pa fath o batrwm yw'r patrwm. **[2]**

ATEBION WEDI'U GWIRIO

Dilyniannau cwadratig

WEDI'I ADOLYGU

UCHEL

Rheolau

1. Mewn dilyniant cwadratig mae'r gwahaniaeth rhwng y termau yn cynyddu gan yr un rhif bob tro.
2. Mewn dilyniant cwadratig yr un rhif yw'r gwahaniaeth rhwng y gwahaniaethau bob amser. Rydyn ni'n galw hyn yr ail wahaniaeth.

Dilyniant	2		8		18		32		50		72
Gwahaniaeth cyntaf		6		10		14		18		22	
Ail wahaniaeth			4		4		4		4		

3. Drwy roi rhifau cyfan (1, 2, 3, ...) i mewn i'r $n$fed term, rydyn ni'n gallu llunio'r dilyniant.

Enghreifftiau

a $n$fed term dilyniant cwadratig yw: $2n^2 - 1$. $m$fed term dilyniant cwadratig arall yw: $98 - (m + 1)^2$. Pa rifau sydd yn y ddau ddilyniant?

Ateb

Rhestru'r ddau ddilyniant drwy roi gwerthoedd 1, 2, 3, etc. i mewn ar gyfer n.

Mae $2n^2 - 1$ yn rhoi: $2 \times 1^2 - 1, 2 \times 2^2 - 1, 2 \times 3^2 - 1$, etc. ❸

Mae $98 - (m + 1)^2$ yn rhoi: $98 - (1 + 1)^2, 98 - (2 + 1)^2, 98 - (3 + 1)^2$, etc. ❸

Y dilyniannau yw: 1, 7, 17, 31, 49, 71, 97, ...

a: 94, 89, 82, 73, 62, 49, 34, 17, −2, ...

Felly mae 17 a 49 yn y ddau ddilyniant.

b Darganfyddwch $n$fed term y dilyniant hwn: 3, 7, 13, 21, 31, 43, ...

Ateb

Dilyniant	3		7		13		21		31		43
❶ Gwahaniaeth cyntaf		4		6		8		10		12	
❷ Ail wahaniaeth			2		2		2		2		

Gan fod yr ail wahaniaeth yn 2 bob amser, mae'r dilyniant yn gwadratig.

Mae'r dilyniant yn adeiladu fel $1 \times 2 + 1, 2 \times 3 + 1, 3 \times 4 + 1, 4 \times 5 + 1$, etc.

Yr $n$fed term yw: $n(n + 1) + 1$

Gofal

Os yw'r ail wahaniaeth yn 2 yna cyfernod n^2 yw 1 bob tro.

Edrych am rifau trionglog mewn dilyniant cwadratig.

Termau allweddol

Cwadratig

Dilyniant

Gwahaniaeth

Ail wahaniaeth

Cwestiynau dull arholiad

1. $n$fed term dilyniant cwadratig yw:
   $(n + 1)^2 - 2$
   $m$fed term dilyniant cwadratig gwahanol yw:
   $50 - m^2$
   Pa rifau sydd yn y ddau ddilyniant? **[3]**
2. Darganfyddwch $n$fed term y dilyniant hwn:
   7, 13, 23, 37, 55, ... **[3]**

Cyngor

Edrych am rifau sgwâr yn y dilyniannau.

Os yw'r ail wahaniaeth yn 2, dechrau ag n^2.

Os yw'r ail wahaniaeth yn 4, dechrau â $2n^2$.

Os yw'r ail wahaniaeth yn 6, dechrau â $3n^2$.

ATEBION WEDI'U GWIRIO

$n$fed term dilyniant cwadratig

WEDI'I ADOLYGU

UCHEL

Rheolau

1. Mewn dilyniant cwadratig mae'r gwahaniaeth rhwng y termau yn cynyddu gan yr un rhif bob tro.
2. Mewn dilyniant cwadratig yr un rhif yw'r gwahaniaeth rhwng y gwahaniaethau bob amser. Rydyn ni'n galw hyn yr ail wahaniaeth.

Dilyniant	2		8		18		32		50		72
Gwahaniaeth cyntaf		6		10		14		18		22	
Ail wahaniaeth			4		4		4		4		

3. Mae cyfernod y term n^2 bob amser yn hanner yr ail wahaniaeth.
4. Y ffurf gyffredinol ar $n$fed term dilyniant cwadratig yw $an^2 + bn + c$.
5. Rhowch y gwerthoedd $n = 1$ a 2 i mewn i ddarganfod gwerthoedd b ac c.

Enghreifftiau

a Darganfyddwch $n$fed term y dilyniant cwadratig hwn: 4 9 18 31 48 ...

Ateb

Yn gyntaf ysgrifennu'r dilyniant 4 9 18 31 48

1. Yna cyfrifo'r gwahaniaeth cyntaf 5 9 13 17
2. Yna yr ail wahaniaeth 4 4 4
3. Yr ail yw 4 bob tro ac felly mae cyfernod n^2 yn hanner 4 sef 2.
4. Y ffurf gyffredinol ar y dilyniant yw $2n^2 + bn + c$.

Nawr mae angen darganfod b ac c drwy roi gwerthoedd i mewn ar gyfer n.

5. Pan fo $n = 1$ $2 \times 1^2 + b + c = 4$ felly $2 + b + c = 4$ neu $b + c = 2$

Pan fo $n = 2$ $2 \times 2^2 + 2b + c = 9$ felly $8 + 2b + c = 9$ neu $2b + c = 1$

Mae tynnu'r ddau hafaliad glas yn rhoi $b = -1$.

Mae hyn yn golygu mai $2n^2 - n + c$ sydd gennym nawr ar gyfer yr $n$fed term.

O ddefnyddio $n = 1$ eto, rydyn ni'n cael $2 \times 1^2 - 1 + c = 4$ felly $2 - 1 + c = 4$ neu $c = 3$.

Yr $n$fed term yw $2n^2 - n + 3$.

b Term cyntaf y dilyniant cwadratig $n^2 + bn + c$ yw 5 a'r trydydd term yw 13. Cyfrifwch 5 term cyntaf y dilyniant.

Ateb

4. Y ffurf gyffredinol yw $an^2 + bn + c$ ac felly yn yr achos hwn $a = 1$.
5. Pan fo $n = 1$ $1^2 + b + c = 5$ felly $1 + b + c = 5$ neu $b + c = 4$

Pan fo $n = 3$ $3^2 + 3b + c = 13$ felly $9 + 3b + c = 13$ neu $3b + c = 4$

Mae tynnu'r hafaliadau glas yn rhoi $2b = 0$ felly $b = 0$ ac felly $c = 4$.

Yr $n$fed term yw $n^2 + 4$ ac felly y 5 term cyntaf yw 5, 9, 13, 20 a 29.

Gofal

Bod y gwahaniaeth a'r ail wahaniaeth yr un peth.

Termau allweddol

Gwahaniaeth

Ail wahaniaeth

Dilyniant cwadratig

Cyfernod

Ffurf gyffredinol ar ddilyniant cwadratig

Cwestiynau dull arholiad

Darganfyddwch $n$fed term y dilyniant cwadratig hwn:

2 9 22 41 66 ... **[5]**

$n$fed term dilyniant cwadratig yw $2n^2 - 3n + 6$.

$n$fed term dilyniant cwadratig gwahanol yw $(2n - 1)(n + 4)$.

Mae gan un rhif yr un safle yn y ddau ddilyniant.

Darganfyddwch y rhif. **[4]**

Cyngor

Mae bob amser yn syniad da gwirio eich $n$fed term i weld a yw'n rhoi'r dilyniant gwreiddiol.

ATEBION WEDI'U GWIRIO

Hafaliad llinell syth

WEDI'I ADOLYGU

UCHEL

Rheolau

1. Mae gan linellau fertigol sy'n baralel i'r echelin-y yr hafaliad x = rhif.
2. Mae gan linellau llorweddol sy'n baralel i'r echelin-x yr hafaliad y = rhif.
3. Mae gan linellau goleddol yr hafaliad $y = mx + c$.
4. I ddarganfod m, sef graddiant llinell oleddol, darganfod cyfesurynnau dau bwynt ar y llinell a rhannu gwahaniaeth eu cyfesurynnau y â gwahaniaeth eu cyfesurynnau x.
5. Gwerth c yw cyfesuryn y y pwynt lle mae'r llinell yn croesi'r echelin-y.

Gofal

Lluniadu diagram i helpu i ateb y cwestiwn.

Mae gan linellau paralel yr un graddiant.

Mae llinellau sydd â graddiant positif yn mynd o'r chwith isaf i'r dde uchaf.

Mae llinellau sydd â graddiant negatif yn mynd o'r chwith uchaf i'r dde isaf.

Enghreifftiau

a Dyma linell syth wedi'i lluniadu ar grid cyfesurynnau. Darganfyddwch hafaliad y llinell.

Ateb

Dau bwynt ar y llinell yw (–1, 2) ac (1, 6). ❸

Rydyn ni'n darganfod graddiant y llinell drwy ddarganfod hydoedd y llinellau llorweddol a fertigol a'u rhannu nhw â'i gilydd.

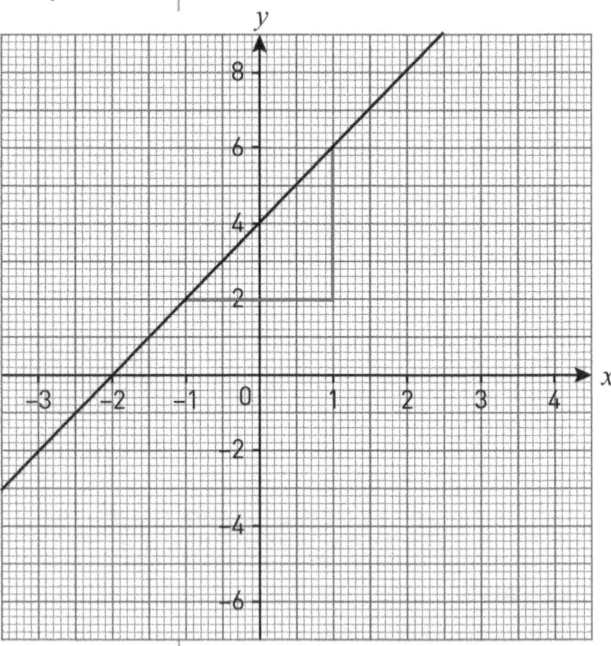

Yr hyd fertigol yw 6 – 2 = 4 uned a'r hyd llorweddol yw 1 – –1 = 2 uned.

Rhannu'r hyd fertigol â'r hyd llorweddol.

Y graddiant yw 4 ÷ 2 = 2. ❹

Mae'r rhyngdoriad, c, ar yr echelin-y yn 4. ❺

Mae'r graddiant yn bositif gan ei fod yn mynd o'r chwith isaf i'r dde uchaf.

Felly hafaliad y llinell yw $y = 2x + 4$.

b Dyma rai llinellau syth. Pa rai ohonyn nhw sy'n baralel?

P $y = 3x + 2$ **Q** $y + 3x = 2$
R $3y = 3 - 9x$ **S** $9x + 3y = 12$
T $3x - y = 5$

Ateb

Yn gyntaf ysgrifennu pob hafaliad ar y ffurf $y = mx + c$.

P $y = 3x + 2$ **Q** $y = -3x + 2$
R $y = -3x + 1$ **S** $y = -3x + 4$ **T** $y = 3x - 5$

Nawr chwilio am y rhai sydd â'r un graddiant. Mae gan **P** a **T** yr un graddiant (3) a hefyd mae gan **Q**, **R** ac **S** yr un graddiant (–3).

Termau allweddol

Graddiant

Rhyngdoriad

Paralel

Cwestiynau dull arholiad

1. Ysgrifennwch hafaliad llinell sy'n baralel i $y = 2x + 3$ ac sy'n mynd trwy'r pwynt (0, –1). **[2]**
2. Dyma rai llinellau syth.

   P $y = 2x + 3$ **Q** $y + 2x = 1$
   R $2y = 3 - 4x$ **S** $8x - 4y = 12$ **T** $6x - 3y = 15$

   Pa rai ohonyn nhw sy'n baralel? **[3]**

Cyngor

Ysgrifennu eich hafaliadau ar y ffurf $y = mx + c$ bob amser.

ATEBION WEDI'U GWIRIO

Plotio graffiau cwadratig a chiwbig

WEDI'I ADOLYGU

UCHEL

Rheolau

1. Llunio tabl gwerthoedd i helpu i blotio'r pwyntiau ar y grid bob amser.
2. Dechrau â'r gwerth 0 a rhoi gwerthoedd positif i mewn yn gyntaf.
3. Plotio'r pwyntiau a'u cysylltu nhw â llinell grom lyfn.
4. Mae'n bosibl defnyddio'r graff i ddarllen gwerthoedd o un echelin i'r llall.
5. Bydd graff cwadratig ar siâp llythyren U neu ∩.
6. Bydd graff ciwbig ar siâp llythyren ∽.

Enghreifftiau

a Dyma graff $y = x^2 - 3x - 2$ ar gyfer gwerthoedd x o −2 i +4. ❸ ❹ ❺

i Beth yw gwerth isaf $x^2 - 3x - 2$?

ii Ar gyfer pa werthoedd x mae y yn negatif?

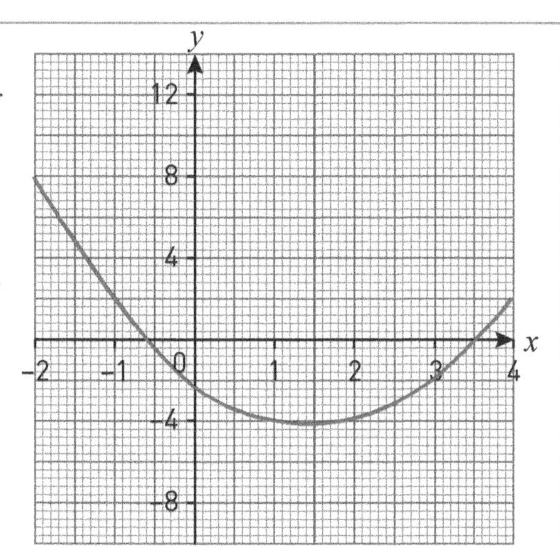

Atebion

i Mae'r gwerth isaf ar waelod yr U. Y gwerth isaf yw pan fod x yn 1.5 ac felly $y = -4.25$

ii Mae y yn negatif pan mae'n mynd yn is na'r echelin-x ac felly rhwng $x = -0.6$ a 3.6

b i Lluniadwch graff $y = x^3 - 5x + 2$ ar gyfer gwerthoedd x o −3 i +3. ❸ ❹ ❻

ii Datryswch yr hafaliad $x^3 - 5x + 2 = 0$.

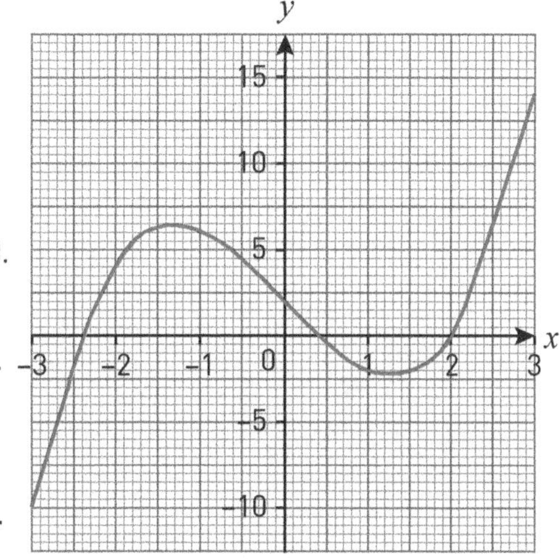

Atebion

i ❶ Yn gyntaf llunio tabl gwerthoedd. ❷ Dechrau â 0 sy'n golygu bod $y = +2$. Yna cyfrifo gwerthoedd positif x yn gyntaf.

Yn olaf gwneud y gwerthoedd negatif.

x	−3	−2	−1	0	1	2	3
x^3	−27	−8	−1	0	1	8	27
$-5x$	15	10	5	0	−5	−10	−15
+2	2	2	2	2	2	2	2
$y =$	−10	4	6	2	−2	0	14

ii Mae datrysiadau'r hafaliad i'w cael lle mae'r gromlin yn torri'r echelin-x sef yn $x = -2.4$ neu yn $x = 0.4$ neu yn $x = 2$.

Gofal

Dylai eich gwerthoedd y yn y tabl fod yn gymesur ar gyfer graff cwadratig.

Gwnewch yn siŵr eich bod yn cysylltu'r pwyntiau â chromlin lyfn.

Os oes rhaid i chi ddatrys hafaliad, yna bydd cwadratig â dau ateb a bydd ciwbig â thri ateb, efallai bydd rhai yr un peth.

Termau allweddol

- Cwadratig
- Ciwbig
- Hafaliad
- Uchafbwynt
- Isafbwynt

Cwestiynau dull arholiad

1 a Lluniadwch graff $y = x^2 - 4x + 3$ ar gyfer gwerthoedd x o −2 i +4. **[4]**

b Defnyddiwch eich graff i ddatrys yr hafaliad $x^2 - 4x + 3 = 0$. **[2]**

2 Lluniadwch graff $y = x^3 - 5x + 2$ ar gyfer gwerthoedd x o −3 i +3. **[4]**

Cyngor

Ystyried datrys hafaliad fel rhan olaf cwestiwn graff bob amser.

ATEBION WEDI'U GWIRIO

Darganfod hafaliadau llinellau syth

WEDI'I ADOLYGU

UCHEL

Rheolau

1. Mae gan linellau goleddol yr hafaliad $y = mx + c$.
2. m yw graddiant y llinell ac mae'n mesur pa mor serth yw'r llinell.
3. I ddarganfod m, sef graddiant linell oleddol, darganfod cyfesurynnau dau bwynt ar y llinell a rhannu gwahaniaeth eu cyfesurynnau y â gwahaniaeth eu cyfesurynnau x.
4. Gwerth c, sef y rhyngdoriad ar yr echelin-y, yw cyfesuryn y y pwynt lle mae'r llinell yn croesi'r echelin-y.

Enghreifftiau

a Dwy linell yw **L** ac **M**. Graddiant **L** yw 3 ac mae'n croesi'r echelin-y yn (0, 4). Graddiant **M** yw −2 ac mae'n mynd trwy'r pwynt (−1, 5). Darganfyddwch hafaliadau'r ddwy linell.

Ateb

Hafaliad **L** yw $y = 3x + 4$. ❶

3 yw graddiant y llinell ac felly dyma werth m. ❷

Mae (0, 4) ar yr echelin-y ac felly gwerth c yw 4. ❹

Hafaliad **M** yw $y = -2x + c$. ❶

−2 yw graddiant y llinell ac felly gwerth m yw −2. ❷

Gan nad ydyn ni'n gwybod gwerth c, mae angen rhoi'r cyfesurynnau (−1, 5) i mewn i'r hafaliad. Felly gydag $x = -1$ ac $y = 5$ rydyn ni'n cael $5 = -2 \times -1 + c$ neu $5 = +2 + c$ felly $c = 3$. ❹

Hafaliad **M** yw $y = -2x + 3$.

b Dwy linell syth yw **P** a **Q**. Mae **P** yn baralel i'r llinell $2x + y = 5$ ac mae'n mynd trwy (2, 9). Mae **Q** yn mynd trwy'r pwyntiau (−2, 7) a (4, −5). Darganfyddwch hafaliadau'r ddwy linell.

Ateb

Mae **P** yn baralel i $2x + y = 5$. Rydyn ni'n gallu ysgrifennu hyn fel $y = -2x + 5$ ac felly −2 yw graddiant y llinell. Felly gwerth m yw −2. ❷ Felly hafaliad **P** yw $y = -2x + c$. ❶ I ddarganfod gwerth c rydyn ni'n defnyddio cyfesuryn sydd ar y llinell, sef (2, 9), ac yn rhoi hyn i mewn i'r hafaliad. Felly gydag $x = 2$ ac $y = 9$ rydyn ni'n cael $9 = -2 \times 2 + c$ neu $9 = -4 + c$ ac felly $c = 13$. ❹

Hafaliad **P** yw $y = -2x + 13$. Brasluniwch y llinell bob amser er mwyn gallu gwirio'r graddiant.

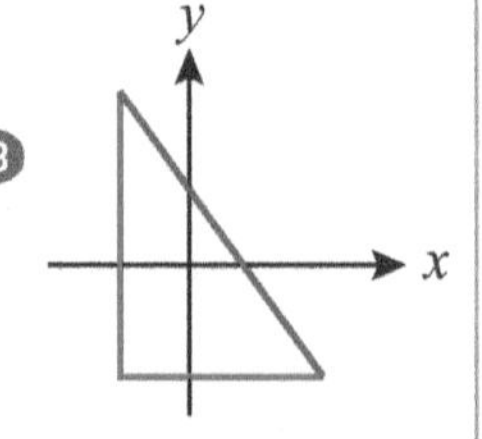

Y graddiant yw $(7 - -5) \div (-2 - 4) = 12 \div -6 = -2$. ❸

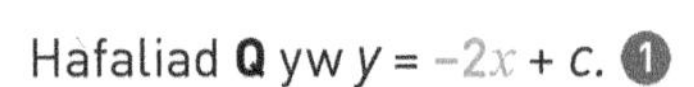

Hafaliad **Q** yw $y = -2x + c$. ❶

Amnewid pwynt i mewn i'r hafaliad e.e. $7 = -2 \times -2 + c$ ac felly $c = 7 - 4 = 3$ ❹

Hafaliad **Q** yw $y = -2x + 3$.

Gofal

Mae gan linellau paralel yr un graddiant.

Mae llinellau sydd â graddiant positif yn mynd o'r chwith isaf i'r dde uchaf.

Mae llinellau sydd â graddiant negatif yn mynd o'r chwith uchaf i'r dde isaf.

Termau allweddol

Graddiant

Rhyngdoriad

Hafaliad

Paralel

Cyngor

Os yw'r cyfesurynnau'n cael eu rhoi, braslunio diagram bob amser er mwyn gallu gwirio a yw graddiant y llinell yn bositif neu'n negatif.

Cwestiynau dull arholiad

1. Darganfyddwch hafaliad y llinell syth sy'n baralel i $y = 3x + 2$ ac sy'n mynd trwy (1, 6). **[3]**
2. Darganfyddwch hafaliad y llinell syth sy'n mynd trwy'r pwyntiau (−2, 5) a (3, −5). **[3]**

ATEBION WEDI'U GWIRIO

Ffwythiannau polynomaidd a chilyddol

ISEL

Rheolau

1. Mae graffiau llinell syth ar y ffurf $y = mx + c$
2. Mae graffiau cwadratig ar y ffurf $y = ax^2 + bx + c$ ac maen nhw ar siâp U neu ∩.
3. Mae graffiau ciwbig ar y ffurf $y = ax^3 + bx^2 + cx + d$ ac maen nhw ar siâp ∽ neu ∾.
4. Mae graffiau cilyddol ar y ffurf $y = \frac{k}{x}$ ac mae dwy ran iddyn nhw. Maen nhw'n nesáu at ddwy linell syth ond byth yn cyffwrdd â nhw; y term am y llinellau syth yw asymptotau.

Enghraifft

Dyma graff $y = 6 - x^2$

i Ar yr un grid, lluniadwch graff $y = \frac{1}{2x}$.

ii Ysgrifennwch hafaliadau'r asymptotau.

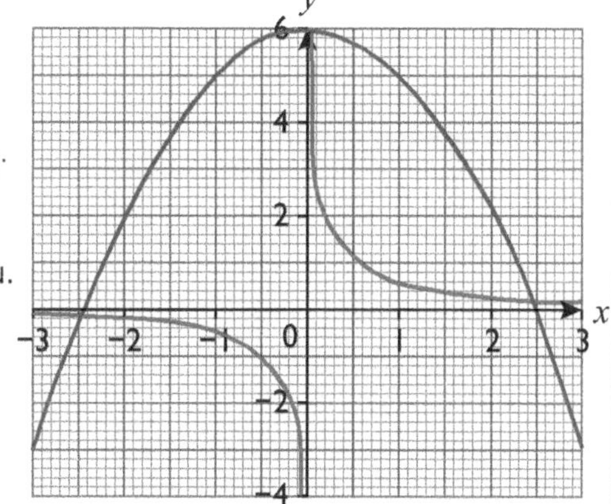

Atebion

i Yn gyntaf cyfrifo tabl gwerthoedd. ❹

x	-3	-2	-1	0	1	2	3
$y = \frac{1}{2x}$	-0.17	-0.25	-0.5	Dim gwerth	0.5	0.25	0.17

Gan nad oes gwerth ar gyfer $\frac{1}{2x}$ pan fo $x = 0$ bydd angen defnyddio gwerthoedd x rhwng

$-1 \leqslant x < 0$ a $0 < x \leqslant 1$

x	-0.5	-0.2	-0.1	0	0.1	0.2	0.5
$y = \frac{1}{2x}$	-1	-2.5	-5	Dim gwerth	5	2.5	1

ii Yr asymptotau yw $y = 0$ (yr echelin-x) ac $x = 0$ (yr echelin-y). ❹

Gofal

Pan fydd gennych chi graffiau cilyddol bydd bob amser un gwerth na fyddwch chi'n gallu ei gyfrifo, fel arfer pan fo $x = 0$.

Termau allweddol

- Plotio
- Braslunio
- Llinell syth
- Cwadratig
- Ciwbig
- Cilydd
- Asymptot

Cwestiynau dull arholiad

1 a Ar yr un grid brasluniwch graffiau $y = x$, $y = x^2$ ac $y = x^3$. **[3]**

b Pa bwyntiau sydd ar bob un o'r tair llinell? **[2]**

2 Mae'r defnydd o danwydd, f, sydd gan gar Jill yn newid wrth i'r buanedd, s, gynyddu.

Mae'r defnydd o danwydd yn cael ei roi gan y fformiwla $f = 60 - \frac{60}{s}$.

Pa werth mae'r defnydd o danwydd yn nesáu ato wrth i Jill gynyddu ei buanedd?

Rhaid i chi esbonio eich ateb. **[4]**

Cyngor

Mae 'lluniadwch' neu 'plotiwch' yn golygu bod angen i graff fod yn fanwl gywir.

Mae 'brasluniwch' yn golygu bod angen i chi ddangos prif nodweddion y graff.

ATEBION WEDI'U GWIRIO

Llinellau perpendicwlar

WEDI'I ADOLYGU

CANOLIG

Rheolau

1. Os oes gan linell syth, **L**, y graddiant m, yna mae gan linell syth sy'n berpendicwlar i **L** y graddiant $-\frac{1}{m}$.
2. Os yw dwy linell sydd â'r graddiannau m_1 ac m_2 yn berpendicwlar, yna $m_1 \times m_2 = -1$.

Enghreifftiau

a Mae llinell syth, **L**, yn berpendicwlar i'r llinell $y + 2x = 3$. Mae'n mynd trwy'r pwynt (6, 2).

Darganfyddwch hafaliad **L**.

Ateb

Yn gyntaf trefnu'r hafaliad ar y ffurf $y = mx + c$.

Felly mae $y + 2x = 3$ yn dod yn $y = -2x + 3$.

❶ Felly y graddiant yw −2.

❷ Felly graddiant **L** yw $\frac{1}{2}$ oherwydd bod $-2 \times \frac{1}{2} = -1$.

Felly hafaliad **L** yw $y = \frac{1}{2}x + c$. Defnyddio'r pwynt (6, 2) i ddarganfod c.

$2 = \frac{1}{2} \times 6 + c$ sy'n golygu bod $c = -1$ ac felly hafaliad **L** yw $y = \frac{1}{2}x - 1$ neu $2y = x - 2$.

b Mae llinell syth yn mynd trwy P yn (5, 0) a Q yn (0, 12).

Esboniwch pam mae'r llinell syth sy'n mynd trwy P ac sy'n berpendicwlar i PQ hefyd yn mynd trwy (17, 5).

Ateb

❶ a ❷ Graddiant PQ yw $-\frac{12}{5}$ ac felly graddiant y llinell berpendicwlar yw $\frac{5}{12}$.

Felly yr hafaliad yw $y = \frac{5}{12}x + c$ ac felly yn (5, 0) mae'n $0 = \frac{5}{12} \times 5 + c$.

Felly $c = -\frac{25}{12}$. Yr hafaliad yw $y = \frac{5}{12}x - \frac{25}{12}$ neu $12y = 5x - 25$.

Yn (17, 5) mae $12 \times 5 = 60$ ac mae $5 \times 17 - 25 = 60$ hefyd.

Mae hyn yn golygu bod y llinell $12y = 5x - 25$ yn mynd trwy (17, 5).

Termau allweddol

Llinellau perpendicwlar

Graddiant positif a negatif

Gofal

Mae $y = mx + c$ ac $y = -\frac{1}{m}x + c$ yn llinellau perpendicwlar $m_1 \times m_2 = -1$

Cyngor

Mae bob amser yn syniad da gwneud braslun o'r broblem i'ch helpu chi i wybod beth sy'n digwydd.

Cwestiynau dull arholiad

1. Darganfyddwch hafaliad y llinell syth sy'n mynd trwy (2, 1) ac sy'n berpendicwlar i $y = 4x - 3$. **[3]**
2. Tair llinell syth yw **L**, **M** ac **N**.

   Hafaliad **L** yw $y + 2x = 5$.

   Mae **M** yn berpendicwlar i **L** ac yn mynd trwy (2, 1).

   Hafaliad **N** yw $y = 3$.

   Darganfyddwch arwynebedd y triongl sy'n cael ei ffurfio gan y tair llinell syth. **[4]**

ATEBION WEDI'U GWIRIO

Ffwythiannau esbonyddol

WEDI'I ADOLYGU

UCHEL

Rheolau

1. Mae gan ffwythiant twf esbonyddol y ffurf $f(x) = ab^x$ os yw x yn bositif.
2. Mae gan ffwythiant dirywiad esbonyddol y ffurf $f(x) = ab^x$ os yw x yn negatif.
3. Y ffurf gyffredinol ar ffwythiant esbonyddol yw $f(x) = ab^{kx}$.
4. Pan fo $x = 0$ mae'r rhyngdoriad ar yr echelin fertigol $(x = 0)$ yn rhoi gwerth a.
5. Gwerth b yw'r rhif mae $f(x)$ yn cael ei luosi ag ef wrth i x gynyddu.
6. Gwerth k yw'r rhif mae x yn cael ei luosi ag ef i wneud $kx = 1$.

Enghraifft

a Dyma graff poblogaeth cwningod mewn tir caeedig.
Mae'n dangos y boblogaeth bob mis.

i Esboniwch pam mae'r twf poblogaeth yn esbonyddol.

ii Darganfyddwch hafaliad y graff.

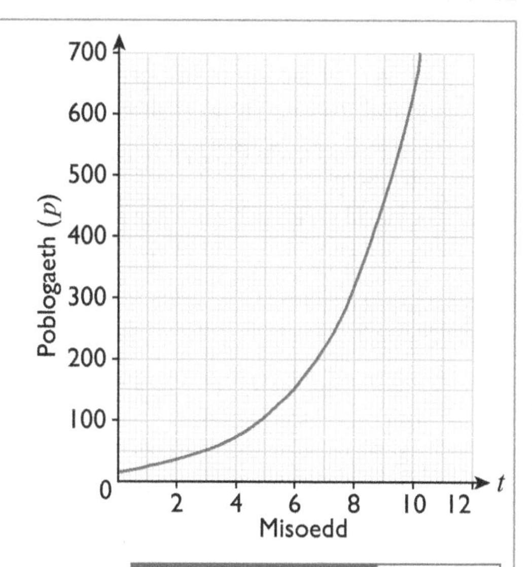

Atebion

i Pan fo $t = 0$, $P = 20$

$t = 2$, $P = 40$ $t = 4$, $P = 80$

$t = 6$, $P = 160$ $t = 8$, $P = 320$

Mae hyn yn golygu bod y boblogaeth yn dyblu bob 2 fis.

Mae hyn yn ffwythiant esbonyddol nodweddiadol ar y ffurf $f(x) = ab^{kx}$ gan fod cyfradd y twf yn cynyddu bob mis. ❸

ii Bydd yr hafaliad hwn ar y ffurf $P = ab^{kt}$.

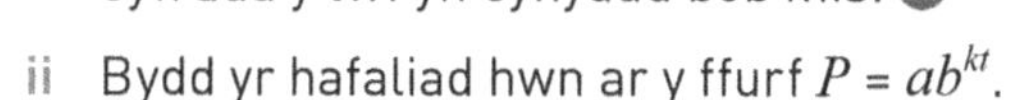

Mae hyn yn golygu bydd x, neu yn yr achos hwn t, yn bositif. ❶

Pan fo $t = 0$, $P = 20$ sy'n golygu bod $a = 20$. ❹

$b = 2$ gan fod y boblogaeth yn dyblu. ❺

$k = \frac{1}{2}$ gan fod $2 \times \frac{1}{2} = 1$ ❻

Hafaliad y graff fydd $P = 20 \times 2^{\frac{t}{2}}$.

Gofal

Mae twf poblogaeth ac adlog yn enghreifftiau lle mae rheol ❶ yn gweithio.

Mae dirywiad poblogaeth a dibrisiant yn enghreifftiau lle mae rheol ❷ yn gweithio.

Termau allweddol

Ffwythiant
Esbonyddol
Poblogaeth
Twf a dirywiad
Adlog
Dibrisiant

Cwestiynau dull arholiad

1 Dyma'r ffigurau poblogaeth ar gyfer haid o fwncïod mewn coedwig.

t (*blynyddoedd*)	0	1	2	3	4	5	6
P	1600	1270	1008	800	635	504	400

a Esboniwch pam mae'r lleihad yn y boblogaeth yn esbonyddol. **[2]**

b Darganfyddwch hafaliad y graff. **[3]**

Cyngor

Gwylio bob amser am berthnasoedd syml rhwng rhai o'r data sydd wedi'u rhoi i chi.

ATEBION WEDI'U GWIRIO

Ffwythiannau trigonometregol

WEDI'I ADOLYGU

UCHEL

Rheolau

1. Y ffurf gyffredinol ar ffwythiant trigonometregol yw $f(x) = A \sin(Bx + c) + D$ ac yma yn lle sin rydyn ni'n gallu rhoi unrhyw un o'r gweithredyddion trigonometrig, er enghraifft, sin neu cos neu tan.
2. Mae newid gwerth A yn newid uchder y graff.
3. Mae newid gwerth B yn newid pa mor gyflym mae'r gylchred yn ei ailadrodd ei hun.
4. Mae newid gwerth C yn trawsfudo'r graff yn baralel i'r echelin-x.

   Os yw C yn bositif mae'r graff yn symud i'r chwith ac os yw C yn negatif mae'n symud i'r dde.
5. Mae newid gwerth D yn trawsfudo'r graff yn baralel i'r $f(x)$ neu'r echelin-y.
   Os yw D yn bositif mae'r graff yn symud i fyny ac os yw D yn negatif mae'n symud i lawr.

Termau allweddol

Ffwythiannau trigonometregol

Cyfnodol

Cylchol

Enghraifft

a Dyma graff o ffwythiant trigonometregol $f(x)$.

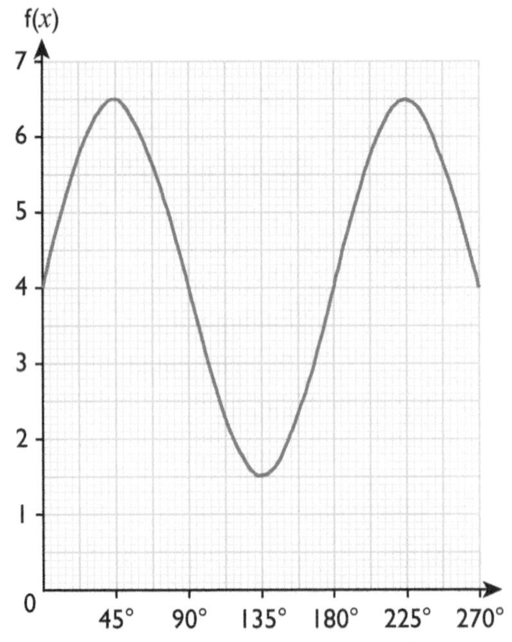

i Cyfrifwch hafaliad y graff.

ii Gan ddefnyddio'r graff neu fel arall, datryswch $f(x) = 3$ lle mae $0° \leqslant x \leqslant 360°$.

Atebion

i O edrych ar y graff rydyn ni'n gallu gweld ei fod ar ffurf y ffwythiant sin / cosin.

5 Mae wedi cael ei symud 4 uned i fyny o'r echelin-x ac felly gwerth D yw 4.

4 Ar gyfer y ffwythiant sin, mae'r gromlin yn dechrau ar y llinell lorweddol ganolog neu'r echelin-x pan fo $x = 0$ ac felly $C = 0$.

4 Ar gyfer y ffwythiant cosin, byddai'r gromlin yn dechrau ar uchafbwynt ac felly mae wedi symud 45° i'r dde ac felly yn yr achos hwn $C = -45°$.

Gofal

Mae ffwythiannau trigonometregol bob amser yn gyfnodol.

Mae ffwythiannau trigonometregol bob amser yn eu hailadrodd eu hunain.

Mae ffwythiannau trigonometregol bob amser yn gymesur.

Mae'r diagram hwn yn dangos yr onglau pan fo cymarebau trigonometregol yn bositif.

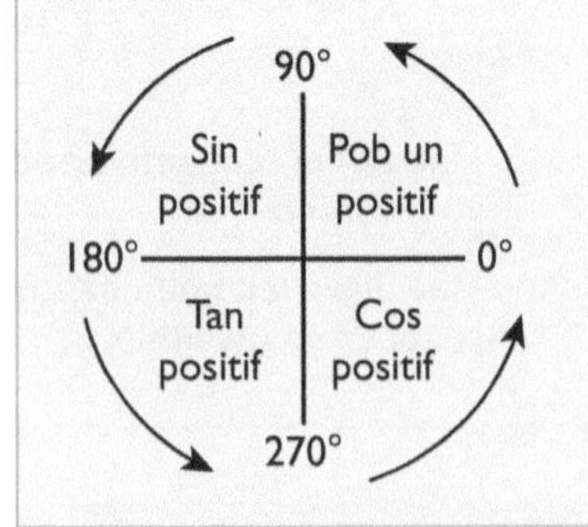

❸ Bydd cromlin sin neu cosin arferol yn ei ailadrodd ei hun bob 360°. Yn yr achos hwn mae'r gromlin yn ailadrodd bob 180° ac felly gwerth B fydd 2 gan fod $360 \div 180 = 2$.

❷ Fel arfer arg / uchder y gromlin sin yw 1. Yn yr achos hwn mae'n 2.5 ac felly $A = 2.5$.

❶ Yr hafaliad yw f(x) neu $y = 2.5 \times \sin 2x + 4$ neu f(x) neu $y = 2.5 \times \cos 2(x - 45°) + 4$.

ii Dylai fod pedwar datrysiad i'r hafaliad f(x) = 3 ond dim ond dau sydd i'w gweld yn y diagram. Y rhain yw $x = 104°$ ac 166° sef 135° ± 31°.

O gymesuredd y graff y gwerthoedd eraill yw 315° ± 31° felly $x = 284°$ a 346°.

Cwestiynau dull arholiad

1 Datryswch yr hafaliad $4 \cos 3x = 2$ ar gyfer gwerthoedd x rhwng 0° a 360°. **[4]**

2 Mae uchder, u metr, y dŵr mewn harbwr yn ystod un diwrnod yn cael ei fodelu gan y fformiwla $u = 4 \sin 30(t - 3) + 5$ ar gyfer gwerthoedd t o $0 \leqslant t \leqslant 24$.

a Beth yw gwerth t pan fo gwerth u yn werth mwyaf? **[2]**

b Beth yw gwerth t pan fo gwerth u yn werth lleiaf? **[2]**

c Darganfyddwch beth yw gwerth t pan fo uchder y dŵr yn yr harbwr yn 5 metr. **[4]**

Cyngor

Gwneud yn siŵr bob amser eich bod yn rhoi holl ddatrysiadau hafaliad trigonometregol.

ATEBION WEDI'U GWIRIO ☐

Cwestiynau dull arholiad cymysg

1 Mae Bobbi yn defnyddio'r fformiwla hon i gyfrifo'r amser, t munud, mae'n ei gymryd i goginio cyw iâr sydd â'i bwysau'n w kg.

$t = 40w + 20$

Mae Bobbi eisiau i gyw iâr sy'n pwyso 2 kg fod wedi'i goginio am 12 o'r gloch ganol dydd.
Faint o'r gloch dylai hi roi'r cyw iâr i mewn i'r ffwrn/popty? **[3]**

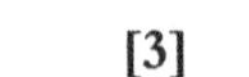

2 Perimedr sgwâr yw $(40x + 60)$ cm.
Mae gan bentagon rheolaidd yr un perimedr â'r sgwâr.
Dangoswch mai'r gwahaniaeth rhwng hyd ochrau'r ddau siâp yw $(2x + 3)$ cm. **[3]**

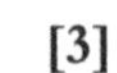

3 Mae'r sgwâr oren yn cael ei ffurfio drwy dorri'r 4 triongl ongl sgwâr glas o bob cornel fel sydd i'w weld isod. Sail pob triongl yw $x + 2$ a'i uchder yw $5x - 3$.
Dangoswch mai arwynebedd y sgwâr oren yw $13(2x^2 - 2x + 1)$. **[5]**

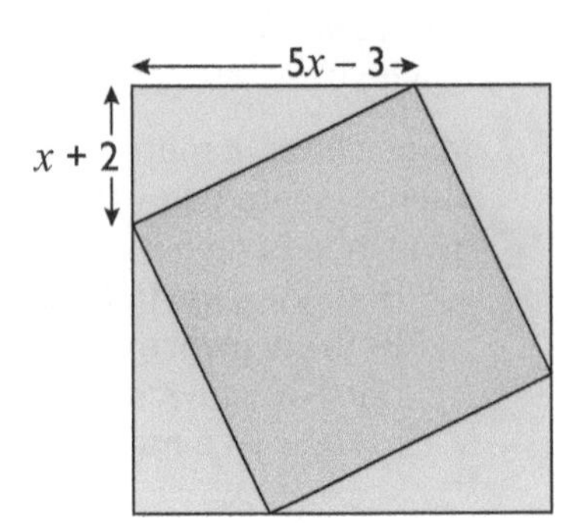

4 Dyma siâp T wedi'i luniadu ar ran o grid 10 wrth 10.

1	2	3	4	5	6
11	12	13	14	15	16
21	22	23	24	25	26
31	32	33	34	35	36
41	42	43	44	45	46

Mae'r T sydd wedi'i thywyllu yn cael ei galw'n T_2 oherwydd 2 yw'r rhif lleiaf yn y T.
Mae T_2 yn swm yr holl rifau yn y siâp T; felly $T_2 = 45$.

a Darganfyddwch fynegiad, yn nhermau n, ar gyfer T_n. **[3]**

b Esboniwch pam nad yw T_n yn gallu bod yn hafal i 130. **[2]**

5 Darganfyddwch $n$fed term y dilyniant cwadratig hwn.

1 4 11 22 37 … **[5]**

6 **a** Gwnewch x yn destun y fformiwla $y = 2\pi\sqrt{\frac{3x+5}{x}}$. **[3]**

b Darganfyddwch beth yw lluosrif cyffredin lleiaf a ffactor cyffredin mwyaf $12a^3b^2c^3$, $18a^2b^3c^4$ a $24a^3b^2c$. **[3]**

7 **a** Symleiddiwch $\frac{x^2-16}{2x^2-3x-20}$. **[3]**

8 Darganfyddwch beth yw gwerth n i wneud y gosodiad hwn yn gywir: $(x^{-n})^5 = \frac{\sqrt{x^3}}{\sqrt{x^n}}$. **[3]**

9 Dyma ddilyniant rhifau: $2, 1, \frac{1}{2}, \ldots$

a Darganfyddwch y 7fed term yn y dilyniant. **[2]**

b Ar gyfer pa werthoedd o n bydd yr $n$fed term yn llai na 0.001? **[3]**

10 Cost llogi car o ***Cars 4 U*** yw £20 ynghyd â chyfradd ddyddiol.

a Cyfrifwch y gyfradd ddyddiol. **[2]**

Mae Sid eisiau cymharu cost llogi car o ***Cars 4 U*** ac o ***Car Cyf*** sy'n codi £25 am bob diwrnod mae car yn cael ei logi.

Mae Sid yn llogi ceir am gyfnodau gwahanol. Mae eisiau defnyddio'r cwmni mwyaf rhad.

b Pa un o'r ddau gwmni hyn yw'r rhataf rhad ar gyfer llogi'r car?

Rhaid i chi ddangos eich gwaith cyfrifo ac esbonio eich ateb. **[3]**

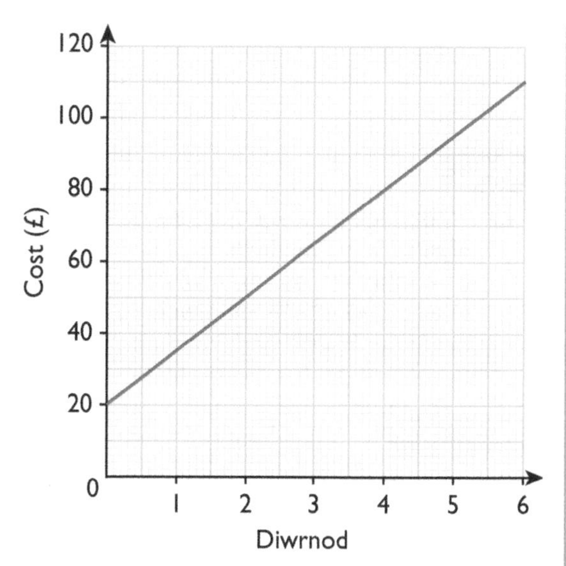

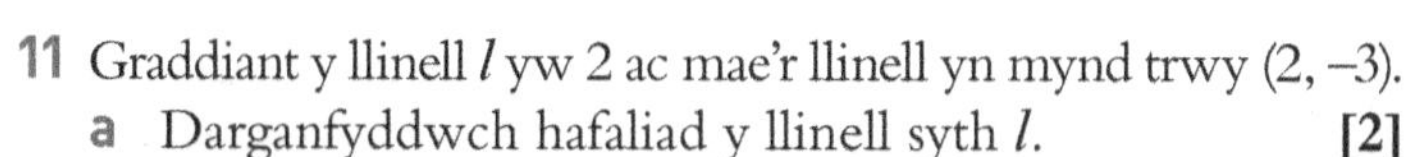

11 Graddiant y llinell l yw 2 ac mae'r llinell yn mynd trwy $(2, -3)$.

a Darganfyddwch hafaliad y llinell syth l. **[2]**

b Esboniwch a yw'r pwynt $(3, -1)$ ar y llinell l. **[2]**

c Darganfyddwch hafaliad y llinell syth sy'n berpendicwlar i l ac sydd hefyd yn mynd trwy $(2, -3)$. **[3]**

12 Dyma graff $y = x^2 - 4x + 3$.

a Ysgrifennwch beth yw gwerth lleiaf y. **[1]**

b Darganfyddwch y pwyntiau lle mae'r llinell $x + y = 4$ yn croesi'r gromlin. **[2]**

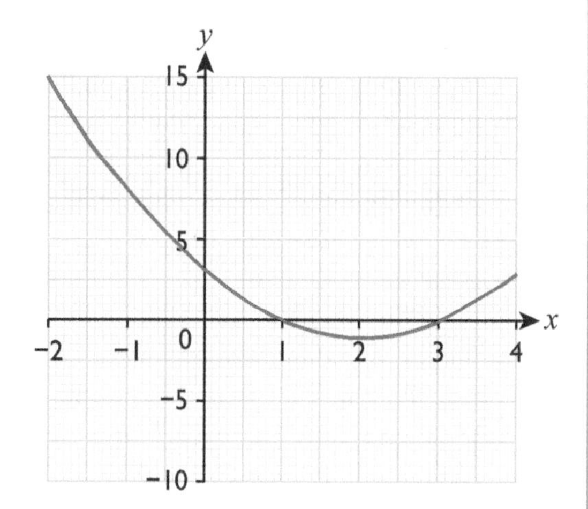

13 Mae ffwythiant cwadratig yn mynd trwy'r pwyntiau $(2, 0)$ a $(0, 4)$. Dim ond un gwreiddyn sydd gan y ffwythiant.

a Brasluniwch graff y ffwythiant. **[2]**

b Darganfyddwch hafaliad y ffwythiant. **[2]**

14 Mae Alison yn x oed. Mae Alison 2 flynedd yn hŷn na Bethany. Mae Cathy ddwywaith oed Bethany. Cyfanswm eu hoedrannau yw 50.

Beth yw oed Cathy? **[4]**

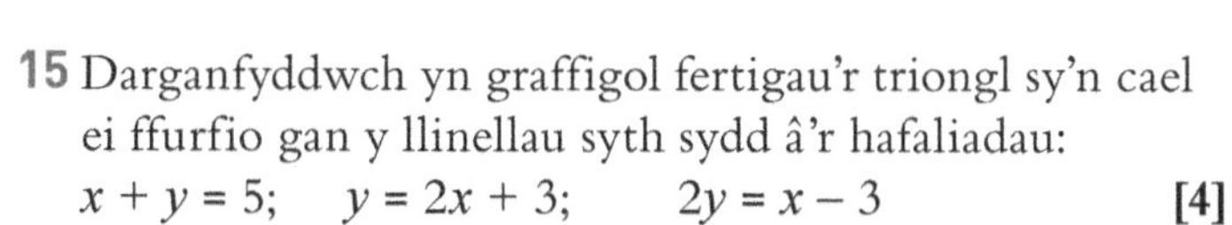

15 Darganfyddwch yn graffigol fertigau'r triongl sy'n cael ei ffurfio gan y llinellau syth sydd â'r hafaliadau:

$x + y = 5$; $\quad y = 2x + 3$; $\quad 2y = x - 3$ **[4]**

16 Arwynebedd petryal yw $x^2 - 12x + 32$.

Darganfyddwch fynegiad algebraidd posibl ar gyfer perimedr y petryal hwn. **[3]**

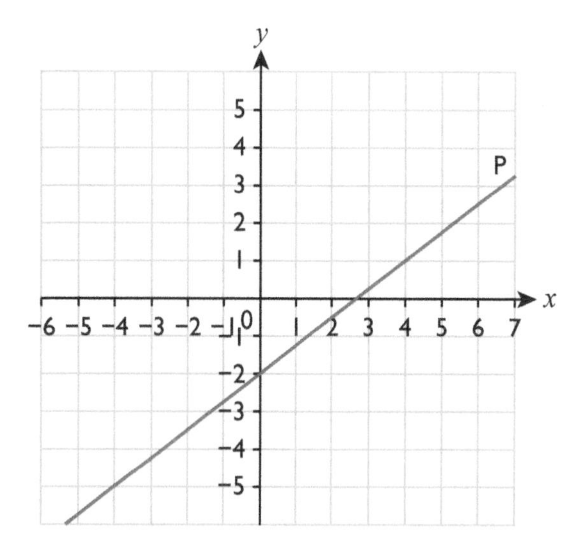

17 Mae'r llinell syth **P** wedi cael ei lluniadu ar y grid cyfesurynnau.

a Darganfyddwch hafaliad y llinell **P**. **[2]**

b Darganfyddwch hafaliad y llinell sy'n baralel i **P** ac sy'n mynd trwy $(-3, -1)$. **[2]**

c Darganfyddwch hafaliad y llinell sy'n berpendicwlar i P ac sy'n mynd trwy $(-1, 1)$. **[3]**

18 Dyma graff sy'n dangos dyfnder y dŵr mewn harbwr un diwrnod.

Mae llong yn gallu mynd i mewn i'r harbwr a gadael yr harbwr rhwng 06:00 ac 18:00. Mae angen dyfnder o 6 metr o ddŵr er mwyn i'r llong fawr fynd i mewn.

Rhwng pa amserau mae'r llong yn gallu mynd i mewn i'r harbwr ar y diwrnod hwn? **[2]**

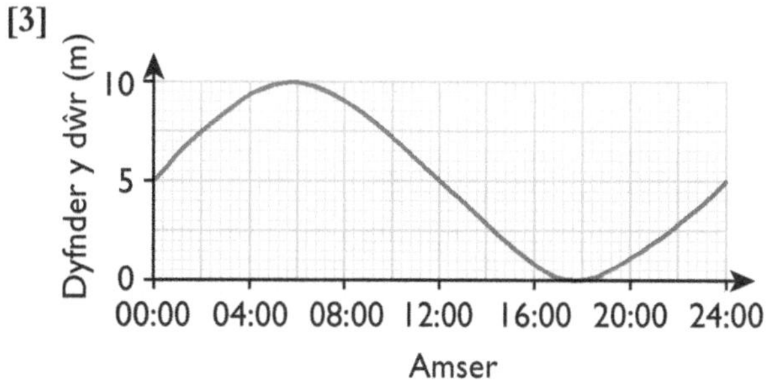

Cynnig a gwella

WEDI'I ADOLYGU

CANOLIG

Rheol

❶ Wrth ddatrys drwy gynnig a gwella, rhoi eich ateb bob amser yn gywir i un lle degol yn fwy na'r hyn sy'n ofynnol yn y cwestiwn.
Er enghraifft, os ydych yn datrys i ddarganfod datrysiad yn gywir i ddau le degol a bod eich ateb rhwng 5.47 a 5.48, peidiwch ag edrych ar ba un sy'n ymddangos agosaf, rhaid i chi wirio. Mae angen cynnig ar 5.475 i gadarnhau lle mae'r datrysiad.

Enghraifft

a Mae datrysiad i $x^2 - 3x = 12$ i'w gael rhwng 5 a 6.

Darganfyddwch y datrysiad hwn yn gywir i un lle degol.

Ateb

Yn gyntaf gwirio'r gwaith cyfrifo gan ddefnyddio $x = 5$ ac $x = 6$, yna rhoi cynnig ar hanner ffordd rhwng y ddau, sef $x = 5.5$.

Erbyn hynny rydyn ni'n gwybod pa ffordd i'w gwirio nesaf.

Yma mae $x = 5.5$ yn dal yn rhy fawr, felly rhoi cynnig ar werth llai o x.

x	$x^2 - 3x$	
5	25 − 15 = 10	rhy fach
6	36 − 18 = 18	rhy fawr
5.5	30.25 − 16.5 = 13.37	rhy fawr
5.4	29.16 − 16.2 = 12.96	yn dal yn rhy fawr
5.3	28.09 − 15.9 = 12.19	yn dal yn rhy fawr
5.2	27.04 − 15.6 = 11.44	rhy fach

Hyd yma rydyn ni wedi darganfod bod yn rhaid bod y datrysiad i'w gael rhwng 5.2 a 5.3, gan fod un o'r datrysiadau hyn yn rhy fawr a'r llall yn rhy fach.

❶ Nawr gwiriad pwysig.

Mae angen ystyried 5.25, sef hanner ffordd rhwng y datrysiadau lle mae'n newid o rhy fawr i rhy fach.

5.3	28.09 − 15.9 = 12.19	yn dal yn rhy fawr
5.2	27.04 − 15.6 = 11.44	rhy fach
5.25	27.5625 − 15.75 = 11.8125	rhy fach

Nawr rydyn ni'n gwybod:

Mae'n rhaid bod y datrysiad i'w gael rhwng y ddau werth hyn, ac felly i un lle degol mae'n rhaid mai'r datrysiad yw **5.3**.

Termau allweddol

Lle degol
Isradd
Ffigurau ystyrlon
Datrysiad
Datrys

Cwestiwn dull arholiad

1 Mae datrysiad i'r hafaliad $3x^3 + x^2 = 54$ i'w gael rhwng 2 a 3.
Darganfyddwch y datrysiad hwn yn gywir i ddau le degol. **[3]**

ATEBION WEDI'U GWIRIO

Cyngor

Rhaid edrych ar dri lle degol os yw'r cwestiwn yn dweud 'yn gywir i ddau le degol', ond cofio rhoi'r ateb wedyn i'r ddau le degol sy'n ofynnol yn y cwestiwn.

Anhafaleddau llinol

WEDI'I ADOLYGU

ISEL

Rheolau

1. Wrth ddatrys anhafaledd mae angen cadw'r arwydd yn wynebu'r un ffordd.
2. Mae newid cyfeiriad yr arwydd anhafaledd yr un peth â lluosi â –1 ac felly os ydyn ni'n cyfnewid ochrau mewn anhafaledd rydyn ni'n cyfnewid arwyddion. Felly os yw $-5 > x$ yna mae $-x > 5$ ac felly $x < -5$.
3. Defnyddio'r un technegau i ddatrys anhafaledd ag rydyn ni'n eu defnyddio i ddatrys hafaliad.
4. Mae cylch sydd wedi'i lenwi ar linell rif yn golygu mai'r anhafaledd yw $\geqslant$ neu $\leqslant$. ●
5. Mae cylch gwag ar linell rif yn golygu mai'r anhafaledd yw $<$ neu $>$. ○
6. Diffinio eich newidynnau bob amser wrth ddatrys problem anhafaledd.

Enghreifftiau

a i Ysgrifennwch yr anhafaledd sydd i'w weld ar y llinell rif hon.

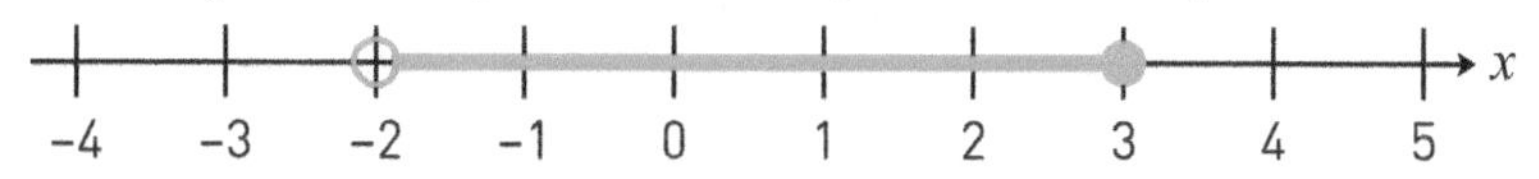

Ateb

Mae pen chwith yr anhafaledd yn –2 ac mae'r pen dde yn 3. ❹ ❺
Mae'r cylch yn –2 yn wag ac mae'r cylch yn 3 wedi'i lenwi ac felly yr anhafaledd yw: $-2 < x \leqslant 3$. ❹ ❺

ii Datryswch yr anhafaledd $5x + 3 > 7x - 4$.

Ateb

Cadwch bob x ar yr ochr sydd â'r rhan fwyaf ohonyn nhw. ❶

Felly $-5x$ o bob ochr: $3 > 2x - 4$ ❸

Nawr adio 4 at bob ochr: $7 > 2x$

Mae rhannu â 2 yn rhoi: $3.5 > x$

Cyfnewid ochrau a newid yr arwydd: $x < 3.5$ ❷

b Mae Ami 3 blynedd yn hŷn na Beth. Mae Ceri ddwywaith oed Beth.
Mae cyfanswm eu hoedrannau yn llai na 39.
Dangoswch fod yn rhaid i Ami fod yn llai nag 12 oed.

Ateb

Yn gyntaf diffinio'r newidyn, felly gadewch i oed Ami fod yn x. ❻ Yna ysgrifennu'r oedrannau eraill.

Bydd Beth 3 blynedd yn llai nag Ami: $x - 3$

Bydd oed Ceri ddwywaith oed Beth: $2(x - 3)$

Yna llunio'r anhafaledd: $x + x - 3 + 2(x - 3) < 39$

Yna datrys ef: $2x - 3 + 2x - 6 < 39$. ❸ $4x - 9 < 39$

felly $4x < 48$ felly $x < 12$ ac felly mae Ami yn llai nag 12 oed.

Gofal

Defnyddio'r un technegau bob amser ar gyfer datrys anhafaleddau ag y byddwch chi'n eu defnyddio i ddatrys hafaliadau.

Termau allweddol

$<$ llai na

$>$ mwy na

$\leqslant$ llai na neu hafal i

$\geqslant$ mwy na neu hafal i

Cwestiynau dull arholiad

1 a Ar linell rif ysgrifennwch yr anhafaledd $-4 \leqslant x < 2$. **[2]**
b Datryswch yr anhafaledd $3(2y - 4) \leqslant 6$. **[3]**

2 Mae Bobbi yn meddwl am rif cyfan, mae hi'n adio 10 ato ac yna'n rhannu â 5. Mae'r ateb yn llai na 4.
Pa rifau gallai Bobbi fod wedi meddwl amdanyn nhw? **[4]**

Cyngor

Gwirio'r ateb i anhafaleddau bob amser drwy amnewid eich ateb yn ôl i mewn i'r cwestiwn.

ATEBION WEDI'U GWIRIO

Datrys hafaliadau cydamserol trwy ddileu ac amnewid

WEDI'I ADOLYGU

UCHEL

Rheolau

1. Os yw cyfernodau'r ddau newidyn yn wahanol, rhaid lluosi'r hafaliadau â rhif fel bod cyfernodau un newidyn yr un peth.
2. I ddileu'r newidyn os oes gan y cyfernodau yr un arwydd, tynnu'r ddau hafaliad; os yw'r arwyddion yn wahanol, adio'r ddau hafaliad.
3. Ar ôl darganfod gwerth y newidyn arall, amnewid hyn i mewn i un o'r hafaliadau gwreiddiol i ddarganfod y newidyn gafodd ei ddileu.
4. Os yw cyfernod un o'r newidynnau yn 1, ad-drefnu'r hafaliad fel bod hwnnw'n dod yn destun, e.e. $x =$ neu $y =$.
5. Amnewid yr hafaliad wedi'i ad-drefnu i mewn i'r ail hafaliad.
6. Datrys yr hafaliad newydd ar gyfer un newidyn.
7. Amnewid y newidyn hwn i mewn i'r hafaliad cyntaf i ddarganfod y newidyn arall.

Enghreifftiau

a Datryswch $3x + 4y = 2$ hafaliad 1 $4x - 5y = 13$ hafaliad 2

Ateb

Dydy cyfernodau'r newidynnau x ac y ddim yr un peth ac felly mae angen lluosi pob hafaliad â rhif i'w gwneud nhw yr un peth.

Un posibilrwydd yw lluosi hafaliad 1 â 4 a hafaliad 2 â 3 fel bod y cyfernod x yn 12.

Posibilrwydd arall yw lluosi hafaliad 1 â 5 a hafaliad 2 â 4 fel bod y cyfernod y yn 20.

Mae'n haws adio na thynnu ac felly rydyn ni'n dileu'r y

$3x + 4y = 2$ mae hafaliad 1 × 5 yn rhoi $15x + 20y = 10$ ❶

$4x - 5y = 13$ mae hafaliad 2 × 4 yn rhoi $16x - 20y = 52$ + ❶

Mae adio'r ddau hafaliad yn rhoi $31x = 62$ felly $x = 2$ ❷

Mae amnewid $x = 2$ i mewn i hafaliad 1 yn rhoi ❸

$$3 \times 2 + 4y = 2, \text{ felly } 6 + 4y = 2; \text{ felly } 4y = -4 \text{ felly } y = -1$$

b Datryswch $2x + y = 3$ hafaliad 1 $3x - 4y = 10$ hafaliad 2

Ateb

Mae cyfernod y yn hafaliad 1 yn hafal i 1, felly ad-drefnu hafaliad 1 i fod yn $y = 3 - 2x$ ❹

Amnewid $y = 3 - 2x$ i mewn i hafaliad 2 i gael $3x - 4(3 - 2x) = 10$ ❺

Lluosi'r cromfachau i gael $3x - 12 + 8x = 10$ ❻

Symleiddio'r ochr chwith i gael $11x - 12 = 10$ ❻

Felly $11x = 22$ felly $x = 2$ ❻

Mae amnewid $x = 2$ i mewn i $y = 3 - 2x$ yn rhoi $y = 3 - 2 \times 2$, felly $y = 3 - 4$; felly $y = -1$

Gofal

Mae angen i gyfernodau'r newidynnau fod yr un peth ar gyfer y dull dileu.

Os oes gan un o'r newidynnau y cyfernod 1, defnyddio'r dull amnewid.

Termau allweddol

Hafaliadau cydamserol

Cyfernod

Newidyn

Testun

Amnewid

Dileu

Datrys

Cyngor

Gwirio eich ateb bob amser drwy amnewid yn ôl i mewn i'r hafaliadau gwreiddiol.

Cwestiynau dull arholiad

1 Datryswch $2a + 3b = 13$
$5a - 2b = 4$ **[3]**

2 Mae gan gwmni bysiau s bws uwchradd a d bws cyffredin. Mae gan y cwmni 4 gwaith cymaint o fysiau cyffredin â bysiau uwchradd. Mae gan fws cyffredin 50 sedd ac mae gan fws gwell 25 sedd. Mae gan y cwmni gyfanswm o 675 o seddau ar gael. Sawl bws o bob math sydd gan y cwmni? **[4]**

ATEBION WEDI'U GWIRIO

Defnyddio graffiau i ddatrys hafaliadau cydamserol

WEDI'I ADOLYGU

UCHEL

Rheolau

1. Llunio hafaliad ar gyfer pob rhan o'ch problem ar y ffurf $y = mx + c$.
2. Ar grid cyfesurynnau tynnu'r ddwy linell fel eu bod nhw'n croestorri.
3. Datrysiad yr hafaliadau cydamserol yw cyfesurynnau'r pwynt croestoriad.

Enghreifftiau

a Mae *G-gas* a *P-gas* yn gwerthu nwy. Mae *Green-gas* yn codi £10 y mis a 20c yr uned. Mae *Power-gas* yn codi £20 y mis a 10c yr uned. Pa gwmni yw'r rhataf?

Ateb

Yn gyntaf llunio'r hafaliadau.

$C = 0.2u + 10$ ar gyfer *G-gas*. ➊

$C = 0.1u + 20$ ar gyfer *P-gas*. ➊

Defnyddio'r un unedau (£).

Yna lluniadu'r graffiau. ➋

Defnyddio'r rhyngdoriad a'r graddiant i gael y llinell.

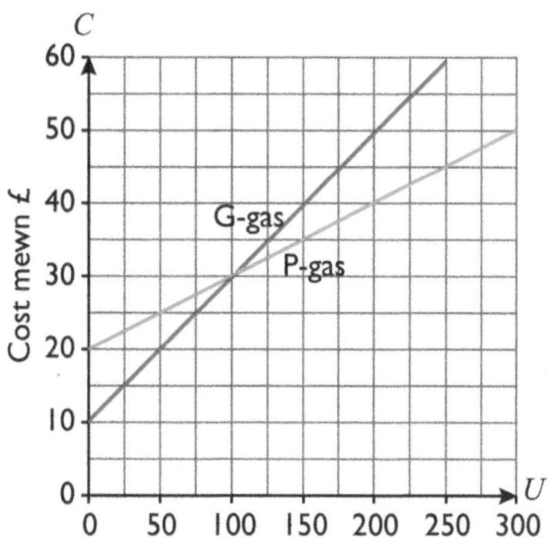

Mae'r llinellau'n croesi yn (100, 30). ➌
Mae 100 o unedau o nwy yn cael eu defnyddio a'r gost yw £30.

Mae hyn yn golygu mai *G-gas* yw'r rhataf hyd at 100 o unedau.
Ar 100 o unedau mae'r ddau gwmni'n codi'r un swm.
Ar ôl 100 o unedau *P-gas* yw'r rhataf.

b Dyma graff y cylch $x^2 + y^2 = 9$

Darganfyddwch y datrysiad i'r hafaliadau cydamserol canlynol.

$x^2 + y^2 = 9$

$y + 2x = 2$

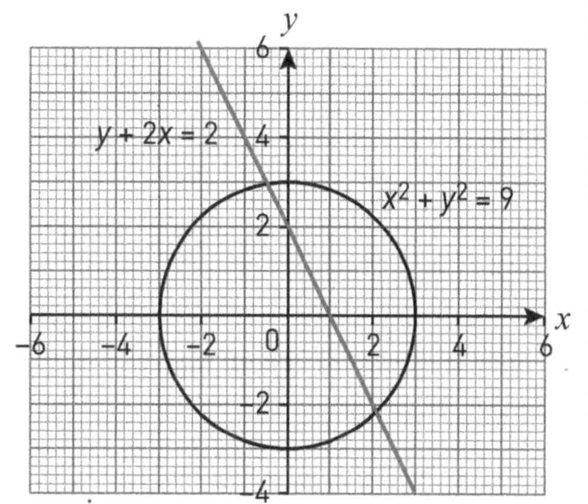

Ateb

Mae'r datrysiad i'w gael lle mae'r ddwy linell yn croesi ac felly mae angen tynnu'r llinell syth $y = -2x + 2$ ar y grid.

Croestorri yn $x = -0.5$, $y = 3.0$ ac $x = 2.1$, $y = -2.2$ (yn gywir i un lle degol). ➌

Gofal

Wrth lunio hafaliad mae angen gwneud yn siŵr eich bod yn defnyddio'r un unedau drwy'r hafaliadau i gyd.

Mae'r datrysiad i'r hafaliadau cydamserol i'w gael lle mae'r llinellau'n croesi.

Termau allweddol

Hafaliadau cydamserol

Graddiant a rhyngdoriad graffiau llinellau syth

Croestoriad dwy linell

Cwestiynau dull arholiad

1. Defnyddiwch ddull graffigol i ddarganfod y pwynt lle mae'r llinellau $x + 3y = 2$ ac $y = 3x + 4$ yn croesi. **[4]**
2. Dyma'r prisiau ar gyfer dau gwmni ffonau symudol. Mae ***M-mobile*** yn codi £20 y mis ac mae data'n costio 50c am bob Mbyte. Mae ***Peach*** yn codi £10 y mis ac mae data'n costio 75c am bob Mbyte. Esboniwch pa gwmni yw'r rhataf. **[5]**

Cyngor

Gofalu pan fyddwch chi'n darllen canlyniadau pwynt croestoriad y llinellau pan fydd y graddfeydd yn wahanol ar y ddwy echelin.

ATEBION WEDI'U GWIRIO

Datrys anhafaleddau llinol

WEDI'I ADOLYGU

CANOLIG

Rheolau

1. Newid yr anhafaledd yn hafaliad ar y ffurf $y = mx + c$.
2. Tynnu'r llinell syth.
3. Tywyllu yn ôl yr anhafaledd naill ai y rhanbarth sy'n ofynnol neu'r rhanbarth sydd ddim yn ofynnol.
4. Gwirio'r tywyllu drwy amnewid cyfesurynnau pwynt ar y grid i weld a yw'n cyd-fynd â'r anhafaledd.
5. Tywyllu'r rhanbarth dichonadwy neu dywyllu'r rhanbarth sydd ddim yn ofynnol a labelu'n briodol.

Termau allweddol

Anhafaledd

Llai na $<$

Llai na neu'n hafal i $\leqslant$

Mwy na $>$

Mwy na neu'n hafal i $\geqslant$

Rhanbarth dichonadwy

Enghraifft

a Ysgrifennwch yr anhafaleddau sy'n diffinio'r rhanbarth dichonadwy sydd i'w weld ar y grid.

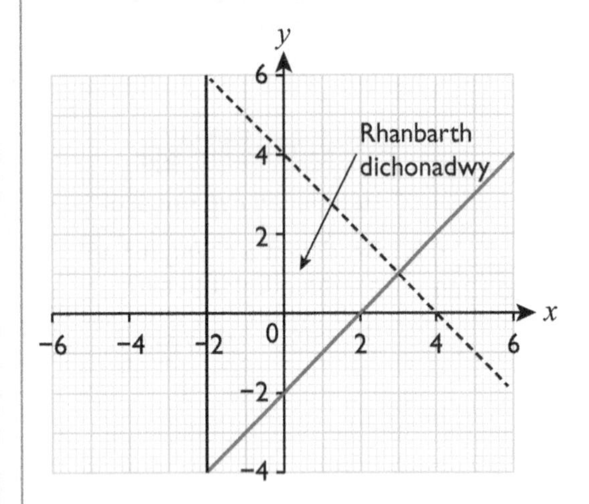

Atebion

Y llinell fertigol yw $x = -2$.

Felly yr anhafaledd yw $x \geqslant -2$.

Y llinell oleddol goch yw $y = x - 2$.

Felly yr anhafaledd yw $y \geqslant x - 2$.

Y llinell oleddol doredig yw $x + y = 4$.

Felly yr anhafaledd yw $x + y < 4$.

4 Rydyn ni'n gallu gwirio'r rhanbarth dichonadwy drwy amnewid i mewn pwynt yn y rhanbarth, er enghraifft, (0, 0) felly mae 0 is $\geqslant -2$ yn gweithio, ac mae $0 \geqslant 0 - 2$ a $0 + 0 \leftarrow 4$ yn gweithio hefyd. 2, 3 a 5

b Mae Derek yn gweithio lai na 60 awr. Mae e'n gwneud cychod rasio (s) a hefyd cychod rhwyfo (r).

Mae'n cymryd 12 awr i wneud cwch rasio a 5 awr i wneud cwch rhwyfo. Mae e'n gwneud mwy o gychod rasio na chychod rhwyfo.

Dangoswch hyn ar y grid.

Atebion

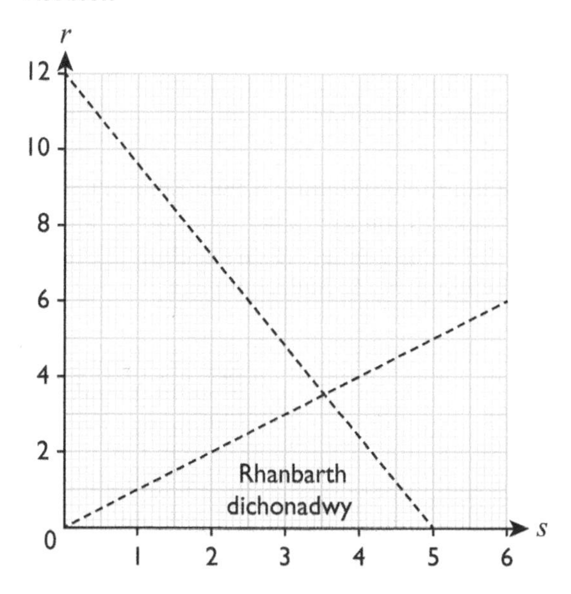

Ar gyfer yr oriau wedi'u gweithio:

❶ $12s + 5r < 60$

Ar gyfer nifer y cychod:

❶ $s > r$

❷ Tynnu'r llinellau.

❺ Dangos y rhanbarth dichonadwy.

Gofal

Mae rhanbarthau sydd wedi'u diffinio gan linellau solet yn defnyddio'r arwyddion $\geqslant$ a $\leqslant$.
Mae rhanbarthau sydd wedi'u diffinio gan linellau toredig yn defnyddio'r arwyddion $<$ a $>$.

Cwestiwn dull arholiad

Ar grid cyfesurynnau gyda gwerthoedd x o –3 i +3 a gwerthoedd y o –2 i +3, dangoswch y rhanbarth sydd wedi'i ddiffinio gan yr anhafaleddau canlynol:

$y < x + 1$

$x \leqslant 1$

$y + 2x > 0$ **[4]**

Cyngor

Gwneud yn siŵr eich bod yn labelu'r rhanbarth dichonadwy fel bod y math o dywyllu yn glir.

ATEBION WEDI'U GWIRIO ☐

Ffactorio mynegiadau cwadratig ar y ffurf $x^2 + bx + c$

WEDI'I ADOLYGU

UCHEL

Rheolau

1. Weithiau mae mynegiad cwadratig ar y ffurf $x^2 + bx + c$ yn gallu cael ei ffactorio'n ddwy set o gromfachau.
2. Os 1 yw cyfernod x^2, bydd pob set o gromfachau yn dechrau ag x e.e. $(x \quad)(x \quad)$
3. Mae'r termau rhif yn y cromfachau yn lluosi i roi'r term rhif c yn y mynegiad cwadratig.
4. Mae'r termau rhif yn y cromfachau yn adio i roi'r cyfernod x yn y mynegiad cwadratig.

Enghreifftiau

a Ffactoriwch $x^2 + 5x + 6$.

Ateb
Y term rhif yw + 6 ac felly mae'r rhifau yn y cromfachau yn lluosi i roi + 6 sy'n golygu y gallen nhw fod yn +1 a +6 **neu** −1 a −6 **neu** +2 a +3 **neu** −2 a −3.

Cyfernod x yw 5, felly mae angen i'r ddau rif adio i 5, ac felly mae angen iddyn nhw fod yn 2 a 3.

Felly $x^2 + 5x + 6 = (x + 2)(x + 3)$ oherwydd $x^2 + (2 + 3)x + 2 \times 3$.

b Ffactoriwch $x^2 - 5x + 6$.

Ateb
Y term rhif yw + 6 ac felly mae'r rhifau yn y cromfachau yn lluosi i roi +6 sy'n golygu y gallen nhw fod yn +1 a +6 **neu** −1 a −6 **neu** +2 a +3 **neu** −2 a −3.

Cyfernod x yw −5, felly mae angen i'r ddau rif adio i −5, ac felly mae angen iddyn nhw fod yn −2 a −3.

Felly $x^2 - 5x + 6 = (x - 2)(x - 3)$ oherwydd $x^2 + (-2 + -3)x + -2 \times -3$.

c Ffactoriwch $x^2 - x - 6$.

Ateb
Y term rhif yw −6 ac felly mae'r rhifau yn y cromfachau yn lluosi i roi −6 sy'n golygu y gallen nhw fod yn +1 a −6 **neu** −1 a +6 **neu** +2 a −3 **neu** −2 a +3.

Cyfernod x yw −1, felly mae angen i'r ddau rif adio i −1, ac felly mae angen iddyn nhw fod yn +2 a −3.

Felly $x^2 - x - 6 = (x + 2)(x - 3)$ oherwydd $x^2 + (+2 + -3)x + +2 \times -3$.

ch Ffactoriwch $x^2 + x - 6$.

Ateb
Y term rhif yw −6 ac felly mae'r rhifau yn y cromfachau yn lluosi i roi −6 sy'n golygu y gallen nhw fod yn +1 a −6 **neu** −1 a +6 **neu** +2 a −3 **neu** −2 a +3.

Cyfernod x yw +1, felly mae angen i'r ddau rif adio i +1, ac felly mae angen iddyn nhw fod yn −2 a +3.

Felly $x^2 + x - 6 = (x - 2)(x + 3)$ oherwydd $x^2 + (-2 + 3)x + -2 \times +3$.

d Ffactoriwch $x^2 - 25$. Y term am hyn yw'r **gwahaniaeth rhwng dau sgwâr**.

Ateb
Rydyn ni'n cael $x^2 - 25 = (x + 5)(x - 5)$ oherwydd $x^2 + (+5 + -5)x + +5 \times -5$.

Termau allweddol

- Mynegiad cwadratig
- Ffactorio
- Cyfernod
- Cromfachau

Gofal

Pan fydd yn rhaid ffactorio'r gwahaniaeth rhwng dau sgwâr $x^2 - y^2$ rydyn ni'n cael $(x + y)$ ac $(x - y)$, felly $x^2 - y^2 = (x + y)(x - y)$.

Cwestiynau dull arholiad

1. Ffactoriwch $x^2 + 6x + 8$. **[2]**
2. Ffactoriwch $x^2 - 2x - 8$. **[2]**
3. Ffactoriwch $x^2 + 2x - 8$. **[2]**
4. Ffactoriwch $x^2 - 6x + 8$. **[2]**
5. Ffactoriwch $x^2 - 16$. **[2]**

ATEBION WEDI'U GWIRIO

Cyngor

Ar ôl ffactorio mynegiad cwadratig, lluosi'r cromfachau bob amser i wneud yn siŵr eich bod yn dychwelyd i'r mynegiad gwreiddiol.

Datrys hafaliadau trwy ffactorio

WEDI'I ADOLYGU

UCHEL

Rheolau

1. Mae gan hafaliad cwadratig derm mewn x^2 ac i'w ddatrys, rhaid iddo bob amser fod yn hafal i 0.
2. Ffactorio'r ffwythiant cwadratig sy'n hafal i 0.
3. Llunio dau hafaliad o'r mynegiadau wedi'u ffactorio; mae'r ddau yn hafal i 0.
4. Datrys y ddau hafaliad i gael ein datrysiadau.

Enghreifftiau

a Datryswch $x^2 - 5x = 0$.

Ateb
Hafaliad cwadratig = 0, ac felly rydyn ni'n gallu ffactorio hwn yn $x(x - 5) = 0$. ❶ ❷

Felly mae angen llunio dau hafaliad, naill ai $x = 0$ neu $x - 5 = 0$. ❸

Felly naill ai $x = 0$ neu $x = 5$. ❹

b Datryswch $x^2 + 3x - 10 = 0$.

Ateb
Hafaliad cwadratig = 0, ac felly rydyn ni'n gallu ffactorio hwn yn $(x - 2)(x + 5) = 0$. ❶ ❷

Felly mae angen llunio dau hafaliad, naill ai $x - 2 = 0$ neu $x + 5 = 0$. ❸

Felly naill ai $x = 2$ neu $x = -5$. ❹

c Datryswch $x^2 - 5x = 14$.

Ateb
Dydy'r hafaliad cwadratig hwn ddim yn hafal i 0, felly mae angen ei ad-drefnu i fod yn $x^2 - 5x - 14 = 0$ ❶, sy'n gallu cael ei ffactorio nawr yn $(x + 2)(x - 7) = 0$. ❷

Nawr mae angen llunio dau hafaliad, naill ai $x + 2 = 0$ neu $x - 7 = 0$. ❸

Felly naill ai $x = -2$ neu $x = 7$. ❹

ch Mae hyd petryal 5 cm yn fwy na'r lled. Arwynebedd y petryal yw 24 cm². Darganfyddwch hyd a lled y petryal.

Ateb
Gadewch i'r lled fod yn x cm. Bydd yr hyd yn $(x + 5)$ cm.

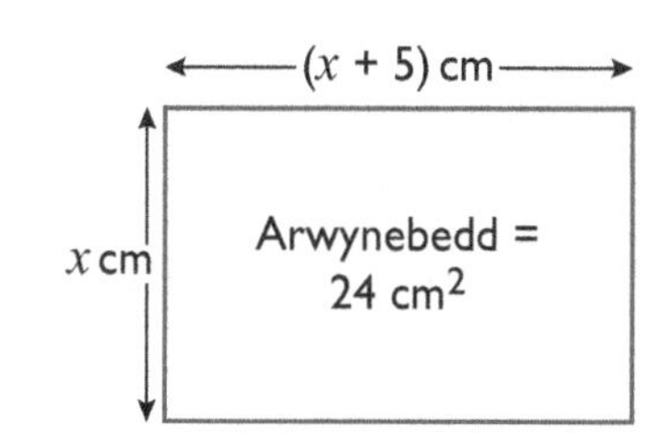

Gan fod yr arwynebedd yn 24 cm², rydyn ni'n gallu llunio'r hafaliad $x(x + 5) = 24$. Mae angen ad-drefnu hyn drwy luosi'r cromfachau i fod yn $x^2 + 5x = 24$. Nawr mae angen gwneud i'r hafaliad fod = 0, felly $x^2 + 5x - 24 = 0$.

Nawr ffactorio i gael $(x - 3)(x + 8) = 0$.

Felly $x = 3$ cm neu $x = -8$ cm.

Gan nad yw'n bosibl cael hyd negatif ar gyfer mesuriad, $x = 3$ cm a'r atebion yw: hyd yw 8 cm; lled yw 3 cm.

Gofal

Gwneud yn siŵr bod yr hafaliad cwadratig bob amser yn hafal i sero. Os nad yw, yna rhaid ad-drefnu'r hafaliad.

Pan fydd gennym hafaliad mewn x^2 bydd dau ddatrysiad.

Termau allweddol

Hafaliad cwadratig

Datrys

Ffactorio

Cwestiynau dull arholiad

1 Datryswch
 a $x^2 + 4x - 12 = 0$ **[3]**
 b $x^2 - 5x = 0$ **[3]**
 c $x^2 - 7x = 18$ **[3]**
 ch $x^2 - 25 = 0$ **[3]**

2 Mae Ben yn meddwl am rif. Mae e'n adio 5 at y rhif ac yn sgwario ei ateb. Ei ateb terfynol yw 49. Pa rifau gallai Ben fod wedi bod yn meddwl amdanyn nhw? **[4]**

ATEBION WEDI'U GWIRIO

Cyngor

Efallai bydd yn rhaid llunio'r hafaliad er mwyn datrys problem.

Gwneud yn siŵr bod eich gwerthoedd ar gyfer x yn gwneud synnwyr.

Ffactorio mynegiadau cwadratig mwy anodd a symleiddio ffracsiynau algebraidd

WEDI'I ADOLYGU

CANOLIG

Rheolau

1. Pan fo cyfernod y term x^2 yn fwy nag 1, bydd angen gwirio mwy o gyfuniadau o ffactorau.
2. Defnyddio dull strategol i leihau nifer y cyfuniadau mae angen eu gwirio drwy edrych ar gyfernod x.
3. Pan fydd gofyn symleiddio ffracsiynau algebraidd, cofio bob amser lluosi pob term â'r cyfenwadur.

Termau allweddol

Ffactorio
Cyfernod
Cyfuniad
Cyfenwadur
Datrys

Enghreifftiau

a Ffactoriwch $6x^2 - 7x - 20$.

Ateb

Gallai'r 6 gael ei ffurfio o 1×6 neu 2×3 neu -1×-6 neu -2×-3.

Gallai'r 20 gael ei ffurfio o $-1 \times +20$, neu $+1 \times -20$, neu $+4 \times -5$, neu $-4 \times +5$, neu -2×10, neu 10×-2.

Mae hyn yn golygu bod 24 cyfuniad gwahanol i'w gwirio.

Rydyn ni'n gallu lleihau hyn i 16 os gwnawn ni anwybyddu'r -1×-6 a -2×-3.

Gan fod cyfernod y term x yn fach, h.y. -7, rydyn ni'n gallu anwybyddu $-1 \times +20$, $+1 \times -20$, -2×10 a 10×-2 hefyd, oherwydd effaith y 20 fyddai rhoi rhifau mawr yn yr un modd ag y byddai'r 6 pe byddem yn defnyddio x a $6x$.

Mae hyn yn gadael dim ond pedwar cyfuniad i'w gwirio.

1. $(2x + 4)(3x - 5) = 6x^2 - 10x + 12x - 20 = 6x^2 + 2x - 20$ ✗

$(2x - 4)(3x + 5) = 6x^2 + 10x - 12x - 20 = 6x^2 - 2x - 20$ ✗

$(3x + 4)(2x - 5) = 6x^2 - 15x + 8x - 20 = 6x^2 - 7x - 20$ ✓

$(3x - 4)(2x + 5) = 6x^2 + 15x - 8x - 20 = 6x^2 + 7x - 20$ ✗

Felly, $6x^2 - 7x - 20 = (3x + 4)(2x - 5)$

b Datryswch $\frac{3x}{x-3} - \frac{4x}{2x-1} = 1$

Ateb

Y cam cyntaf yw lluosi popeth ag $(x - 3)(2x - 3)$ i gael:

3. $\frac{3x(x-3)(2x-1)}{x-3} - \frac{4x(x-3)(2x-1)}{2x-1} = 1(x-3)(2x-1)$ yna

$3x(2x-1) - 4x(x-3) = (x-3)(2x-1)$ yna lluosi'r cromfachau

$6x^2 - 3x - 4x^2 + 12x = 2x^2 - x - 6x + 3$ casglu termau tebyg

$2x^2 + 9x = 2x^2 - 7x + 3$ symleiddio i gael

$16x = 3$, sy'n gadael hafaliad syml

$x = \frac{3}{16}$.

Gofal

Defnyddio dull strategol i ddewis y cyfuniadau er mwyn lleihau nifer y cyfuniadau i'w gwirio.

Gwneud yn siŵr eich bod yn lluosi pob term â'r cyfenwadur.

Cyngor

Edrych bob amser am ffactorau cyffredin pan fydd gofyn symleiddio ffracsiwn algebraidd.

Cwestiynau dull arholiad

1. Arwynebedd y triongl ongl sgwâr hwn yw 8 cm^2.
Cyfrifwch hyd yr ochr fyrraf.
Mae pob hyd mewn centimetrau. **[5]**

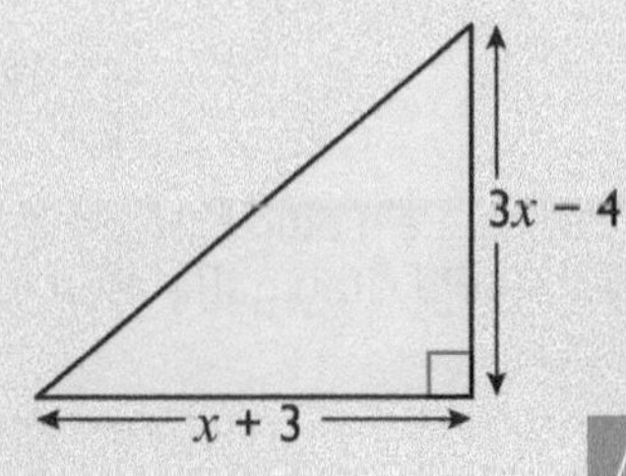

2. Symleiddiwch $\frac{x-5}{3x^2-11x-20} + \frac{3}{3x+4}$ **[3]**

ATEBION WEDI'U GWIRIO

Y fformiwla gwadratig

WEDI'I ADOLYGU

UCHEL

Rules

1. Os nad yw hafaliad cwadratig sydd ar y ffurf $ax^2 + bx + c = 0$ yn ffactorio, rydyn ni'n gallu defnyddio'r fformiwla
   $x = \frac{-b \pm \sqrt{b^2 - 4ac}}{2a}$ i ddatrys yr hafaliad.
2. Rydyn ni'n gallu amnewid cyfernodau'r ffwythiant cwadratig $ax^2 + bx + c$ yn y fformiwla i gael y ddau ddatrysiad.
3. Os yw'r gwahanolyn $b^2 - 4ac$ yn fwy na 0 byddwn ni'n cael dau ateb.
4. Os yw'r gwahanolyn $b^2 - 4ac$ yn hafal i 0 byddwn ni'n cael dau ateb hafal.
5. Os yw'r gwahanolyn $b^2 - 4ac$ yn llai na 0 fyddwn ni ddim yn cael atebion.

Enghraifft

a Datryswch $\frac{2x}{2x-1} - \frac{3x}{4x+1} = 1$. Rhowch eich ateb yn gywir i 3 lle degol.

Ateb

Yn gyntaf, mae angen clirio'r ffracsiynau drwy luosi'r cyfan â'r cyfenwadur $(2x - 1)(4x + 1)$. Yna canslo i roi:

$2x(4x + 1) - 3x(2x - 1) = 1(2x - 1)(4x + 1)$ yna lluosi'r cromfachau

$8x^2 + 2x - (6x^2 - 3x) = 8x^2 + 2x - 4x - 1$

$8x^2 + 2x - 6x^2 + 3x = 8x^2 + 2x - 4x - 1$ nawr symleiddio a chasglu termau tebyg

$0 = 6x^2 - 7x - 1$ neu $6x^2 - 7x - 1 = 0$ yna gwneud yr hafaliad = 0

(1) Cymharu ag $ax^2 + bx + c = 0$

Felly $a = 6$, $b = -7$ ac $c = -1$.

(2) Mae amnewid y gwerthoedd hyn yn y fformiwla gwadratig yn rhoi:

(2) $x = \frac{+7 \pm \sqrt{(-7)^2 - 4 \times 6 \times -1}}{2 \times 6} = \frac{7 \pm \sqrt{49 + 24}}{12}$.

Felly y ddau wreiddyn yw $x = \frac{7 + \sqrt{73}}{12}$ neu $\frac{7 - \sqrt{73}}{12}$.

Felly $x = 1.295$ neu $x = -0.129$.

b Esboniwch pam nad oes datrysiadau i'r hafaliad cwadratig $3x^2 - 6x + 10 = 0$.

Ateb

(5) Gwerth $b^2 - 4ac$ yw $(-6)^2 - 4 \times 3 \times 10 = 36 - 120 = -84$

Gan fod hyn yn llai na 0 does dim datrysiadau real.

Termau allweddol

Fformiwla gwadratig

Cyfernodau

Amnewid

Gwahanolyn

Gofal

Os yw gwerth $b^2 - 4ac$ yn:

> 0 rydyn ni'n cael 2 wreiddyn

$= 0$ rydyn ni'n cael 1 gwreiddyn (gwreiddiau hafal)

< 0 dydyn ni ddim yn cael gwreiddiau

Rydyn ni'n gallu defnyddio'r fformiwla gwadratig os na allwn ni ffactorio'r mynegiad cwadratig.

Cwestiynau dull arholiad

1. Datryswch $5x^2 - 7x = 3$.
   Rhowch eich ateb yn gywir i 2 le degol. **[3]**
2. Heb ddatrys yr hafaliad, esboniwch nifer y datrysiadau i'r hafaliad $2x^2 - 8x + 20 = 12$. **[3]**

Cyngor

Os yw cwestiwn sy'n cynnwys datrys hafaliad cwadratig yn gofyn i chi roi'r ateb yn gywir i nifer o ffigurau ystyrlon neu leoedd degol, mae hynny'n awgrymu y bydd angen defnyddio'r fformiwla.

ATEBION WEDI'U GWIRIO

Defnyddio cordiau a thangiadau

WEDI'I ADOLYGU

UCHEL

Rheolau

1. I ddarganfod cyfradd newid gyfartalog newidyn, cyfrifo graddiant y llinell syth sy'n cysylltu dau bwynt ar y graff. Er enghraifft, i ddarganfod y buanedd cyfartalog dros gyfnod o amser, lluniadu triongl ongl sgwâr fel mai'r hypotenws yw'r llinell syth sy'n cysylltu'r ddau bwynt ar y graff a rhannu'r pellter fertigol â'r pellter llorweddol i ddarganfod y graddiant.
2. I ddarganfod y gyfradd newid mewn pwynt, lluniadu tangiad i'r gromlin yn y pwynt hwnnw a darganfod y graddiant. Er enghraifft, i ddarganfod y buanedd pan fo'r amser yn 5 eiliad, lluniadu'r tangiad i'r gromlin yn y pwynt hwnnw ac yna lluniadu triongl ongl sgwâr fel mai'r hypotenws yw'r llinell syth sy'n cysylltu'r ddau bwynt ar y tangiad a rhannu'r pellter fertigol â'r pellter llorweddol i ddarganfod y graddiant.

Enghraifft

Termau allweddol

- Cord
- Tangiad
- Graddiant
- Cyfradd newid

a Mae'r graff yn dangos buanedd car wrth iddo agosáu at berygl.

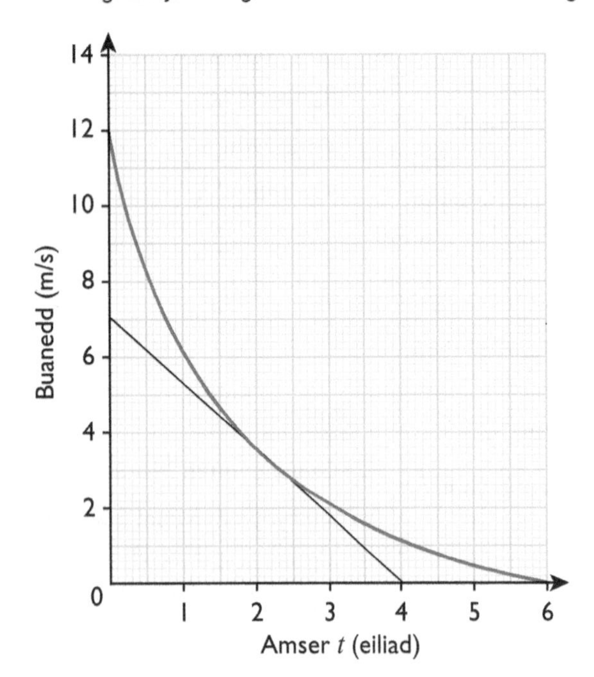

i Darganfyddwch y cyflymiad cyfartalog rhwng $t = 0$ a $t = 5$ eiliad.

ii Darganfyddwch y cyflymiad pan fo $t = 2$ eiliad.

Atebion

1 i Y cyflymiad cyfartalog yw'r cord sy'n cysylltu (0, 12) â (5, 0.4)

Graddiant yw $= \frac{12 - 0.4}{0 - 5} = \frac{11.6}{-5} = -2.32\,\text{ms}^{-2}$

Mae'r arwydd negatif yn golygu bod y car yn arafu.

2 ii I ddarganfod y cyflymiad ar bwynt, lluniadu tangiad i'r gromlin pan fo $t = 2$.

Dewis dau bwynt ar y tangiad lle mae'n hawdd darllen y pwyntiau.

Pwyntiau posibl yw (0, 7) a (4, 0).

Y graddiant yw'r gwahaniaeth yn y darlleniadau y wedi'i rannu â'r gwahaniaeth yn y darlleniadau x.

$= \frac{7 - 0}{0 - 4} = \frac{7}{-4} = -1.75\,\text{ms}^{-2}$. Mae'r arwydd negatif yn golygu bod y car yn arafu.

Gofal

Y mwyaf serth yw'r graddiant, mwyaf i gyd yw cyfradd y newid.

Y mwyaf bas yw'r graddiant, lleiaf i gyd yw cyfradd y newid.

Mae graddiant graff pellter–amser yn rhoi cyflymder.

Mae graddiant graff cyflymder–amser yn rhoi cyflymiad.

Cwestiynau dull arholiad

1 Mae'r pellter wedi'i deithio gan gar pan fydd yn dechrau o ddisymudedd yn cael ei roi gan y fformiwla $s = \frac{1}{2}t^2$ lle mai s metr yw'r pellter wedi'i deithio yn yr amser t eiliad.

a Darganfyddwch beth yw buanedd y car pan fo $t = 5$ eiliad.

b Darganfyddwch y buanedd cyfartalog dros y 5 eiliad cyntaf. **[4]**

Cyngor

Gwneud yn siŵr eich bod yn darllen y graddfeydd yn gywir pan fyddwch yn darganfod y darlleniadau fertigol a llorweddol, oherwydd fel arfer bydd y graddfeydd yn wahanol.

ATEBION WEDI'U GWIRIO ☐

Trawsfudiadau ac adlewyrchiadau o ffwythiannau

WEDI'I ADOLYGU

UCHEL

Rheolau

1. Os yw'r gromlin f(x) yn cael ei hadlewyrchu yn yr echelin-x, y ffwythiant newydd fydd $-$f(x).
2. Os yw'r gromlin f(x) yn cael ei hadlewyrchu yn yr echelin-y y ffwythiant newydd fydd f($-x$).
3. Os yw'r gromlin f(x) yn cael ei thrawsfudo yn ôl y fector $\begin{pmatrix} a \\ b \end{pmatrix}$ y ffwythiant newydd fydd f(x – a) + b.

Enghraifft

a Dyma graff f(x).

Brasluniwch graff:

i f($-x$)
ii f(x + 2) – 3

Termau allweddol

Ffwythiant
Graff
Adlewyrchiad
Trawsfudiad

Atebion

i

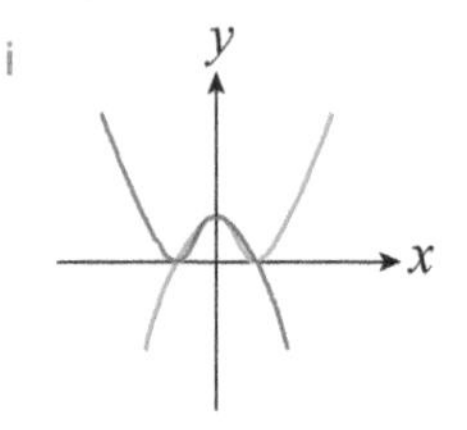

Gan mai f($-x$) sydd yma mae'r ffwythiant yn cael ei adlewyrchu yn yr echelin-y.

ii

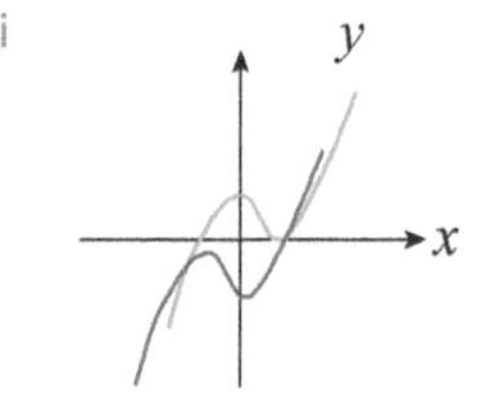

Gan mai f(x + 2) – 3 sydd yma mae'r ffwythiant yn symud 2 i'r chwith a 3 i lawr.

b Dyma graff f(x) = $x^2 - 4$.

Ysgrifennwch hafaliadau'r llinellau sydd wedi'u labelu yn **P** a **Q**.

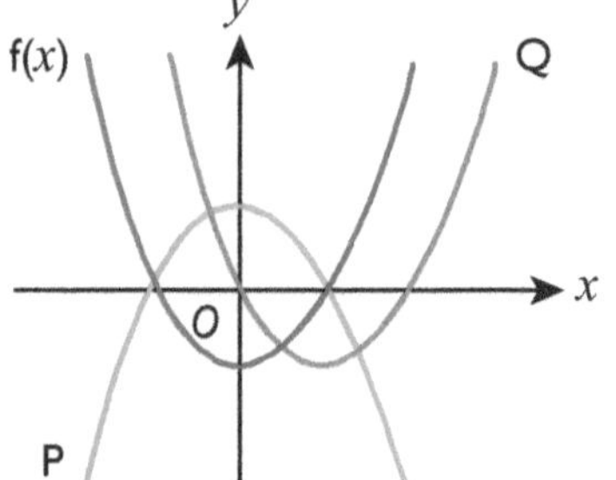

Atebion

Mae **P** yn adlewyrchiad yn yr echelin-x ac felly ei hafaliad yw $-$f(x) neu $y = -(x^2 - 4)$ neu $y = 4 - x^2$.

Mae **Q** wedi cael ei drawsfudo 2 i'r dde gan fod f(x) yn cwrdd â'r echelin-x yn $x = \pm 2$ ac felly ei hafaliad yw f(x – 2) + 0 neu $y = (x - 2)^2 - 4$ neu $y = x^2 - 4x$.

Gofal

Os yw'r ffwythiant wedi cael ei symud i fyny, bydd b yn bositif; os yw wedi cael ei symud i lawr, bydd b yn negatif.

Os yw'r ffwythiant wedi cael ei symud i'r chwith, bydd a yn bositif; os yw wedi cael ei symud i'r dde, bydd a yn negatif.

Cwestiynau dull arholiad

f(x) = $x^2 - 3x$

Brasluniwch graffiau:

f(x) **[2]**
f(x + 3) + 2 **[2]**
$-$f(x) **[2]**

Mae'r ffwythiant f(x) = $x^3 - 4x$ yn cael ei adlewyrchu yn yr echelin-y ac yna'n cael ei drawsfudo yn ôl $\begin{pmatrix} 2 \\ -3 \end{pmatrix}$.

Cyfrifwch hafaliad y ffwythiant sy'n ganlyniad i hyn. **[4]**

Cyngor

Os ydych yn gorfod braslunio trawsffurfiad graff, gwneud yn siŵr eich bod yn ysgrifennu pwyntiau allweddol y graff arno.

ATEBION WEDI'U GWIRIO

Arwynebedd dan graffiau aflinol

WEDI'I ADOLYGU

UCHEL

Rheolau

1. Rhannu'r echelin lorweddol yn stribedi hafal. Bydd hyn yn ffurfio trapesiymau sydd i gyd â'r un lled.
2. Defnyddio fformiwla arwynebedd trapesiwm i ddarganfod arwynebedd pob trapesiwm.
3. Adio'r holl arwynebeddau i ddarganfod yr arwynebedd cyfan dan y gromlin.

Enghraifft

a Mae'r graff hwn yn dangos cyflymderau carreg a phêl sydd wedi'u taflu i'r awyr.

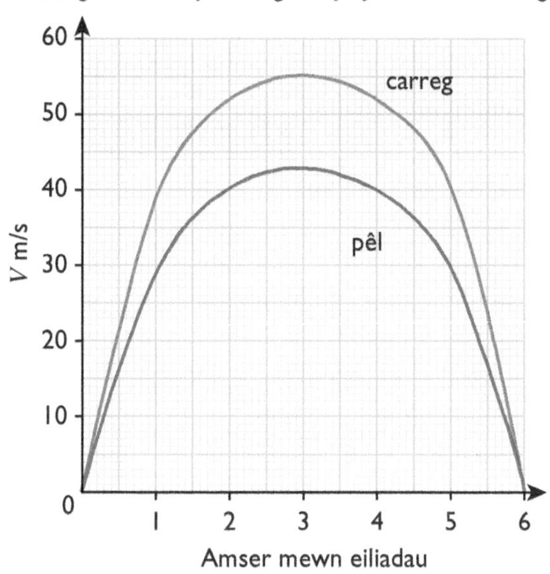

Termau allweddol

Arwynebedd dan gromlin

Buanedd / cyflymder

Cyflymiad

i Darganfyddwch y gwahaniaeth yn y pellter wedi'i deithio gan y bêl a'r garreg yn y 6 eiliad sydd i'w gweld.

ii Esboniwch pam mae'r garreg efallai wedi teithio'n gyflymach na'r bêl.

iii Pa dybiaethau rydych chi wedi'u gwneud?

Atebion

i Rhannu'r echelin lorweddol yn chwe stribed 1 eiliad. Mae hyn yn rhoi 2 driongl a 4 trapesiwm ar gyfer pob graff. ❶

Y pellter wedi'i deithio gan y garreg yw:

❷ $\frac{1}{2} \times 40 \times 1 + \frac{1}{2} \times (40 + 52) \times 1 + \frac{1}{2} \times (52 + 55) \times 1 + \frac{1}{2} \times (55 + 52) \times 1 + \frac{1}{2} \times (52 + 40) + \frac{1}{2} \times 40 \times 1$

❸ $= 20 + 46 + 53.5 + 53.5 + 46 + 20 = 239$ metr

Y pellter wedi'i deithio gan y bêl yw:

❷ $\frac{1}{2} \times 30 \times 1 + \frac{1}{2} \times (30 + 40) \times 1 + \frac{1}{2} \times (40 + 43) \times 1 + \frac{1}{2} \times (43 + 40) \times 1 + \frac{1}{2} \times (40 + 30) + \frac{1}{2} \times 30 \times 1$

❸ $= 15 + 35 + 41.5 + 41.5 + 35 + 15 = 183$ metr

Y gwahaniaeth yn y pellter wedi'i deithio yw $239 - 183 = 56$ metr.

ii Mae gan y bêl fwy o wrthiant aer na'r garreg ac felly bydd yn arafu'n gyflymach.

iii Bod gan y bêl a'r garreg yr un buanedd cychwynnol a'u bod nhw wedi cael eu taflu o'r un lle.

Gofal

Gwneud yn siŵr eich bod yn cofio arwynebedd triongl.

Mae'r arwynebedd dan graff buanedd-amser yn rhoi pellter.

Mae'r arwynebedd dan graff cyflymiad-amser yn rhoi newid mewn cyflymder.

Cwestiynau dull arholiad

Mae buanedd rhedwr yn ystod 5 eiliad cyntaf ras yn cael ei roi gan y fformiwla $v = 2t - \frac{t^2}{5}$.

Plotiwch y graff a darganfyddwch y pellter wedi'i deithio yn y 5 eiliad cyntaf. **[5]**

Cyngor

Gwneud yn siŵr eich bod yn darllen graddfeydd y graffiau yn gywir. Mae llawer o ymgeiswyr yn colli marciau oherwydd nad ydyn nhw'n gwneud y sgìl sylfaenol hwn yn gywir.

ATEBION WEDI'U GWIRIO ☐

Cwestiynau dull arholiad cymysg

1 Arwynebedd y petryal yw $3x^2 - 12x - 5$.

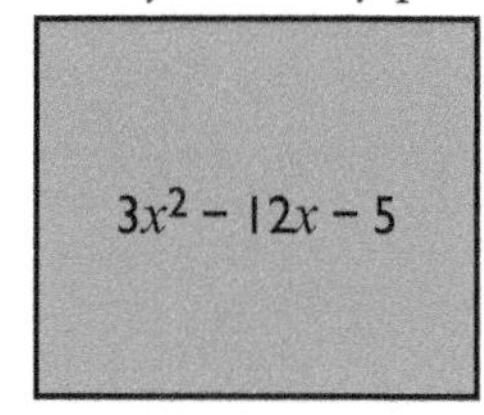

Darganfyddwch beth yw gwerth x pan fo'r arwynebedd yn $15\,\text{cm}^2$. Rhowch eich ateb yn gywir i 3 ffigur ystyrlon. **[3]**

2 Mae datrysiad i'r hafaliad $x^3 - 3x - 5 = 0$ i'w gael rhwng 2 a 3. Darganfyddwch y datrysiad hwn yn gywir i 3 lle degol. **[2]**

3 Dangoswch fod $\frac{5}{n-2} - \frac{2}{n+2} \equiv \frac{3n+14}{n^2-4}$. **[3]**

4 Isod mae triongl ongl sgwâr. Ei arwynebedd yw $25.5\,\text{cm}^2$. Hyd y sail yw $(x + 5)$ cm. Yr uchder yw $(x - 3)$ cm.

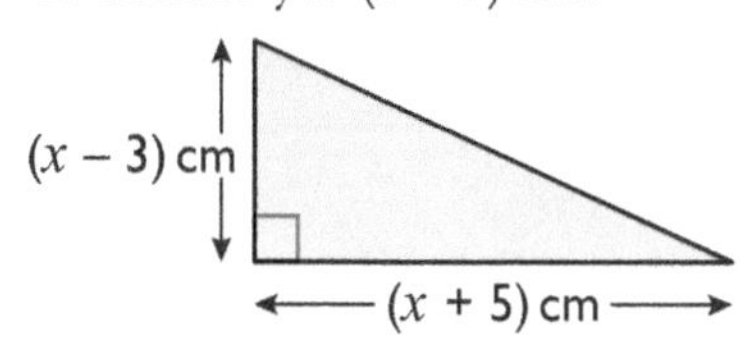

Cyfrifwch beth yw perimedr y triongl. Rhowch eich ateb i 3 ffigur ystyrlon. **[6]**

5 Isod mae graff buanedd–amser ar gyfer car sy'n teithio rhwng dwy set o oleuadau traffig.

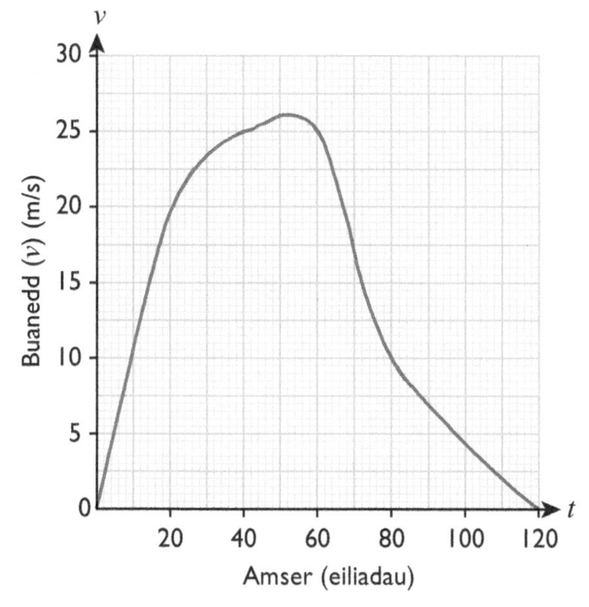

a Cyfrifwch y cyflymiad cyfartalog yn y 40 eiliad cyntaf. **[1]**
b Amcangyfrifwch y cyflymiad pan fo $t = 80$ eiliad. **[1]**
c Amcangyfrifwch y pellter rhwng y ddwy set o oleuadau traffig. **[1]**

6 Darganfyddwch y cyfesurynnau lle mae'r llinell $y = 2x - 8$ yn croestorri'r cylch $x^2 + y^2 = 29$. **[2]**

7 Dyma ffigurau poblogaeth pryfed brigyn mewn fifariwm.

Amser (t *wythnos*)	0	1	2	3	4	5	6
Poblogaeth (P)	5	7	10	14	20	28	40

a Esboniwch pam mae'r cynnydd yn y boblogaeth yn esbonyddol. **[2]**

b Darganfyddwch hafaliad y graff. **[3]**

Geometreg a Mesurau: gwiriad cyn adolygu

Gwiriwch pa mor dda rydych chi'n gwybod pob testun drwy ateb y cwestiynau hyn. Os cewch chi gwestiwn yn anghywir, ewch i'r dudalen sydd â'i rhif mewn cromfachau i adolygu'r testun hwnnw.

1 Dwysedd platinwm yw 21.4 g / cm³.
Cyfaint modrwy briodas yw 0.7 cm³.
Cyfrifwch beth yw màs y fodrwy. (Tudalen 59)

2 Pa ddau o'r trionglau canlynol sy'n gyfath? Rhowch reswm dros eich ateb. (Tudalen 60)

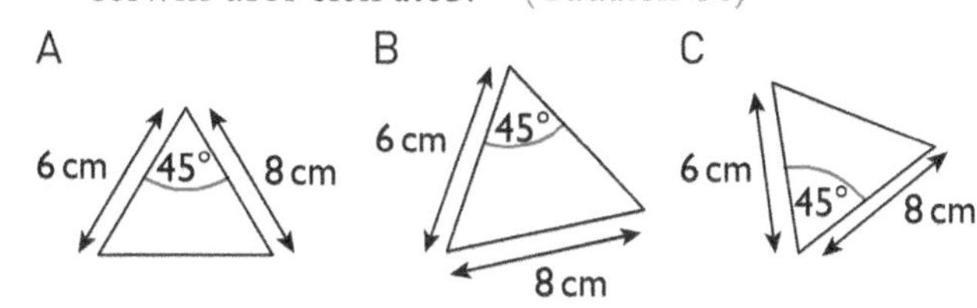

3 Esboniwch pam mae pob triongl hafalochrog bob amser yn gyflun ond dydy pob triongl hafalochrog ddim yn gyfath. (Tudalen 61)

4 Ar gyfer pob un o'r diagramau isod, darganfyddwch beth yw maint yr ongl sydd â llythyren. Rhowch resymau dros eich atebion. (Tudalen 62)

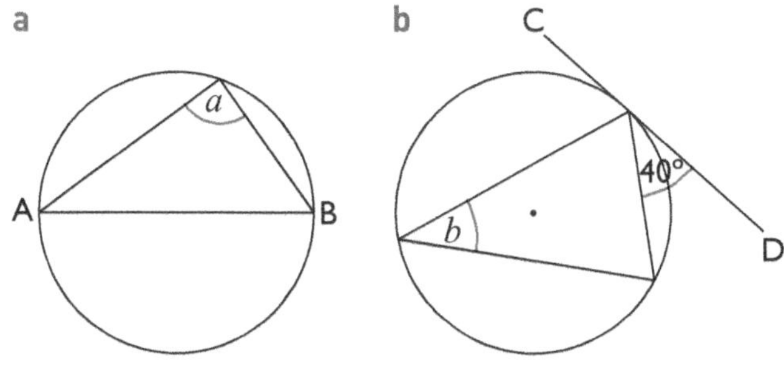

AB yw diamedr y cylch. Tangiad i'r cylch yw CD.

5 Darganfyddwch hyd yr ochr x yn y triongl ongl sgwâr hwn. (Tudalen 63)

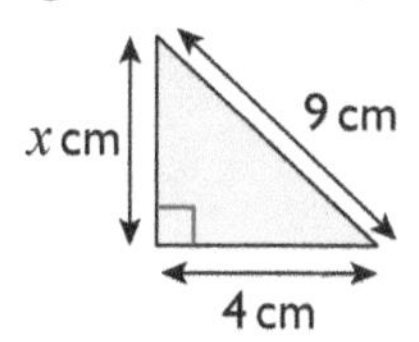

6 Sector yw AOB sydd â'i radiws yn 7 cm. Mae'r ongl AOB yn 120°.

a Cyfrifwch hyd arc y sector AOB.

b Cyfrifwch arwynebedd y sector AOB. (Tudalen 64)

7 Triongl yw ABC. AB = 7 cm, BC = 10 cm ac mae ongl ABC yn 112°.
Cyfrifwch hyd AC. (Tudalen 65)

8 Cyfrifwch hyd yr ochr AB. (Tudalen 66)

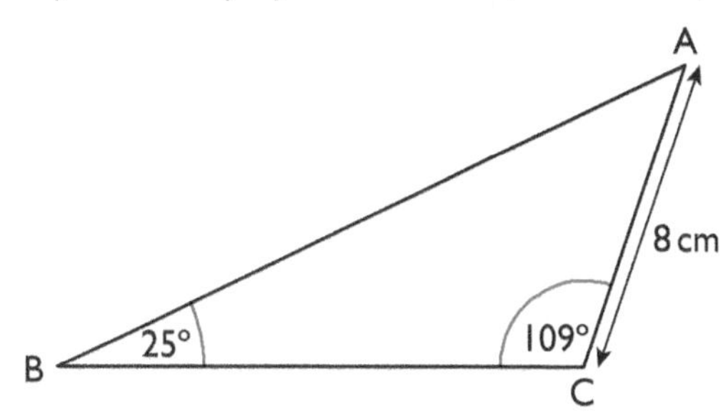

9 **a** Lluniadwch locws yr holl bwyntiau sy'n 3 cm o bwynt A.

b Lluniadwch locws yr holl bwyntiau sy'n gytbell o bâr o linellau paralel sy'n 4 cm i ffwrdd o'i gilydd. (Tudalen 68)

10 Mae'r trionglau A a B yn gyflun.

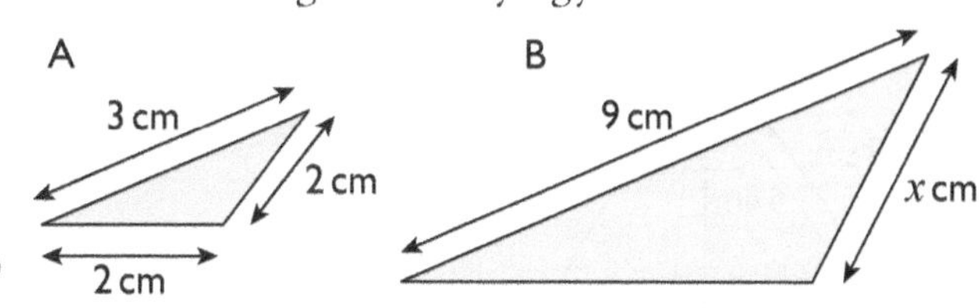

Cyfrifwch beth yw gwerth x. (Tudalen 71)

11 Cyfrifwch hyd AC. (Tudalen 72)

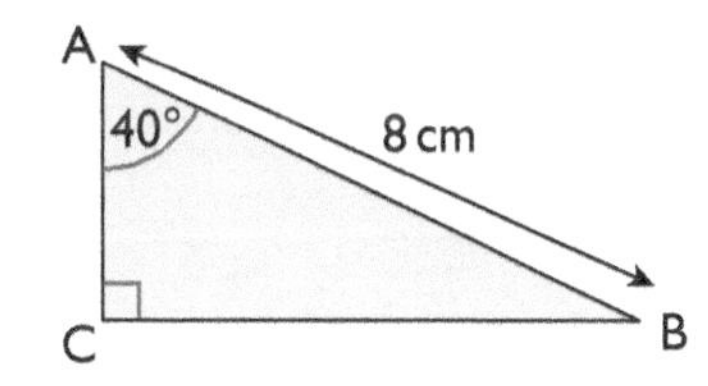

12 Cyfrifwch union hyd AC yn y triongl ABC. (Tudalen 72)

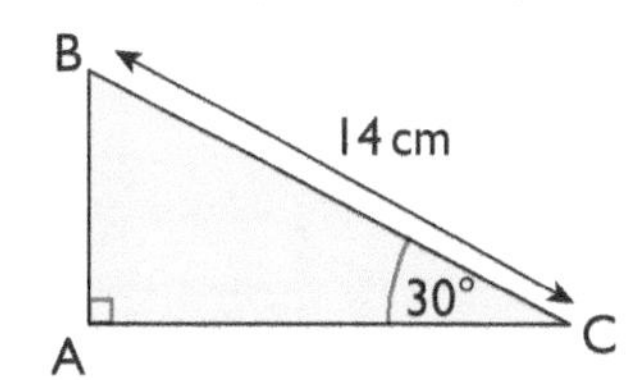

13 Disgrifiwch yn llawn y trawsffurfiad sy'n mapio triongl T ar ben triongl R yn y diagram isod. (Tudalen 73)

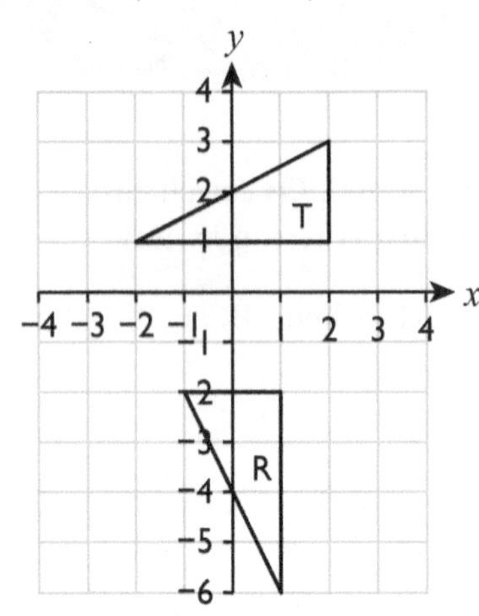

14 Disgrifiwch y trawsffurfiad sy'n mapio siâp A ar ben siâp B. (Tudalen 75)

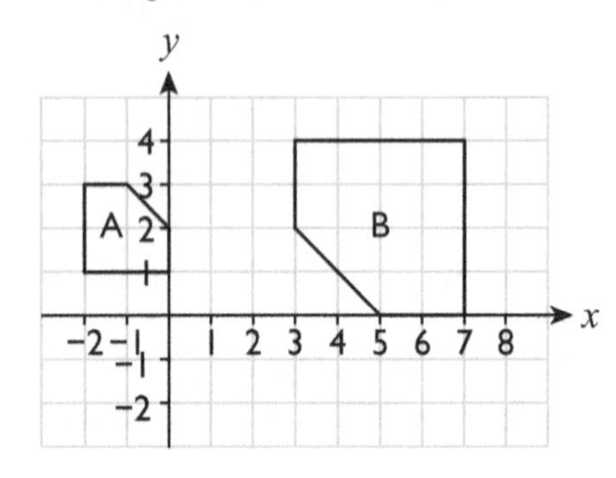

15 Hydoedd ymylon goledd pyramid sylfaen sgwâr yw 8 cm. Uchder fertigol y pyramid yw 6 cm.

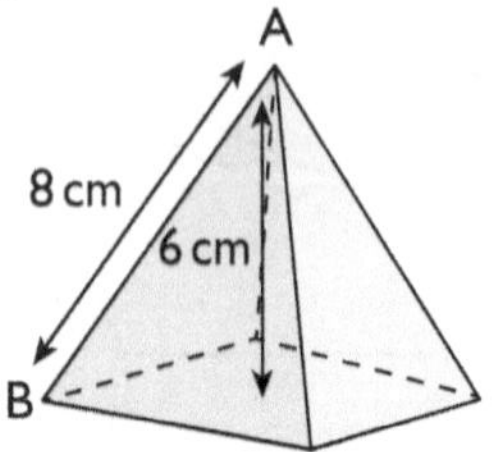

Cyfrifwch yr ongl rhwng yr ymyl AB a sylfaen y pyramid. (Tudalen 77)

16 Lluniadwch uwcholwg, blaenolwg ac ochrolwg y gwrthrych sydd i'w weld isod. (Tudalen 81)

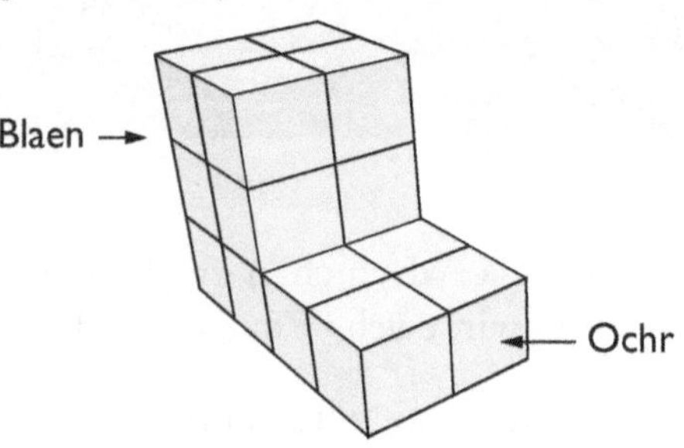

17 a Cyfrifwch beth yw cyfaint ac arwynebedd arwyneb y silindr hwn.

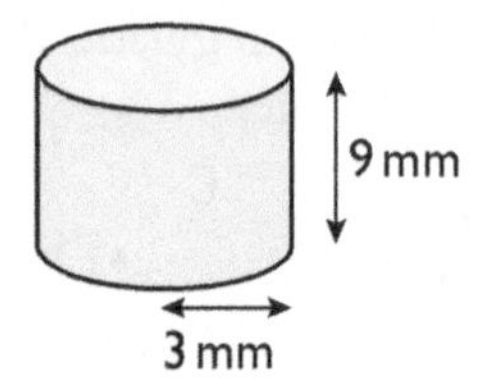

b Mae gan byramid sylfaen sgwâr sydd â'i hochrau'n 7 cm. Uchder y pyramid yw 10 cm. Cyfrifwch beth yw cyfaint y pyramid. (Tudalen 82)

18 Mae dau giwboid yn gyflun. Cyfaint y ciwboid mwyaf yw 192 cm^3 a'i arwynebedd arwyneb yw 208 cm^2. Cyfaint y ciwboid lleiaf yw 24 cm^3. Cyfrifwch arwynebedd arwyneb y ciwboid lleiaf. (Tudalen 83)

Gweithio gydag unedau cyfansawdd a dimensiynau fformiwlâu

WEDI'I ADOLYGU ☐

ISEL

Rheolau

1. Mae mesur cyfansawdd yn cynnwys dau faint, er enghraifft buanedd = pellter ÷ amser.
2. Mewn uned gyfansawdd mae 'y' yn golygu 'am bob'.
3. Os oes angen newid unedau uned gyfansawdd, yna newid un maint ar y tro.
4. Mae dwysedd yn uned gyfansawdd. Dwysedd = màs ÷ cyfaint.

Enghreifftiau

a Cyfaint bar arian yw 50 g. Dwysedd arian yw 10.5 g/cm^3. Cyfrifwch beth yw màs y bar arian.

Ateb

Dwysedd = màs ÷ cyfaint ❹
Dwysedd × cyfaint = màs (gwneud màs yn destun y fformiwla) 
Màs y bar yw 10.5 × 50 = 525 g

b Mae llewpart hela yn gallu rhedeg ar 33 m/s

i Faint o amser byddai'n ei gymryd i lewpart hela redeg km?
ii Cyfrifwch beth yw buanedd y llewpart hela mewn km/awr.

Ateb

i Amser = pellter ÷ buanedd ❷
= 1000 ÷ 33 = 30.3 eiliad
ii Buanedd = 0.033 m/s (i newid m yn km rhannu â 1000) ❸
0.033 × 3600 = 119 km/awr i 3 ffigur ystyrlon (lluosi â 3600 i newid o eiliadau i oriau)

c Mae p, q ac r yn cynrychioli hydoedd. Nodwch a yw pob un o'r canlynol yn cynrychioli hyd, arwynebedd neu gyfaint.

i $3p + \pi r$ ii $p(r + q)$ iii $r(3p + q)^2$

Ateb

i Hyd gan ei fod yn hyd wedi'i adio at hyd.
ii Mae $(r + q)$ yn ddau hyd wedi'u hadio, sy'n dal i fod yn hyd. Pan fydd hyd $(r + q)$ yn cael ei luosi â hyd, bydd yn arwynebedd.
iii Hyd yw $(3p + q)$. Mae sgwario yn golygu ei fod yn arwynebedd (hyd × hyd). Pan fydd yn cael ei luosi ag r, bydd yn gyfaint.

Termau allweddol

Cyfradd newid
Buanedd
Dwysedd
Dwysedd poblogaeth
Màs
Pris uned

Gofal

Cofio newid yr unedau.

Cwestiynau dull arholiad

1 Arwynebedd Costa Rica yw 51 100 km^2.
Yn 2013 poblogaeth Costa Rica oedd 4.87 miliwn. Yn 2015 poblogaeth Costa Rica oedd 5.06 miliwn.

Cyfrifwch newid dwysedd poblogaeth Costa Rica rhwng 2013 a 2015. **[2]**

2 Cyfaint hoelen haearn yw 0.9 cm^3 a'r màs yw 7 g.
a Cyfrifwch beth yw dwysedd haearn. **[1]**
b Cyfaint hytrawst haearn yw 1.5 m^3.
Cyfrifwch beth yw màs yr hytrawst mewn kg. **[1]**

3 Mae arwydd traffig ar draffordd yn dangos 13 munud i'r gyffordd nesaf ar y draffordd.
Mae'r gyffordd 14 milltir i ffwrdd.

Pa dybiaeth sydd wedi'i gwneud am fuanedd y traffig? **[3]**

Cyngor

Mae dwysedd poblogaeth yn fesur cyfansawdd ac felly dylai'r unedau ar gyfer yr ateb gynnwys dau faint.

Gwneud yn siŵr eich bod yn dangos pob cam o'ch gwaith cyfrifo.

ATEBION WEDI'U GWIRIO ☐

Trionglau cyfath a phrawf

WEDI'I ADOLYGU

UCHEL

Rheolau

Mae dau driongl yn gyfath os yw un o'r amodau canlynol wedi'i gyflawni:

1. Mae tair ochr pob triongl yn hafal (*SSS*).
2. Mae dwy ochr a'r ongl sydd wedi'i chynnwys yn hafal (*SAS*).
3. Mae dwy ongl a'r ochr gyfatebol yn hafal (*ASA*).
4. Mae pob triongl yn cynnwys ongl sgwâr, ac mae'r hypotenws ac un ochr arall yn hafal (*RHS*).

Enghreifftiau

a Pa rai o'r trionglau canlynol sy'n gyfath? Rhowch resymau dros eich atebion.

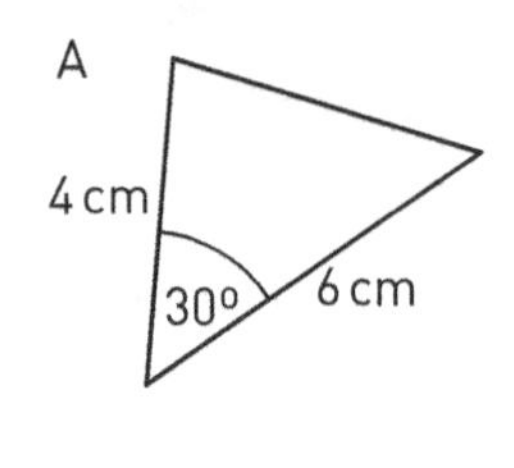

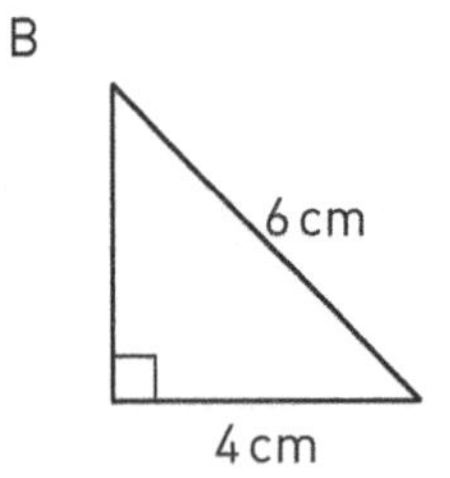

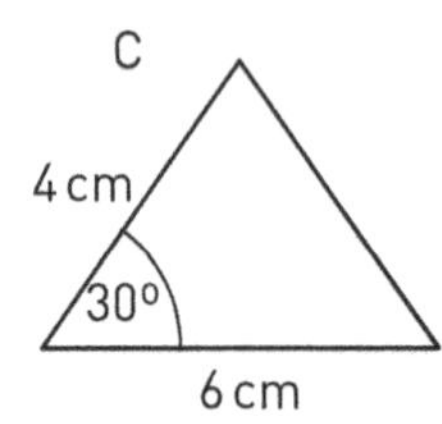

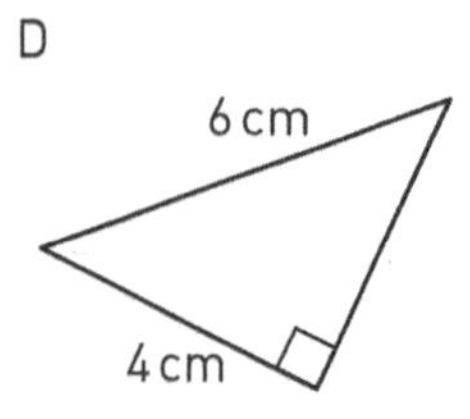

Ateb

Mae A ac C yn gyfath; mae dwy ochr a'r ongl sydd wedi'i chynnwys yn hafal. ❷

Mae B a D yn gyfath; maen nhw'n drionglau ongl sgwâr ac mae'r hypotenysau ac un ochr arall yn hafal. ❹

b Rhombws yw PQRS. Profwch fod y trionglau PQX ac RSX yn gyfath.

Ateb

PQ = RS, holl ochrau rhombws yn hafal.

PX = XR ac SX = XQ, croesliniau rhombws yn haneru ei gilydd. ❶

Felly mae'r trionglau PQX ac RSX yn gyfath (*SSS*).

P, Q, R, S, X

Termau allweddol

Cyfath

Prawf

Cyngor

Gwneud yn siŵr eich bod yn gwybod yr holl amodau ar gyfer cyfathiant.

Cyngor

Gwneud yn siŵr eich bod yn gorffen eich prawf â chasgliad.

Cwestiynau dull arholiad

1 Triongl hafalochrog yw ABC. X ac Y yw canolbwyntiau'r ochrau AB a BC. Profwch mai trionglau cyfath yw AYC ac AXC . **[3]**

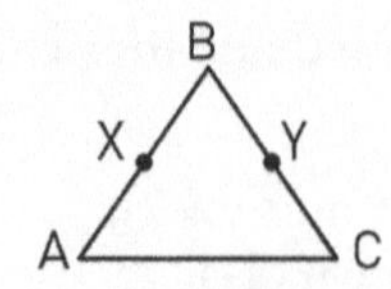

2 Paralelogram yw PQRS. X yw canolbwynt PQ. Y yw canolbwynt RS. Profwch fod XQS a QYS yn gyfath. **[3]**

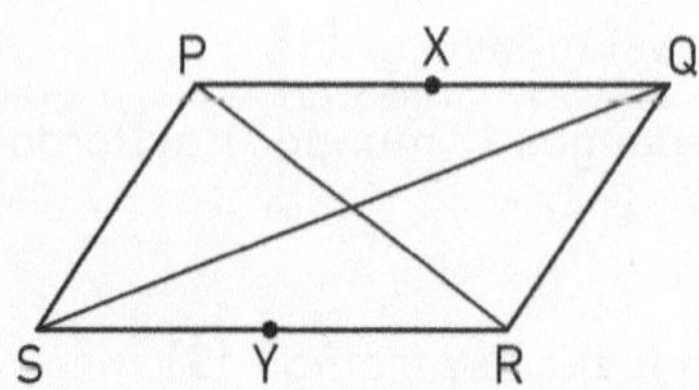

Cyngor

Defnyddio yn eich ateb dim ond y priodweddau sy'n cael eu rhoi yn y cwestiwn.

ATEBION WEDI'U GWIRIO

Prawf gan ddefnyddio trionglau cyflun a chyfath

WEDI'I ADOLYGU

UCHEL

Rheolau

1. Mae siapiau'n gyflun os yw un yn helaethiad o'r llall.

Mae dau driongl yn gyfath os yw un o'r amodau canlynol wedi'i gyflawni:

2. Mae tair ochr pob triongl yn hafal (*SSS*).
3. Mae dwy ochr a'r ongl sydd wedi'i chynnwys yn hafal (*SAS*).
4. Mae dwy ongl a'r ochr gyfatebol yn hafal (*ASA*).
5. Mae pob triongl yn cynnwys ongl sgwâr, ac mae'r hypotenws ac ochr arall yn hafal (*RHS*).

Enghreifftiau

a Pa rai o'r trionglau canlynol sy'n gyflun? Rhowch resymau dros eich atebion.

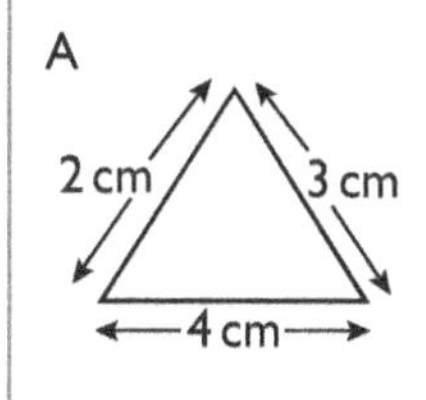

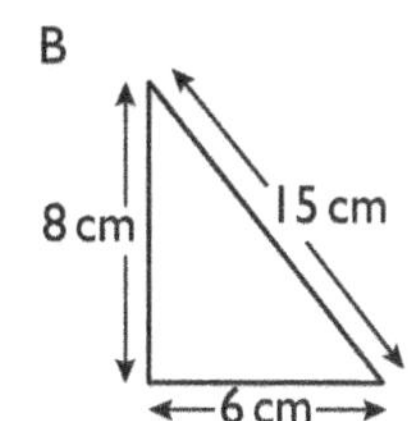

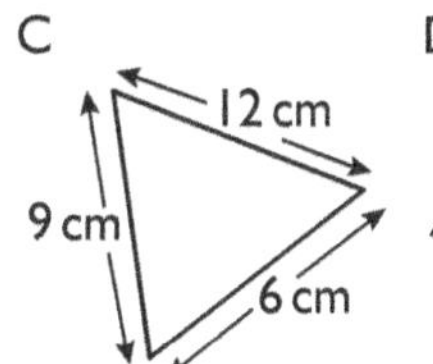

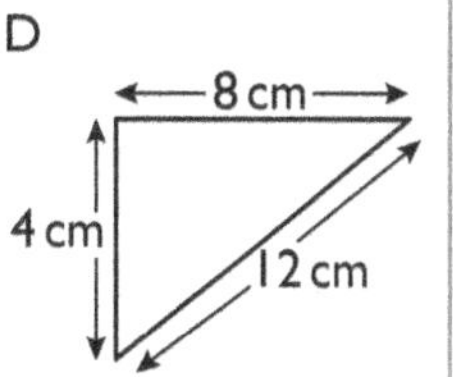

Ateb

Mae A ac C yn gyflun, mae hydoedd ochrau triongl C dair gwaith cymaint â hydoedd ochrau triongl A. ❶

b Profwch fod y trionglau WXY ac WZY yn gyfath.

Ateb

WY yw hypotenws y ddau driongl. WX = ZY (wedi'i roi); mae onglau WZY ac WXY yn onglau sgwâr (wedi'i roi); felly mae WXY ac WZY yn gyfath (*RHS*). ❺

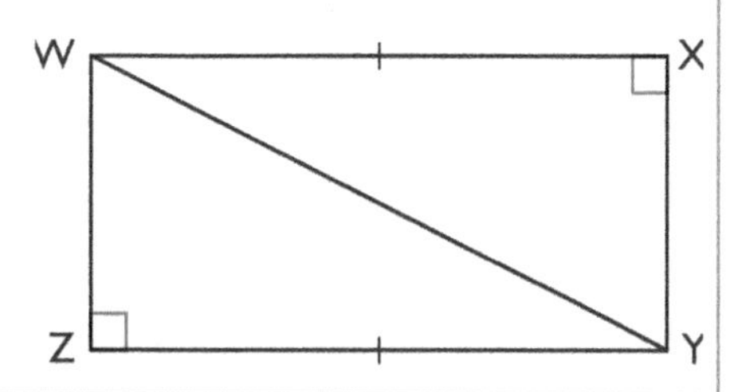

Termau allweddol

Cyflun

Cyfath

SSS, SAS, ASA, RHS

Cyngor

Mae llawer o fyfyrwyr yn cael problemau gyda'r mathau hyn o gwestiynau oherwydd nad ydyn nhw wedi dysgu'r rheolau ar gyfer trionglau cyfath.

Cwestiynau dull arholiad

1 Profwch fod y trionglau AXD a BXC yn gyflun. **[3]**

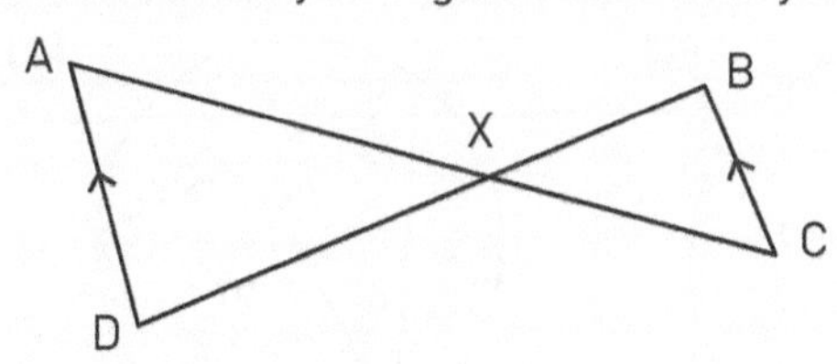

2 Pentagon rheolaidd yw PQRST. Profwch fod y trionglau QRS ac STP yn gyfath, a thrwy hynny profwch mai triongl isosgeles yw PQS. **[5]**

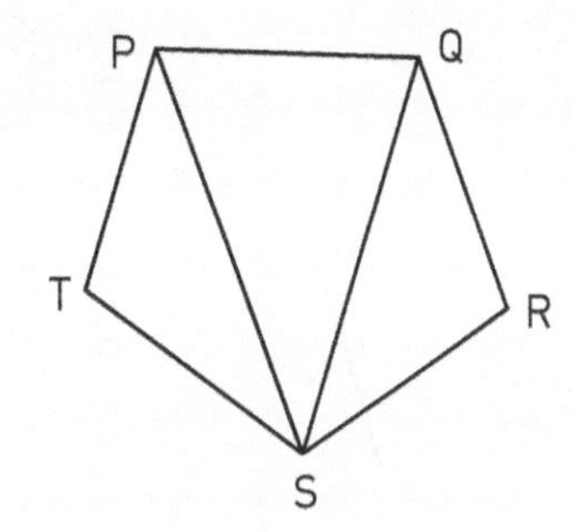

Cyngor

Yr unig briodweddau rydych chi'n gallu eu defnyddio i brofi cyfathiant neu gyflunedd yw'r rhai sydd wedi'u rhoi yn y cwestiwn.

Gwneud yn siŵr eich bod yn dangos pob cam o'ch rhesymu.

ATEBION WEDI'U GWIRIO

Theoremau'r cylch

WEDI'I ADOLYGU

UCHEL

Rheolau

1. Mae'r ongl yng nghanol cylch ddwywaith cymaint â'r ongl ar y cylchyn.
2. Mae'r ongl mewn hanner cylch yn 90°.
3. Mae onglau yn yr un segment yn hafal.
4. Mae onglau cyferbyn pedrochr cylchol yn adio i 180°.
5. Mae'r llinell sy'n cysylltu canol cylch â chanolbwynt cord ar ongl sgwâr iddo.
6. Mae'r ongl rhwng radiws a thangiad yn 90°.
7. Mae'r ongl rhwng cord a thangiad yn hafal i'r ongl yn y segment eiledol.

Enghreifftiau

a Ar gyfer pob un o'r diagramau isod darganfyddwch beth yw maint yr ongl sydd â llythyren. Rhowch resymau dros eich atebion.

i
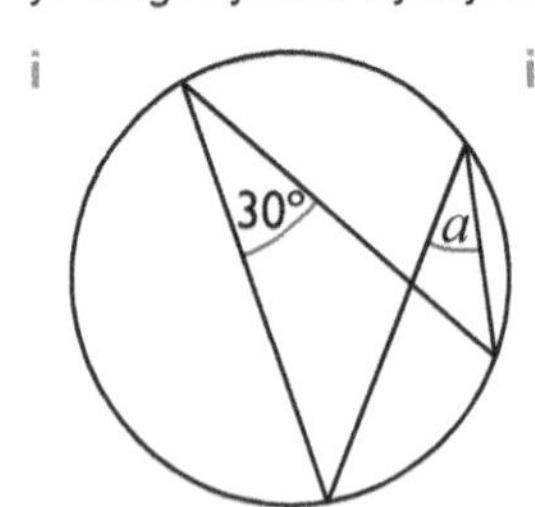

ii
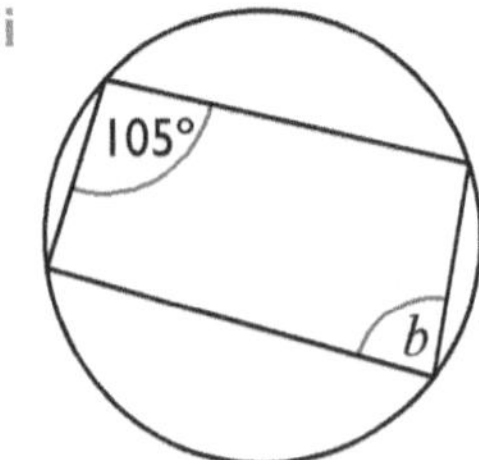

iii
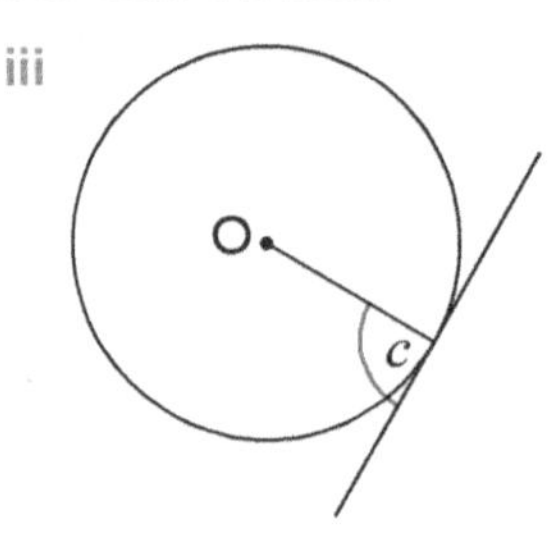

Atebion

i $a = 30°$, mae ongl a yn yr un segment â'r ongl 30°. (3)

ii $b = 75°$, mae onglau cyferbyn mewn pedrochr cylchol yn adio i 180°. (4)

iii $c = 90°$, mae'r ongl rhwng radiws a thangiad yn 90°. (6)

b Yn y cylch, canol O, BOC = 50°.
Dangoswch fod BDC = 25°.

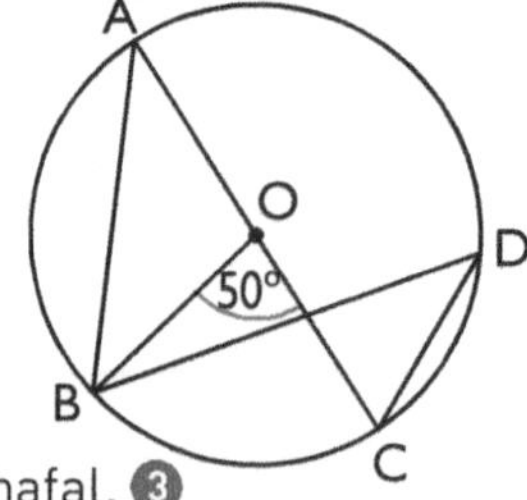

Ateb

Ongl BAC = 25°. Mae'r ongl yng nghanol cylch ddwywaith cymaint â'r ongl ar y cylchyn. (1)

BDC = 25°, mae onglau yn yr un segment yn hafal. (3)

Gofal

Wrth ddefnyddio theoremau'r cylch fel rhesymau dros atebion, gwneud yn siŵr bod y theorem lawn yn cael ei rhoi.

Termau allweddol

- Hanner cylch
- Segment
- Pedrochr cylchol
- Cord
- Tangiad
- Segment eiledol

Cyngor

Pan fydd yn rhaid defnyddio sawl cam i ddatrys problem, mae'n gallu bod yn ddefnyddiol marcio'r diagram â gwybodaeth wrth i chi ei darganfod.

Cwestiynau dull arholiad

1. Darganfyddwch beth yw maint yr onglau sydd â llythyren. Rhowch resymau dros eich atebion. Lle mae i'w gweld, O yw canol y cylch.

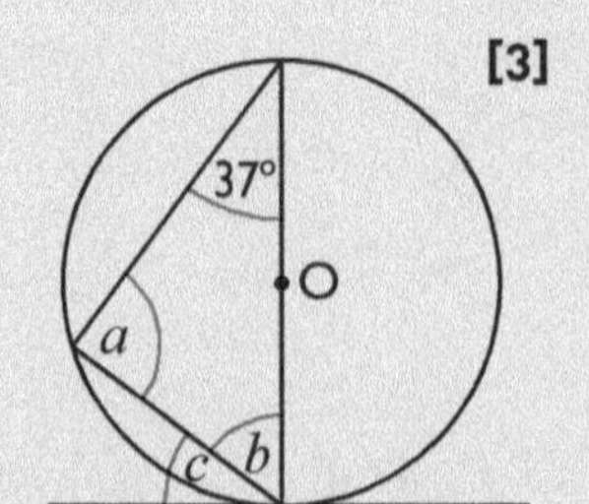

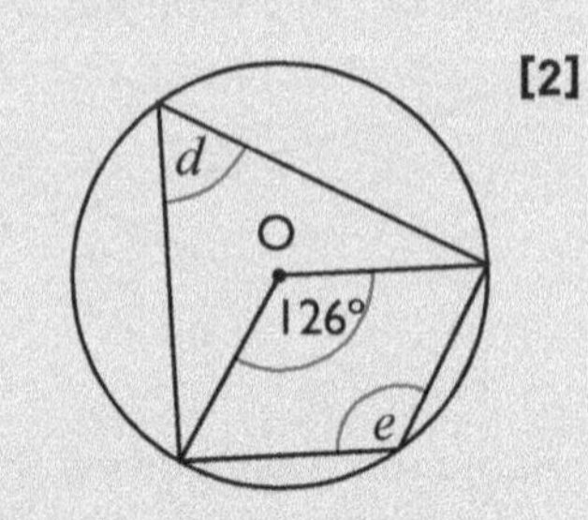

2. Pwyntiau ar gylchyn y cylch yw P, Q ac R. Tangiad i'r cylch yw QT. Mae QR yn haneru'r ongl PQT.
Profwch fod RP = RQ. **[3]**

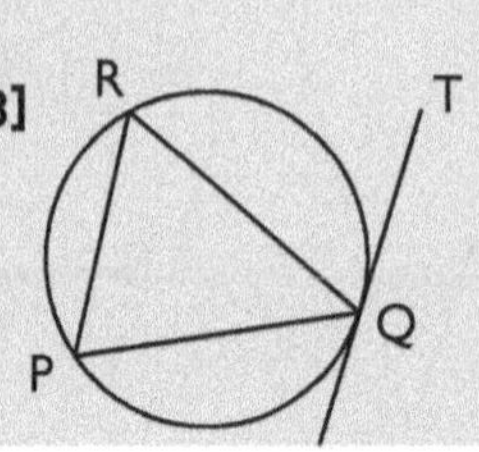

ATEBION WEDI'U GWIRIO

WEDI'I ADOLYGU ☐

UCHEL

Rheolau

1. Rydyn ni'n gallu ysgrifennu theorem Pythagoras fel $a^2 + b^2 = h^2$. Yma h yw hypotenws triongl ongl sgwâr ac a a b yw ochrau eraill y triongl.
2. I ddarganfod h adio sgwariau pob un o'r ochrau eraill at ei gilydd ac yna darganfod ail isradd yr ateb.
3. I ddarganfod a neu b tynnu sgwâr yr ochr hysbys o sgwâr yr hypotenws a darganfod ail isradd yr ateb.

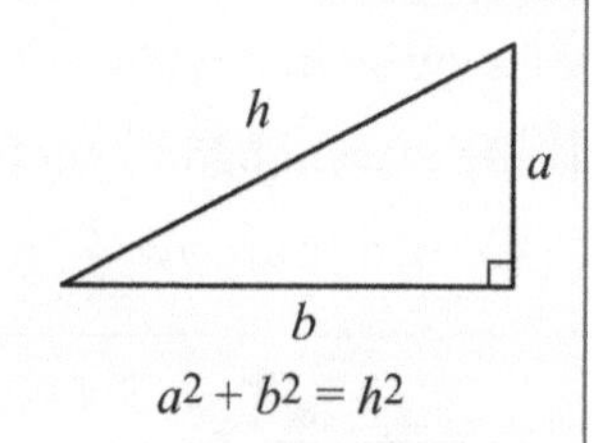

Enghreifftiau

a Triongl ongl sgwâr yw ABC.
Darganfyddwch hyd yr ochr AB i 1 lle degol.

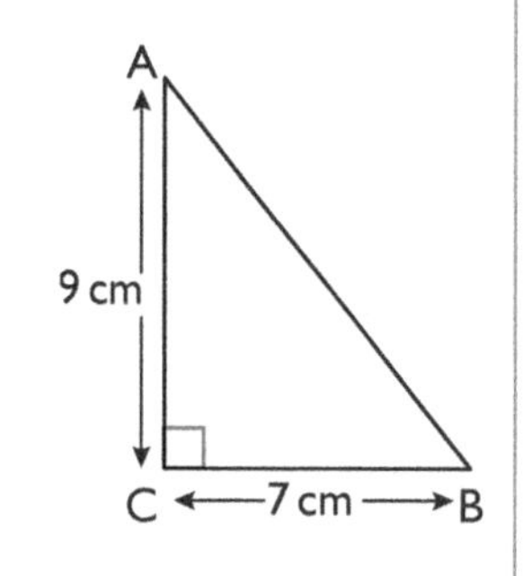

Ateb

$AB^2 = AC^2 + CB^2$ (AB yw'r hypotenws) ❶ ❷

$AB^2 = 9^2 + 7^2$

$AB^2 = 81 + 49$

$AB = \sqrt{130}$ (defnyddio botwm yr ail isradd i

ddarganfod $\sqrt{130}$)

AB = 11.4 cm i 1 lle degol

b Darganfyddwch beth yw gwerth x.

Ateb

$x^2 = 12.3^2 - 8.5^2$ (x yw un o'r ochrau byrraf) ❸

$x^2 = 151.29 - 72.25$

$x = \sqrt{79.04}$

$x = 8.9$ cm i 1 lle degol

12.3 cm, x cm, 8.5 cm

Termau allweddol

- Triongl ongl sgwâr
- Pythagoras
- Hypotenws
- Sgwâr
- Ail isradd

Gofal

Gwneud yn siŵr eich bod yn ysgrifennu pob cam yn eich gwaith cyfrifo.

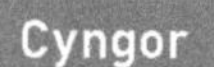
Cyngor

Hypotenws triongl ongl sgwâr yw'r ochr hiraf. Nodi'r hypotenws bob amser cyn i chi ddechrau ateb y cwestiwn.

Cwestiynau dull arholiad

1 Triongl isosgeles yw PQR.
PQ = PR = 8 cm
QR = 5 cm
Cyfrifwch uchder fertigol y triongl PQR.
Rhowch eich ateb i 1 lle degol. **[3]**

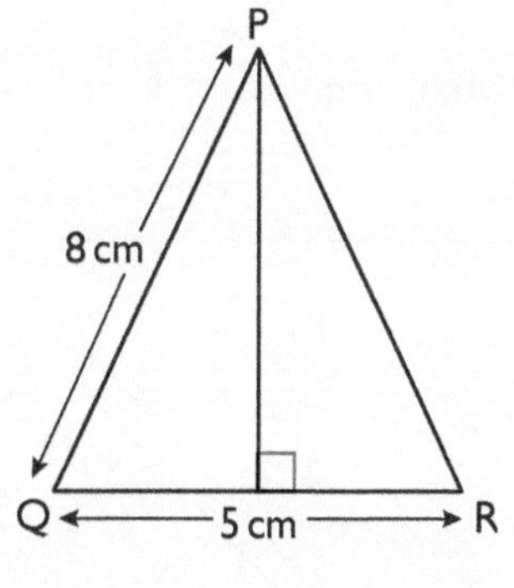

Cyngor

Lluniadu diagram o'r cwrs a marcio ef â'r wybodaeth sy'n cael ei roi i chi yn y cwestiwn.

2 Mae Sally yn hwylio cwch o gwmpas cwrs sydd wedi'i farcio gan dri bwi lliw. Mae'r bwi coch 700 metr i'r dwyrain o'r bwi glas. Mae'r bwi gwyrdd 1500 metr i'r de o'r bwi glas. Cyfrifwch hyd cyfan y cwrs. Rhowch eich ateb i'r metr agosaf. **[3]**

ATEBION WEDI'U GWIRIO ☐

Arcau a sectorau

WEDI'I ADOLYGU

ISEL

Rheolau

Os yw sector cylch â'r ongl $\theta°$ a'r radiws r:

1. arwynebedd y sector yw $\frac{\theta}{360} \times \pi r^2$
2. hyd yr arc yw $\frac{\theta}{360} \times \pi d$ neu $\frac{\theta}{360} \times 2\pi r$

Enghreifftiau

a i Darganfyddwch arwynebedd y sector sydd wedi'i dywyllu.

ii Darganfyddwch hyd arc y sector sydd wedi'i dywyllu.

Ateb

i Arwynebedd y sector $= \frac{\theta}{360} \times \pi r^2$ ➊

$= \frac{130}{360} \times \pi \times 5^2$

$= 28.4\,\text{cm}^2$ i 2 le degol

ii Hyd arc $= \frac{\theta}{360} \times 2\pi r$ ➋

$= \frac{130}{360} \times 2 \times \pi \times 5$

$= 11.3\,\text{cm}$ i 2 le degol

b Radiws sector cylch yw 6 cm a hyd arc y sector yw 8 cm. Darganfyddwch ongl canol y sector i'r radd agosaf.

Ateb

Hyd arc $= \frac{\theta}{360} \times 2\pi r$

$8 = \frac{\theta}{360} \times 2 \times \pi \times 6$

$2880 = 12\pi x$

$2880 \div 12\pi = x$, felly yr ongl yn y canol = 76° i'r radd agosaf.

Gofal

Mae'r mathau hyn o gwestiynau yn aml yn cael eu hateb yn wael oherwydd nad yw dysgwyr yn dysgu'r fformiwlâu yn y rheolau hyn.

Termau allweddol

- Radiws
- Diamedr
- Cylchyn
- Sector
- Arc
- Cord
- Segment

Cwestiynau dull arholiad

1 Mae'r diagram yn dangos sector cylch, canol O.
Radiws y cylch yw 9 cm.
Mae'r ongl POQ yn 80°.
Cyfrifwch beth yw perimedr y sector i'r cm agosaf. **[4]**

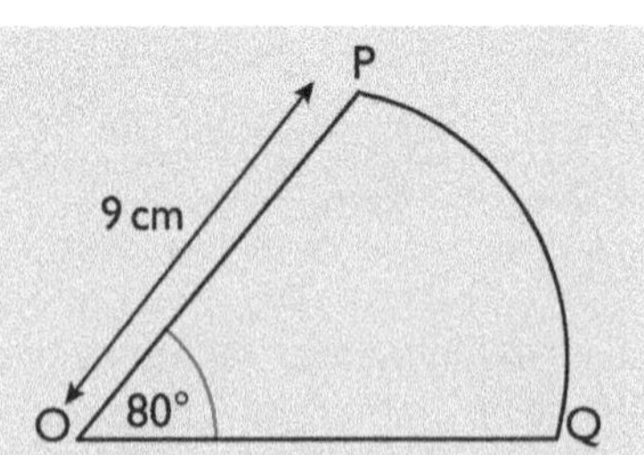

2 Mae'r diagram yn dangos y dyluniad ar gyfer tlws crog.

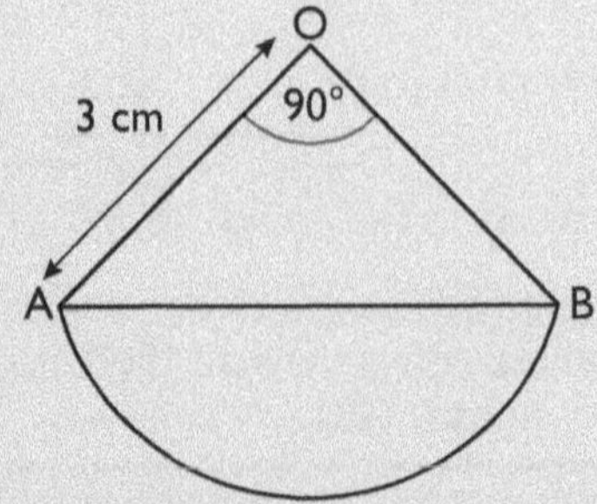

Mae'r tlws crog yn cael ei wneud o driongl isosgeles aur wedi'i gysylltu â segment arian i ffurfio sector. Mae'r tlws crog gorffenedig yn sector AOB sydd â'i radiws yn 3 cm a'i ongl ganol yn 90°. Cyfrifwch arwynebedd y rhan arian o'r tlws crog. **[5]**

ATEBION WEDI'U GWIRIO

Y rheol cosin

WEDI'I ADOLYGU

UCHEL

Rheolau

1. Y rheol cosin yw $a^2 = b^2 + c^2 - 2bc \cos A$.
2. Rydyn ni'n gallu ei defnyddio i ddarganfod trydedd ochr triongl os ydyn ni'n gwybod dwy ochr a'r ongl rhyngddyn nhw.
3. Rydyn ni hefyd yn gallu ei defnyddio i ddarganfod ongl mewn triongl os ydyn ni'n gwybod hydoedd yr holl ochrau.

Mae'r rheol cosin hefyd yn gallu cael ei hysgrifennu fel

$b^2 = a^2 + c^2 - 2ac \cos B$

neu

$c^2 = a^2 + b^2 - 2ab \cos C$

Enghreifftiau

a Mae'r diagram yn dangos y triongl ABC.

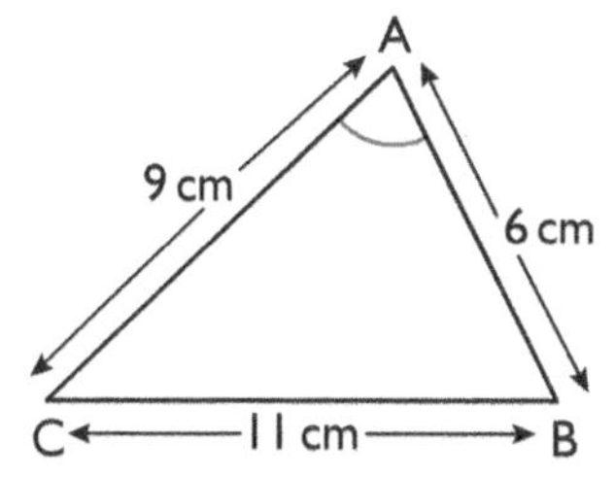

Cyfrifwch beth yw maint yr ongl yn A.

Ateb

$a^2 = b^2 + c^2 - 2bc \cos A$ ❶

$11^2 = 9^2 + 6^2 - 2 \times 9 \times 6 \cos A$ ❷

$\cos A = \frac{-4}{108}$

$A = 92°$

b Mae'r diagram yn dangos trapesiwm isosgeles.

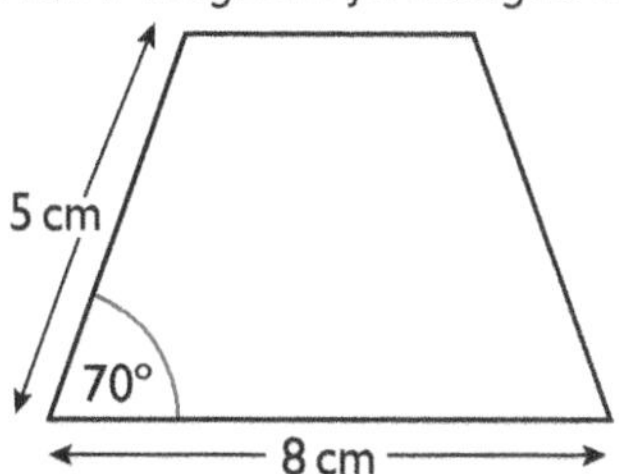

Cyfrifwch hyd un o groesliniau'r trapesiwm.

Ateb

$a^2 = b^2 + c^2 - 2bc \cos A$ ❶

$a^2 = 8^2 + 5^2 - 2 \times 8 \times 5 \cos 70°$ ❸

$a^2 = 61.638 \ldots$

$a = 7.85$

Felly mae croeslin y trapesiwm yn 7.85 cm (2 le degol)

Gofal

Wrth ddefnyddio'r rheol cosin, gwneud yn siŵr mai'r ongl ar ochr dde yr hafaliad yw'r ongl sydd gyferbyn â'r ochr sydd ar ochr chwith yr hafaliad.

Cwestiynau dull arholiad

Mae'r diagram yn dangos ysgol fach sydd wedi'i hagor ar golfach i ffurfio triongl isosgeles.

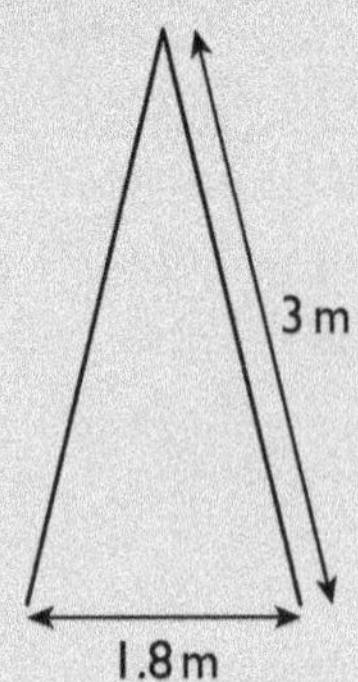

Hyd ochrau'r ysgol yw 3 m. Mae pennau isaf yr ysgol 1.8 m i ffwrdd o'i gilydd.
Cyfrifwch ar ba ongl mae'r colfach wedi agor. **[3]**

Mae awyren yn hedfan llwybr cylchol rhwng Llundain, Amsterdam ac yna Paris.

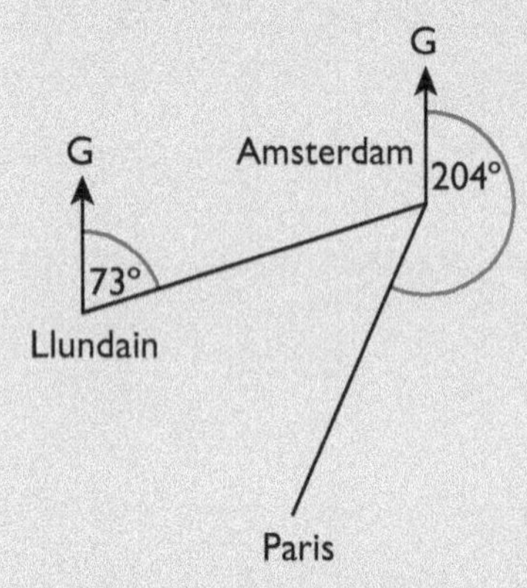

Mae Amsterdam 358 km o Lundain ar gyfeiriant o 073°.
Mae Paris 510 km o Amsterdam ar gyfeiriant o 204°.
Cyfrifwch y pellter rhwng Paris a Llundain. **[5]**

Cyngor

Gall fod yn ddefnyddiol labelu'r ochrau a'r onglau mewn diagram cyn dechrau ateb y cwestiwn.

ATEBION WEDI'U GWIRIO

Y rheol sin

WEDI'I ADOLYGU

UCHEL

Rheolau

1. Mae'n bosibl ysgrifennu'r rheol sin fel $\frac{\sin A}{a} = \frac{\sin B}{b} = \frac{\sin C}{c}$ neu $\frac{a}{\sin A} = \frac{b}{\sin B} = \frac{c}{\sin C}$.
2. Rydyn ni'n gallu defnyddio'r rheol sin i ddarganfod ochr os ydyn ni'n gwybod 2 ongl ac ochr arall.
3. Rydyn ni'n gallu defnyddio'r rheol sin i ddarganfod ongl os ydyn ni'n gwybod 2 ochr ac ongl arall.
4. Rydyn ni'n gallu darganfod arwynebedd triongl gan ddefnyddio'r fformiwla $\frac{1}{2}ab \sin C$.

Enghreifftiau

a Triongl yw ABC. AB = 11 cm, AC = 15 cm.
Ongl ABC = 65°.

i Cyfrifwch beth yw maint ongl ACB.

ii Cyfrifwch hyd yr ochr BC.

Ateb

i $\frac{\sin C}{c} = \frac{\sin B}{b}$ ❶

$\frac{\sin C}{11} = \frac{\sin 65°}{15}$ ❷

$\sin C = \frac{\sin 65° \times 11}{15}$

BCA = 41.7°, felly A = 73.3°

ii $\frac{a}{\sin A} = \frac{b}{\sin B}$

$\frac{a}{\sin 73.3°} = \frac{15}{\sin 65°}$ ❸

$a = \frac{15 \times \sin 73.3°}{\sin 65°}$

BC = 15.9 cm

b Cyfrifwch arwynebedd y triongl PQS.

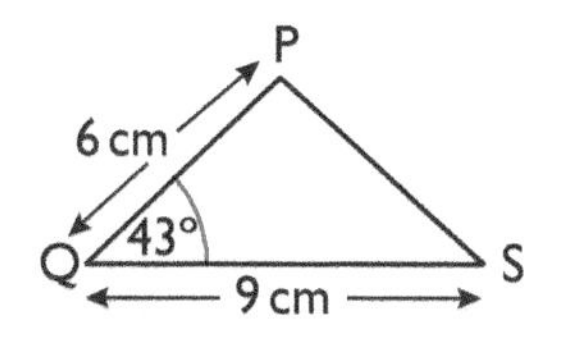

Ateb

Arwynebedd y triongl = $\frac{1}{2}ab \sin C$. ❹

$= \frac{1}{2} \times 6 \times 9 \times \sin 43°$

$= 18.4\ \text{cm}^2$

Ffeithiau allweddol

Defnyddio $\frac{\sin C}{c} = \frac{\sin B}{b}$ i ddarganfod ongl.

Defnyddio $\frac{a}{\sin A} = \frac{b}{\sin B}$ i ddarganfod ochr.

Gofal

Gwneud yn siŵr eich bod yn defnyddio ochrau ac onglau cyferbyn gyda'r rheol sin.

Cyngor

Defnyddio'r gwerthoedd llawn o'ch cyfrifiannell, peidio â thalgrynnu'n rhy fuan.

Cwestiynau dull arholiad

1 Mae Zeta yn cynllunio taith gerdded rhwng 3 tref, sef Weston, Easthorpe a Southam.

Mae Easthorpe ar gyfeiriant o 070° oddi wrth Weston. Mae Southam 9 km o Easthorpe ar gyfeiriant o 117°. Y pellter rhwng Weston a Southam yw 15 km.

Cyfrifwch beth yw cyfeiriant Southam oddi wrth Weston. **[4]**

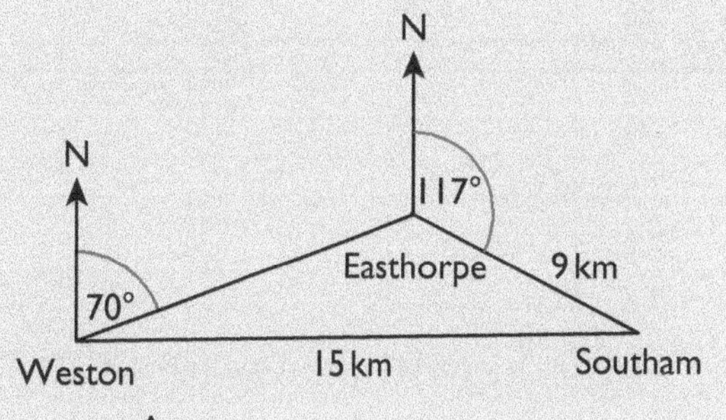

2 Hyd ochrau hecsagon rheolaidd yw 6 cm.

Cyfrifwch union arwynebedd yr hecsagon. **[3]**

3 Pentagon rheolaidd yw ABCDE, â'i ochrau'n 5 cm. Pwynt O yw canol y pentagon.

a Cyfrifwch yr hyd OA. **[4]**

b Cyfrifwch arwynebedd y pentagon ABCDE. **[3]**

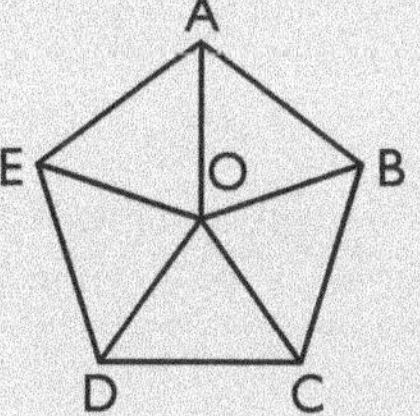

ATEBION WEDI'U GWIRIO

Loci

WEDI'I ADOLYGU

ISEL

Rheolau

1. Llinell neu gromlin sy'n cysylltu'r holl bwyntiau sy'n ufuddhau i reol benodol yw locws.

Dyma rai o'r loci mwyaf cyffredin:

2. Pellter cyson o bwynt sefydlog
3. Cytbell o ddau bwynt penodol
4. Pellter cyson o linell benodol
5. Cytbell o ddwy linell.

Enghreifftiau

a Lluniadwch locws yr holl bwyntiau sy'n gytbell o ddau bwynt, A a B, sy'n 5 cm i ffwrdd o'i gilydd.

Ateb

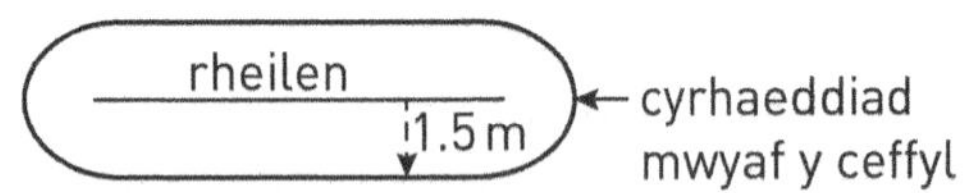

Y locws yw hanerydd perpendicwlar y llinell sy'n cysylltu A a B. 1 3

b Mae ceffyl wedi'i glymu gan raff wrth reilen sydd â'i hyd yn 10 m. Hyd y rhaff yw 1.5 m. Mae'r ceffyl yn gallu cerdded o amgylch y ddwy ochr i'r rheilen. Gwnewch fraslun o locws cyrhaeddiad mwyaf y ceffyl. 1 4

Ateb

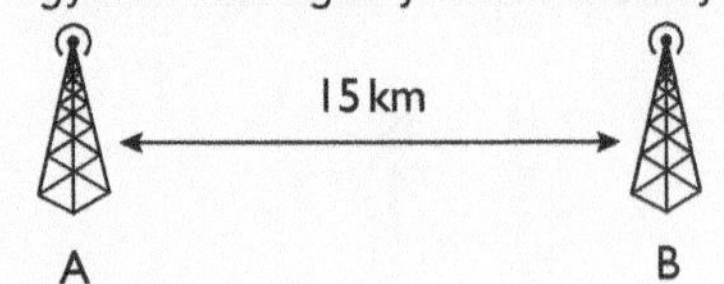

Termau allweddol

Locws

Loci

Cytbell

Cwestiynau dull arholiad

1 Mae safle dau fast ffonau symudol A a B i'w gweld. Mae'r signal o'r mast A yn gallu cyrraedd 10 km. Mae'r signal o'r mast B yn gallu cyrraedd 7 km.
Gan ddefnyddio'r raddfa 1 cm i 2 km, lluniadwch ddiagram manwl gywir i ddangos y rhanbarth sy'n derbyn signal gan y ddau fast. **[3]**

15 km

A B

2 Triongl yw XYZ.

XY = YZ = 8 cm

XZ = 6 cm

Marciwch y pwynt x sy'n gytbell o X, Y a Z. **[4]**

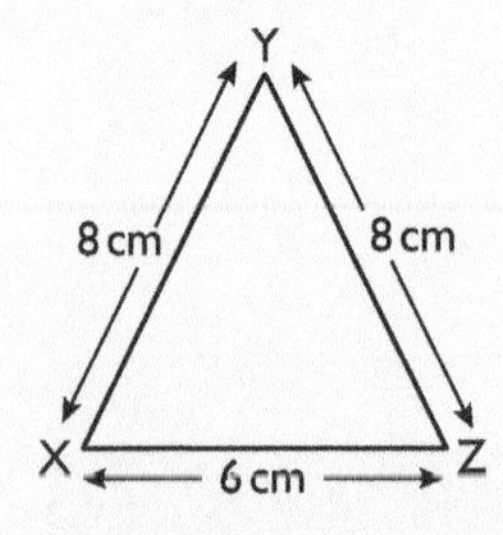

ATEBION WEDI'U GWIRIO

Cyngor

Os yw'r cwestiwn yn gofyn i chi luniadu diagram manwl gywir, dylech ddefnyddio pren mesur a/neu gwmpas i lunio'r loci.

Dylech adael yr holl farciau llunio.

Cofio

Cofio ei gwneud hi'n glir i'r arholwr ble mae'r rhanbarth terfynol sy'n ofynnol drwy ei dywyllu a'i labelu.

Cwestiynau dull arholiad cymysg

1 Triongl isosgeles yw ABC. Pwyntiau ar BC yw D ac E. AB = AC, BD = EC.

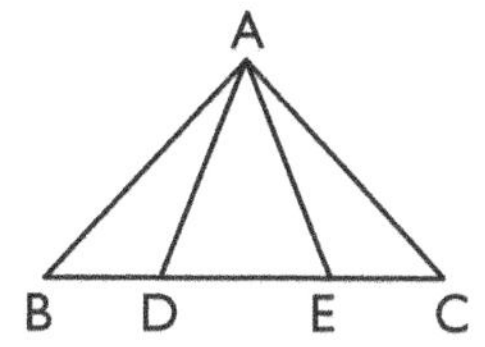

Profwch fod y triongl ADE yn isosgeles. **[3]**

2 Yn y diagram mae PQ yn baralel i ST. QX = XS.

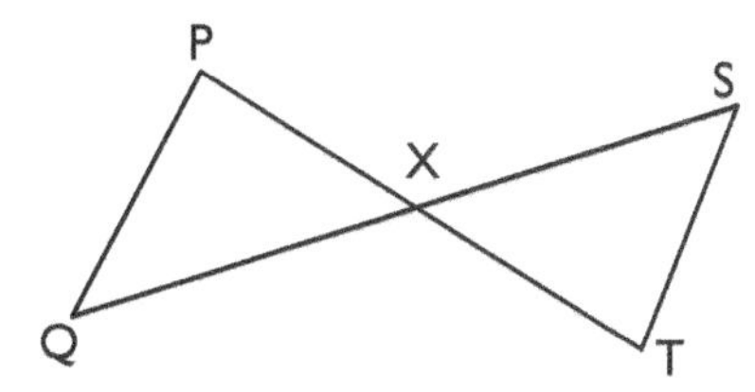

Profwch fod y trionglau PQX ac STX yn gyfath. **[3]**

3 Mae'r diagram yn dangos triongl ongl sgwâr wedi'i luniadu y tu mewn i chwarter cylch. Mae'r cord AC yn 3 cm.

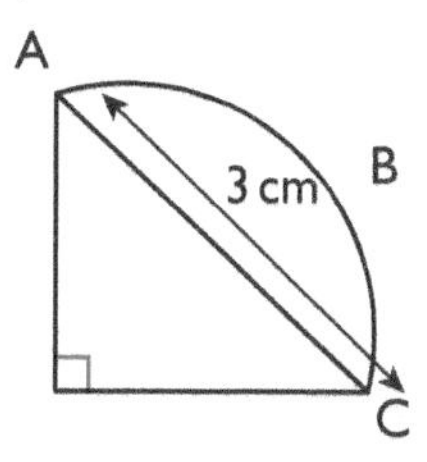

a Cyfrifwch radiws y cylch. **[3]**
b Cyfrifwch arwynebedd y segment ABC. **[4]**

4 Mae côn papur yn cael ei wneud o blygu darn o bapur ar siâp sector cylch. Mae'r ongl yng nghanol y sector yn 100°. Mae radiws y sector yn 6 cm.

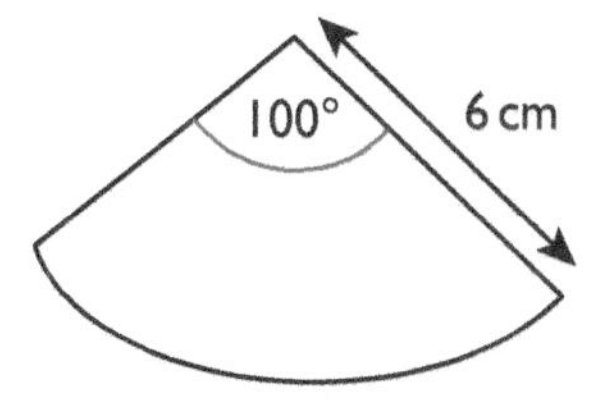

a Cyfrifwch hyd arc y sector. **[2]**
b Cyfrifwch beth yw diamedr sylfaen y côn gorffenedig. **[2]**

5 Mae'r diagram yn dangos trapesiwm PQRS. Mae PQ yn baralel i SR. PS = QR.

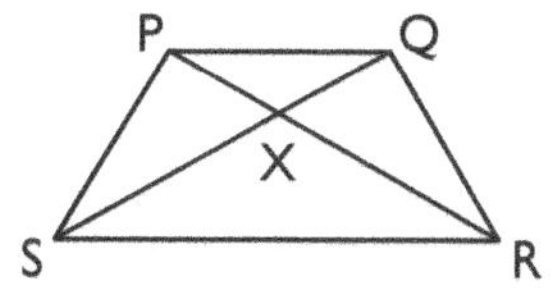

Dangoswch fod y trionglau PXQ ac SXR yn gyfath. **[3]**

6 Rhombws yw ABCD. AC = 10.8 cm, BD = 15.6 cm.

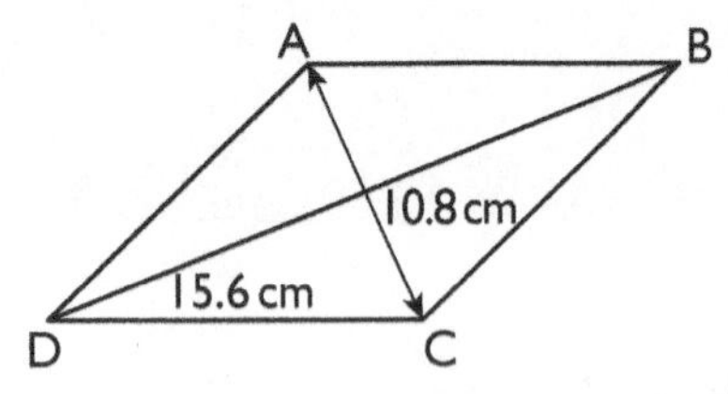

Cyfrifwch hyd ochrau'r rhombws. **[4]**

7 Yn y diagram, tangiadau i'r cylch yw TP a TS sy'n cyffwrdd â'r cylchyn yn A a D yn eu tro. Pwyntiau ar gylchyn y cylch yw B ac C. Mae AC a BD yn croesi yn y pwynt X. ATD = 80°, PAB = 20°.

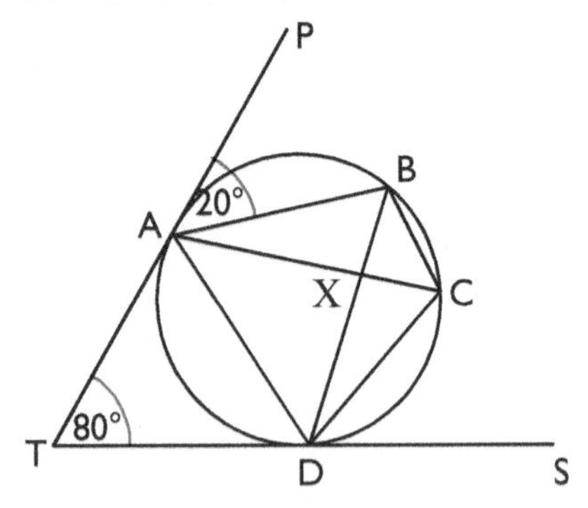

a Dangoswch mai trionglau cyflun yw'r triongl AXB a'r triongl DXC. **[3]**
b Profwch mai pedrochr cylchol yw ABCD. **[4]**

8 Mae fferi yn hwylio rhwng 3 ynys, A, B ac C. Mae ynys B 50 km o ynys A ar gyfeiriant o 040°. Mae ynys C ar gyfeiriant o 095° oddi wrth ynys B. Y pellter o ynys A i ynys C yw 120 km.

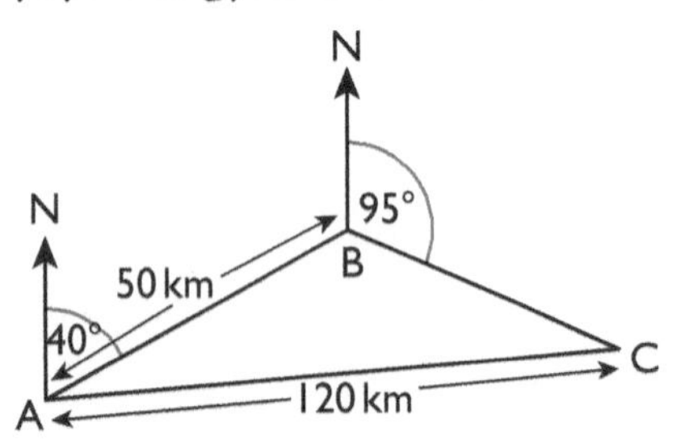

Cyfrifwch beth yw cyfeiriant ynys A oddi wrth ynys C. **[5]**

9 Mae'r diagram yn dangos lletem ar siâp prism trionglog.

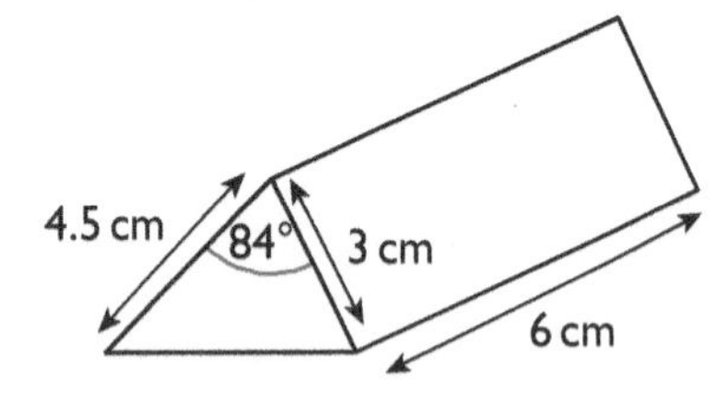

a Cyfrifwch beth yw cyfaint y prism. **[3]**
b Cyfrifwch arwynebedd arwyneb y prism. **[4]**

Cyflunedd

WEDI'I ADOLYGU ☐

ISEL

Rheolau

❶ Mae siapiau'n gyflun os yw un siâp yn helaethiad o'r llall.
❷ Mae hydoedd ochrau siapiau cyflun yn ôl yr un gymhareb.
❸ Mae'r holl onglau mewn siapiau cyflun yr un peth.

Enghreifftiau

a Mae'r diagram yn dangos dau driongl cyflun.

i Cyfrifwch beth yw gwerth x.

ii Cyfrifwch beth yw gwerth y.

Ateb

i Cymhareb yr hypotenysau yw 2 : 1 ❷

Felly $x = 2 \times 5$

$x = 10$

ii $y = 12 \div 2$ ❷

$y = 6$

b Mae'r diagram yn dangos dau driongl, ABC ac XYZ. Darganfyddwch beth yw maint ongl XZY.

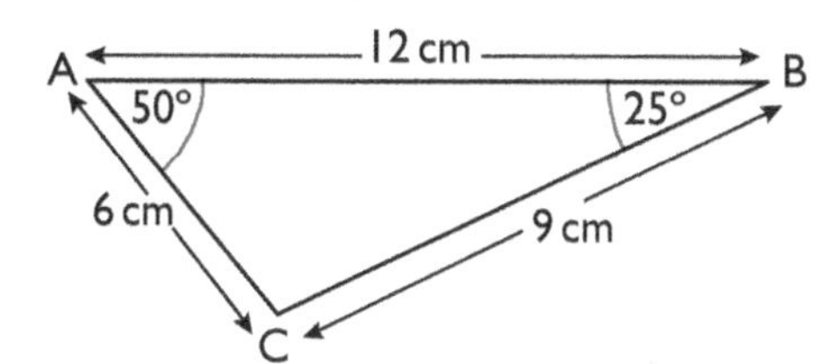

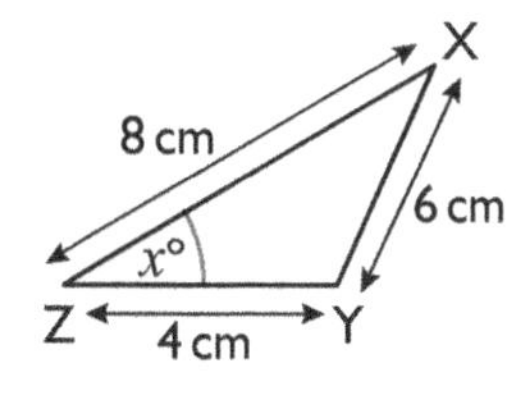

Ateb

Mae ochrau cyfatebol y trionglau ABC ac XYZ yn ôl yr un gymhareb.

Felly mae'r trionglau ABC ac XYZ yn drionglau cyflun. Mae ongl XZY yn cyfateb i ongl BAC. ❸

Felly $x = 50$

Termau allweddol

Cyflun

Cymhareb

Cofio

Rydyn ni'n gallu cyfrifo'r gymhareb drwy rannu hydoedd ochrau cyfatebol.

Gofal

Wrth ateb cwestiynau ar siapiau cyflun, gwneud yn siŵr eich bod yn defnyddio cymhareb ochrau cyfatebol.

Cwestiynau dull arholiad

1 Mae'r diagram yn dangos y triongl ABC.
Ongl BAC = 37°
AC = 10.5 cm, BC = 7 cm
YC = 4.5 cm
Mae'r llinell XY yn baralel i'r llinell BC.

Cyfrifwch hyd y llinell XY. **[3]**

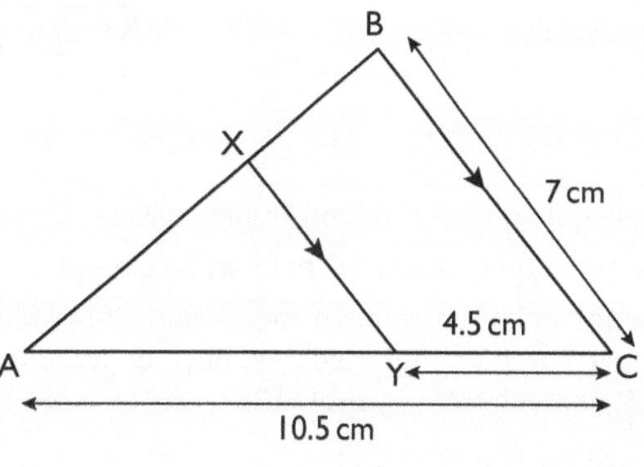

2 Mae PQ yn baralel i SR.
QP = 8 cm
SR = 10 cm
PX = 6 cm

Cyfrifwch hyd PS. **[3]**

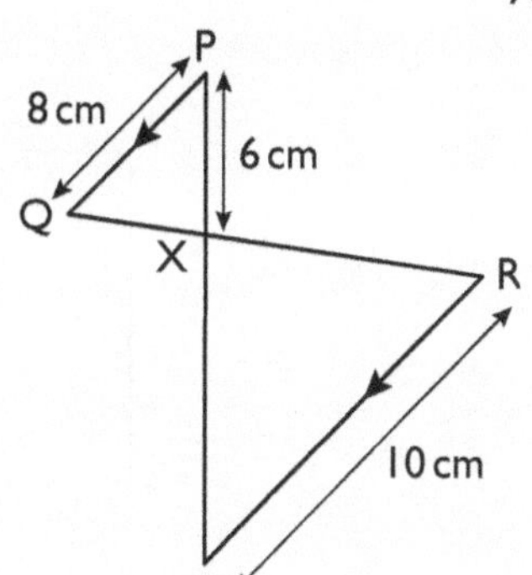

ATEBION WEDI'U GWIRIO ☐

Trigonometreg

WEDI'I ADOLYGU

ISEL

Rheolau

Ar gyfer triongl ongl sgwâr:

❶ $\tan\theta = \dfrac{\text{cyferbyn}}{\text{cyfagos}}$

❷ $\sin\theta = \dfrac{\text{cyferbyn}}{\text{hypotenws}}$

❸ $\cos\theta = \dfrac{\text{cyfagos}}{\text{hypotenws}}$

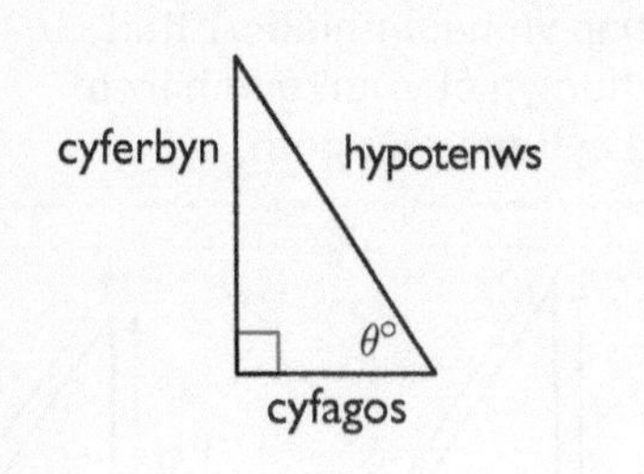

Termau allweddol

Sin

Cosin

Tan

Enghreifftiau

a Triongl ongl sgwâr yw ABC.

Cyfrifwch beth yw maint ongl ACB i 1 lle degol.

A
8.6 cm
B
13.7 cm
C

Ateb

$\cos B = \frac{8.6}{13.7}$ ❸

$\cos B = 0.6277$

ACB = 51.1° (Defnyddio'r cos gwrthdro ar eich cyfrifiannell).

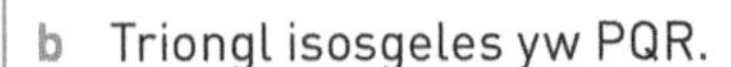

b Triongl isosgeles yw PQR.

Ongl PQR = 130°, QR = PQ

PR = 10.2 cm

Cyfrifwch hyd QR i 1 lle degol.

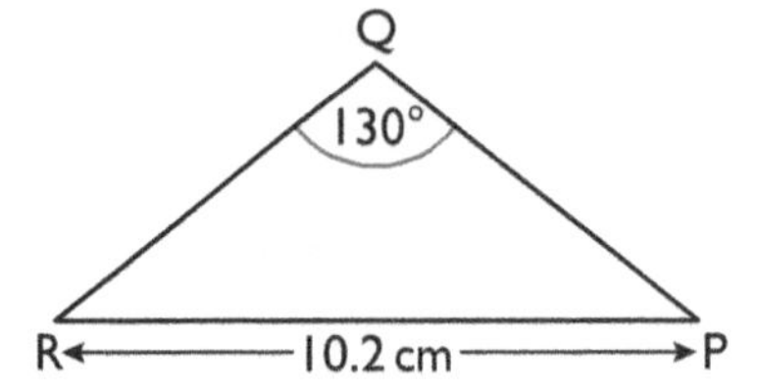

Ateb

Gan fod PQR yn isosgeles, mae RXQ yn driongl ongl sgwâr.

RX = 5.1 cm, RQX = 65°

$\sin 65° = \frac{5.1}{QR}$ ❷

$QR = \frac{5.1}{\sin 65°}$

QR = 5.63 cm

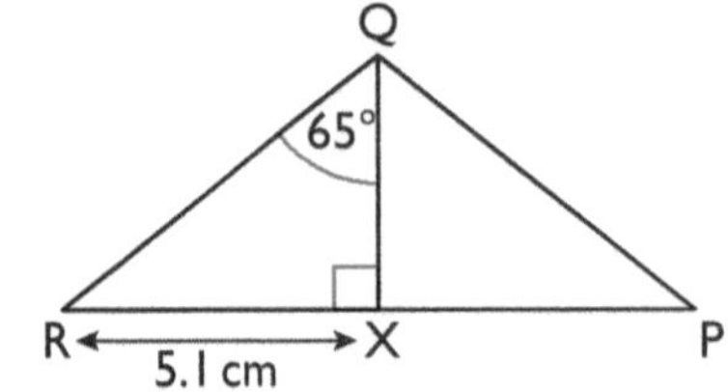

Gofal

Er eich bod yn defnyddio cyfrifiannell ar gyfer y problemau hyn, mae'n dal yn angenrheidiol dangos camau eich gwaith cyfrifo.

Cyngor

Yn aml mae'n ddefnyddiol marcio gwybodaeth newydd ar ddiagram, neu hyd yn oed lluniadu diagram newydd.

Cwestiynau dull arholiad

1 Mae ysgol yn cael ei gosod yn erbyn wal.
Mae gwaelod yr ysgol 1.2 m i ffwrdd o'r wal.
Mae pen uchaf yr ysgol yn cael ei osod 3 m i fyny'r wal.
a Cyfrifwch yr ongl mae'r ysgol yn ei gwneud â'r wal. **[2]**
b Cyfrifwch hyd yr ysgol. **[2]**

2 Petryal yw PQRS.
PQ = 8 cm ac ongl QPR = 50°.
Defnyddiwch drigonometreg i gyfrifo hyd y groeslin, PR. **[3]**

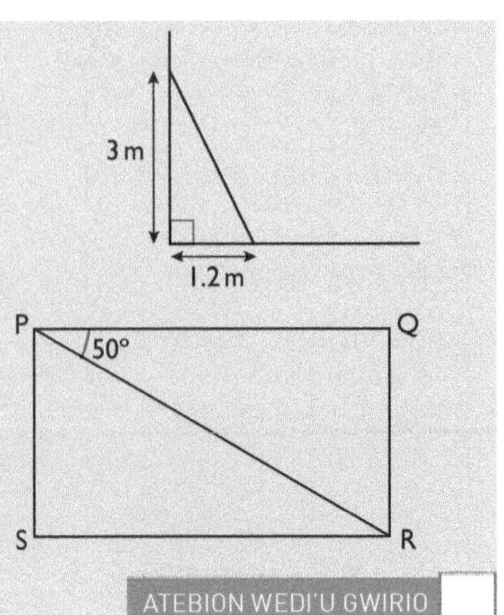

ATEBION WEDI'U GWIRIO

Darganfod canolau cylchdro

WEDI'I ADOLYGU

ISEL

Rheolau

1. I ddisgrifio cylchdro yn llawn mae angen nodi cyfeiriad, ongl a chanol y cylchdro.
2. Canol cylchdro yw lle mae haneryddion perpendicwlar y llinellau sy'n cysylltu pwyntiau cyfatebol y ddelwedd a'r gwrthrych yn croesi.

Enghreifftiau

a Disgrifiwch y cylchdro sy'n mapio

- i A → B
- ii A → C
- iii A → D

Ateb

- i cylchdro 180° yn glocwedd (neu'n wrthglocwedd) o amgylch (0,0) ❶
- ii cylchdro 90° yn glocwedd o amgylch (0,0) ❶
- iii cylchdro 90° yn wrthglocwedd o amgylch (0,0) ❶

b Mae'r ddelwedd P wedi cael ei chylchdroi i ffurfio'r ddelwedd Q.

- i Darganfyddwch ganol y cylchdro sy'n mapio P ar ben Q.
- ii Disgrifiwch y trawsffurfiad yn llawn.

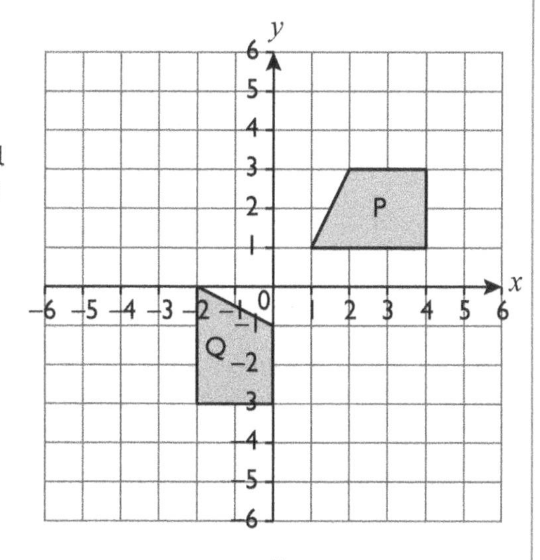

Ateb

- i Canol y cylchdro yw (−1,2) ❶
- ii Cylchdro 90° yn glocwedd o amgylch (−1,2) ❷

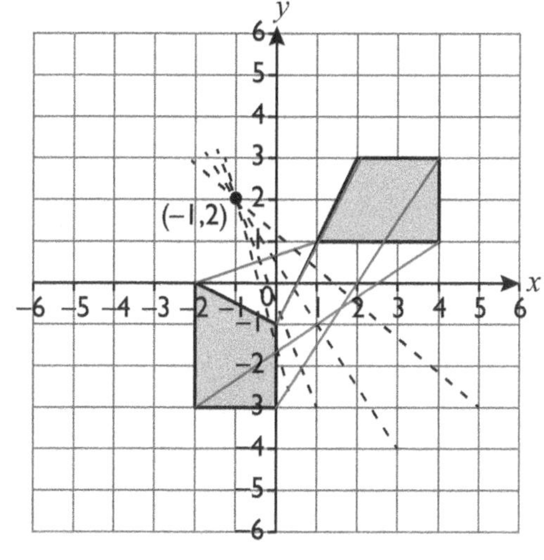

Termau allweddol

- Trawsffurfiad
- Cylchdro
- Canol cylchdro
- Clocwedd
- Gwrthglocwedd

Cyngor

Dylech chi adael y llinellau rydych chi'n eu defnyddio i ddarganfod canol y cylchdro yn eich ateb, oherwydd gallech chi gael rhai marciau amdanyn nhw os byddwch chi'n gwneud camgymeriad yn nes ymlaen.

Gofal

Cofio ysgrifennu eich ateb ar ôl darganfod canol cylchdro.

Cwestiynau dull arholiad

Mae'r pedrochr A wedi cael ei gylchdroi i'r safle B.

Darganfyddwch ganol y cylchdro sy'n mapio'r pedrochr A ar ben y pedrochr B. **[2]**

Disgrifiwch yn llawn y trawsffurfiad sy'n mapio'r pedrochr A ar ben y pedrochr B. **[2]**

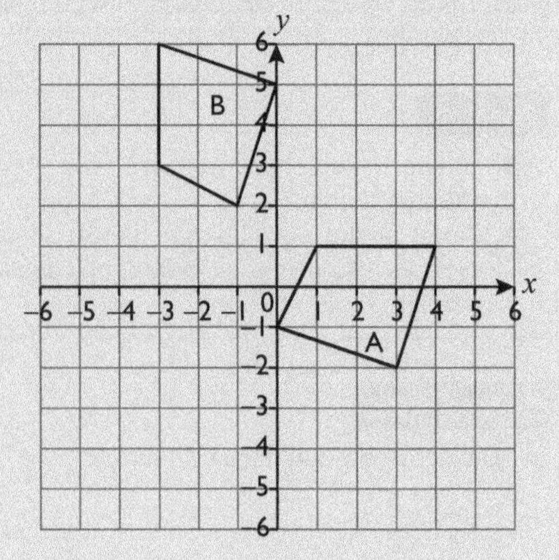

Mae'r diagram yn dangos dau driongl A a B. Disgrifiwch yn llawn y trawsffurfiad sy'n mapio A ar ben B. **[2]**

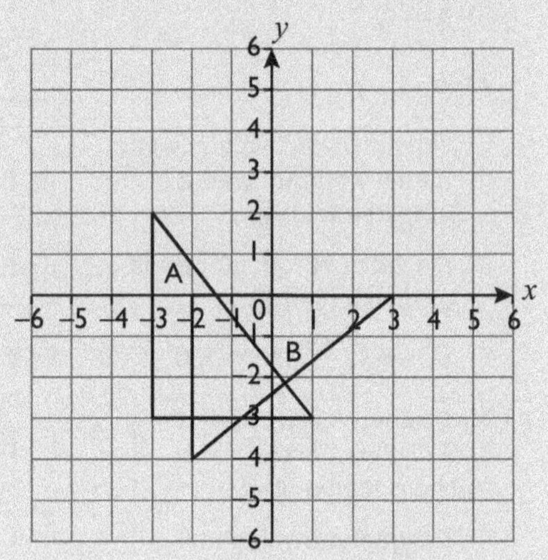

ATEBION WEDI'U GWIRIO

Helaethu â ffactorau graddfa negatif

WEDI'I ADOLYGU

UCHEL

Termau allweddol

Helaethiad

Graddfa ffactor negatif

Rheol

1. Pan fydd siâp yn cael ei helaethu yn ôl ffactor graddfa negatif, bydd y ddelwedd i'w gweld ar ochr gyferbyn canol yr helaethiad ac wedi'i chylchdroi 180°.

Enghreifftiau

a Disgrifiwch yr helaethiad sy'n mapio:

i siâp A ar ben siâp B

ii siâp B ar ben siâp A.

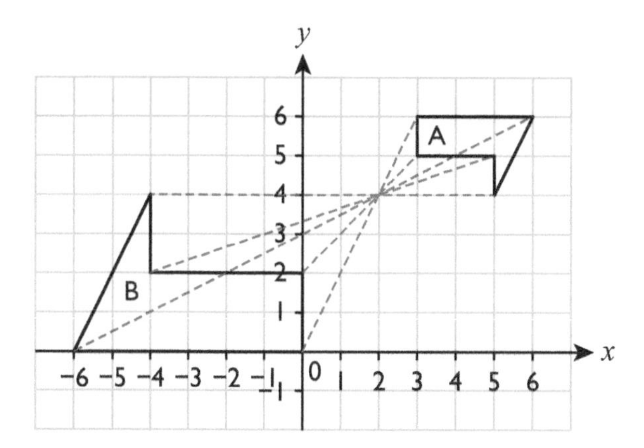

Atebion

i Helaethiad â ffactor graddfa −2, canol yr helaethiad (2, 4). 1

ii Helaethiad â ffactor graddfa $-\frac{1}{2}$, canol yr helaethiad (2, 4). 1

b Cyfesurynnau'r triongl K yw (2, 0), (3, 2) a (2, 2).

i Lluniadwch y triongl K ar set o echelinau.

ii Helaethwch y triongl K yn ôl ffactor graddfa −3, canol yr helaethiad (1, 1). Labelwch y triongl newydd yn L. 1

Atebion

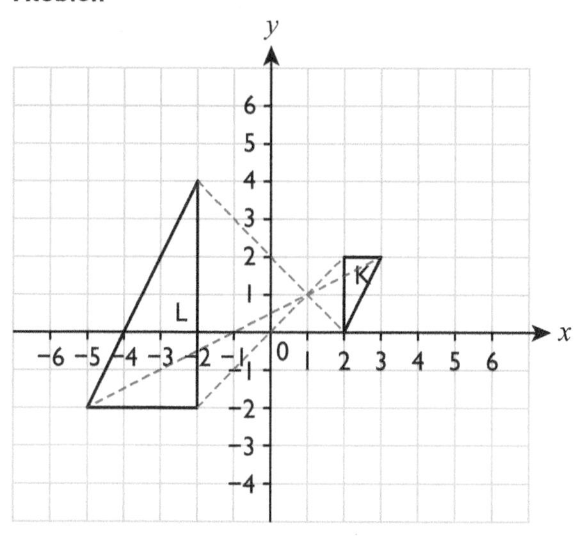

Cyngor

Canol yr helaethiad yw lle mae'r llinellau sy'n cysylltu pwyntiau cyfatebol y ddelwedd a'r gwrthrych yn croesi.

Gofal

I ddisgrifio helaethiad yn llawn mae angen nodi'r ffactor graddfa a hefyd canol yr helaethiad.

Cwestiynau dull arholiad

1 Disgrifiwch y trawsffurfiad sy'n mapio'r siâp P ar ben y siâp T. **[2]**

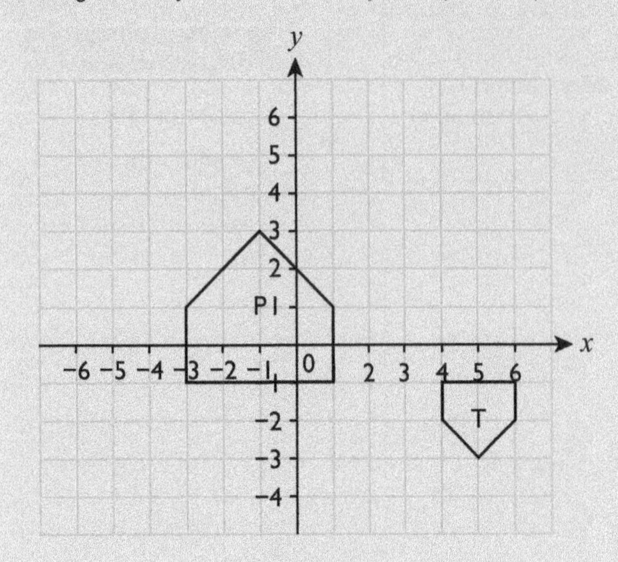

2

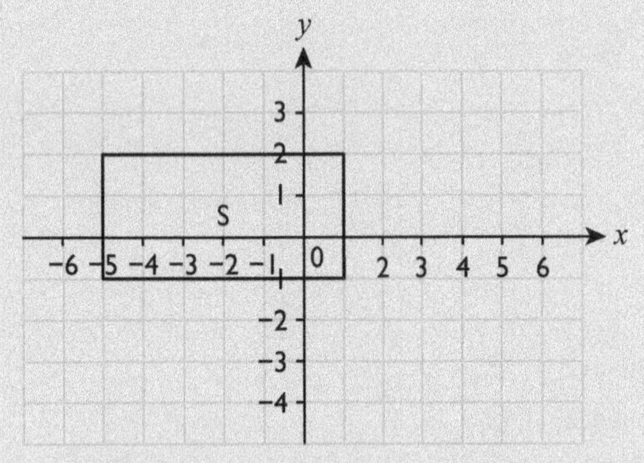

a Helaethwch y petryal S yn ôl ffactor graddfa $-\frac{1}{3}$, canol yr helaethiad (1, −1). Labelwch y petryal newydd yn T. **[2]**

b Helaethwch y petryal T yn ôl ffactor graddfa −2, canol yr helaethiad (1, −1). Labelwch y petryal newydd yn U. **[2]**

c Disgrifiwch y trawsffurfiad sengl sy'n mapio'r petryal S ar ben y petryal U. **[1]**

3 Disgrifiwch yn llawn y trawsffurfiad sengl sydd â'r un effaith â helaethiad yn ôl ffactor graddfa −1, canol (x, y). **[2]**

ATEBION WEDI'U GWIRIO

Trigonometreg mewn 2D a 3D

WEDI'I ADOLYGU

UCHEL

Rheolau

1. I ddatrys problemau sy'n cynnwys siapiau 3D mae angen nodi trionglau 2D perthnasol.
2. Yr ongl rhwng llinell a phlân yw'r ongl rhwng y llinell a'i thafluniad ar y plân hwn.

Enghreifftiau

a Mae'r diagram yn dangos pyramid sylfaen sgwâr ABCDE.

Uchder fertigol, AO, y pyramid yw 10 cm.

BC = CD = DE = EB = 4 cm.

Cyfrifwch yr ongl rhwng y plân ABC a sylfaen y pyramid.

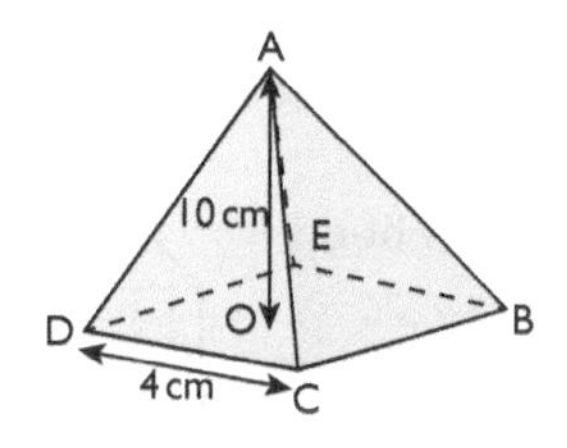

Ateb

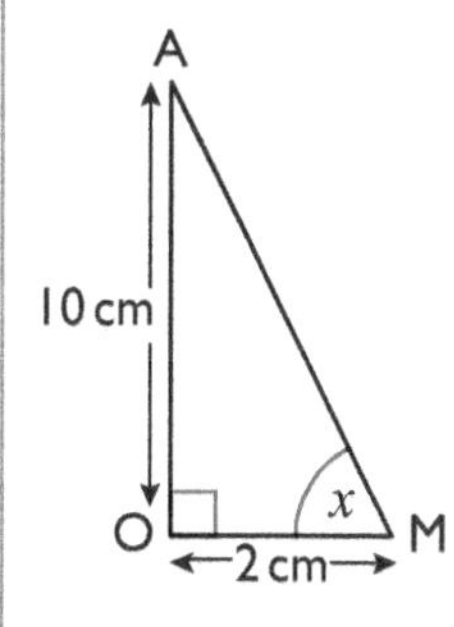

Yr ongl rhwng y plân ABC a'r sylfaen yw'r ongl rhwng AM ac MO, lle mai M yw canolbwynt BC. ❶❷

$\tan x° = \frac{10}{2}$

$x = 78.7°$

Cyngor

Gwneud llun bob amser o'r trionglau rydych chi'n eu defnyddio i ddatrys y broblem.

b Mae'r diagram yn dangos ciwboid, ABCDEFGH.

Cyfrifwch yr ongl DFH.

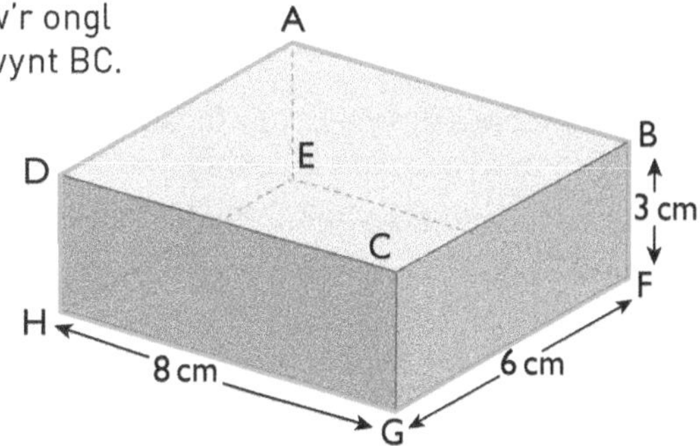

Ateb

$HF^2 = HG^2 + GF^2$ ❶

$HF^2 = 100$

$HF = 10\text{ cm}$

$\tan DFH = \frac{3}{10}$

$DFH = 16.7°$

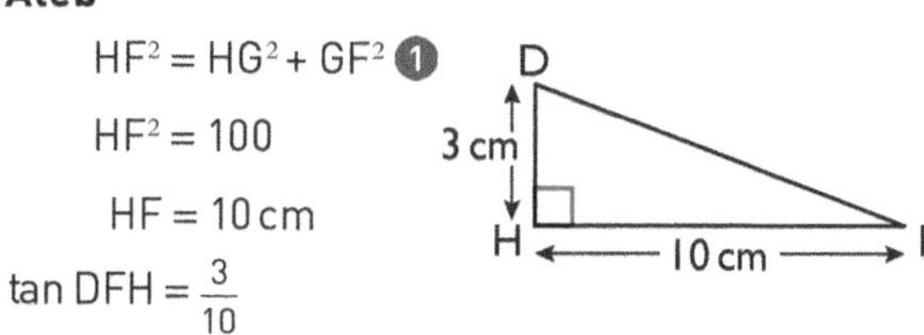

Gofal

Yn aml gyda'r math hwn o gwestiwn mae angen datrys y broblem mewn sawl cam. Gwnewch yn siŵr eich bod yn dangos pob cam a phob canlyniad rhyngol.

Cwestiynau dull arholiad

1 Tetrahedron rheolaidd yw ABCD. Hyd holl ymylon y tetrahedron yw 5 cm.
Cyfrifwch yr ongl rhwng y planau ABC a BCD. **[7]**

2 Mae'r diagram yn dangos ciwb sydd â'i ochrau'n 7 cm.
a Cyfrifwch yr ongl mae'r groeslin SU yn ei gwneud â sylfaen y ciwb. **[5]**
b Cyfrifwch yr ongl rhwng y plân PRX a sylfaen y ciwb. **[3]**

3 Mae'r ongl rhwng uchder goledd côn a'i sylfaen yn 75°.
Uchder goledd y côn yw 10.8 cm
Cyfrifwch radiws sylfaen y côn. **[3]**

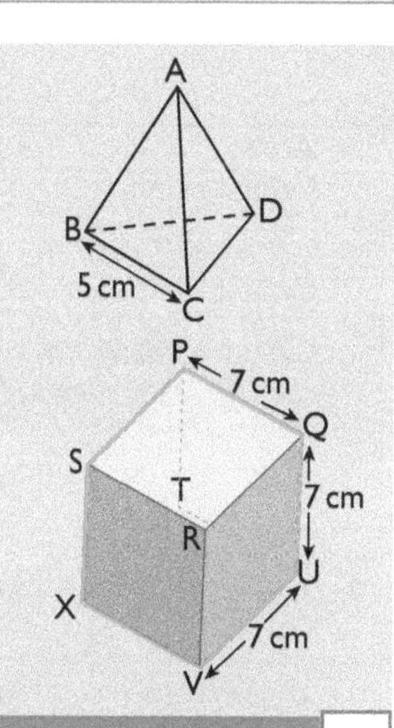

ATEBION WEDI'U GWIRIO

Cyfaint ac arwynebedd arwyneb ciwboidau a phrismau

WEDI'I ADOLYGU ☐

UCHEL

Rheolau

1. Cyfaint ciwboid = hyd × lled × uchder
2. Arwynebedd arwyneb ciwboid = 2 × (arwynebedd y sylfaen + arwynebedd un ochr + arwynebedd y blaen)
3. Cyfaint prism = arwynebedd trawstoriad × uchder (neu hyd)
4. Arwynebedd arwyneb prism = cyfanswm arwynebedd yr holl wynebau
5. Cyfaint silindr = $\pi r^2 u$
6. Arwynebedd arwyneb silindr = $2\pi r u + 2\pi r^2$

Enghreifftiau

a Cyfrifwch beth yw cyfaint ac arwynebedd arwyneb y ciwboid hwn.

6 cm, 4 cm, 8 cm

Ateb

Cyfaint = hyd × lled × uchder ❶

Cyfaint = $8 \times 4 \times 6$

Cyfaint = $192\,\text{cm}^3$

Arwynebedd arwyneb = 2 × (arwynebedd y sylfaen + arwynebedd un ochr + arwynebedd y blaen) ❷

Arwynebedd arwyneb = $2 \times ((8 \times 4) + (4 \times 6) + (8 \times 6))$

Arwynebedd arwyneb = $2 \times (32 + 24 + 48)$

Arwynebedd arwyneb = $208\,\text{cm}^2$

b Mae'r diagram yn dangos prism sydd â thrawstoriad hecsagonol. Arwynebedd y trawstoriad yw $36\,\text{cm}^2$. Cyfrifwch beth yw cyfaint y prism.

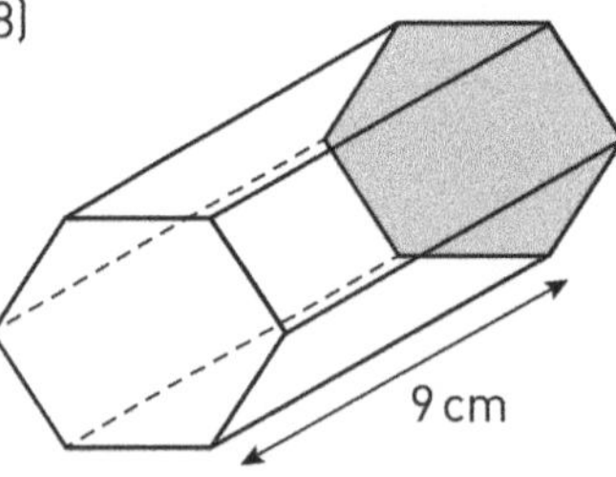

Ateb

Cyfaint prism = arwynebedd trawstoriad × hyd ❸

Cyfaint = $36 \times 9 = 324\,\text{cm}^3$

c Radiws silindr yw 4 mm a'i hyd yw 11 mm. Cyfrifwch beth yw cyfaint ac arwynebedd arwyneb y silindr.

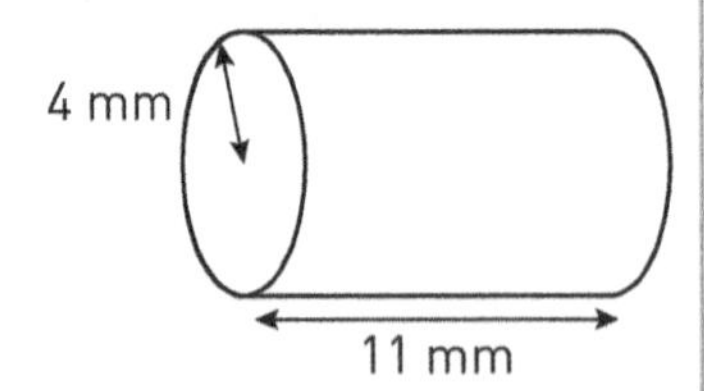

Ateb

Cyfaint silindr $= \pi r^2 u$ ❺

Cyfaint = $\pi \times 4 \times 4 \times 11$

Cyfaint = $552.9\,\text{mm}^3$ (1 lle degol)

Arwynebedd arwyneb silindr $= 2\pi r u + 2\pi r^2$ ❻

Arwynebedd arwyneb = $(2 \times \pi \times 4 \times 11) + (2 \times 50.26\ldots)$

Arwynebedd arwyneb = $274.6\ldots + 100.53$

Arwynebedd arwyneb = $377.0\,\text{mm}^2$ (1 lle degol)

Cyngor

Cofio cynnwys unedau yn eich atebion.

Termau allweddol

- Cyfaint
- Arwynebedd arwyneb
- Prism
- Trawstoriad
- Wynebau

Cofio

Trawstoriad prism yw'r siâp rydyn ni'n ei gael o dorri'r siâp ar ongl sgwâr i'w hyd.

Gofal

Wrth ddefnyddio cyfrifiannell i gyfrifo problemau, peidio â thalgrynnu eich atebion tan yr ateb terfynol.

Cwestiynau dull arholiad

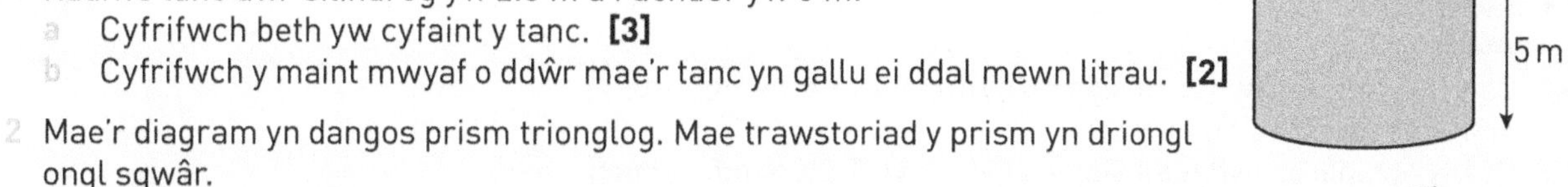

1 Radiws tanc dŵr silindrog yw 2.5 m a'i uchder yw 5 m.
   a Cyfrifwch beth yw cyfaint y tanc. **[3]**
   b Cyfrifwch y maint mwyaf o ddŵr mae'r tanc yn gallu ei ddal mewn litrau. **[2]**

2 Mae'r diagram yn dangos prism trionglog. Mae trawstoriad y prism yn driongl ongl sgwâr.
   a Cyfrifwch arwynebedd trawstoriad y prism. **[2]**
   b Cyfrifwch beth yw cyfaint y prism. **[1]**
   c Cyfrifwch arwynebedd arwyneb y prism. **[3]**

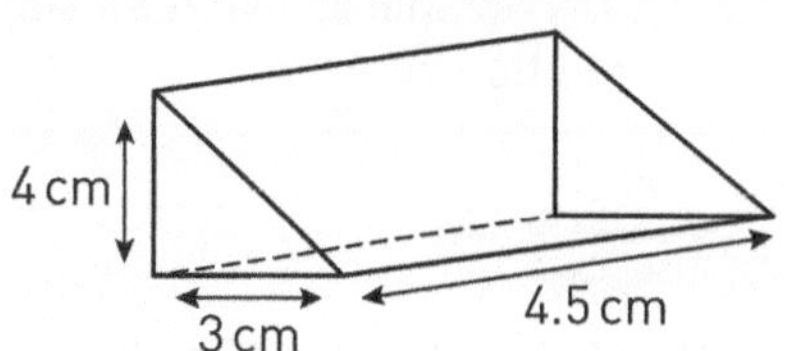

3 Mae gwneuthurwr yn gwneud ciwbiau stoc. Mae'r ciwbiau stoc yn cael eu gwneud mewn ciwbiau 2 cm. Mae hi eisiau gwerthu'r ciwbiau mewn blychau o 12 a byddan nhw'n cael eu pacio heb fylchau. Cyfrifwch beth yw dimensiynau yr holl flychau posibl y gallai'r gwneuthurwr ddewis o'u plith. **[3]**

ATEBION WEDI'U GWIRIO ☐

Helaethu mewn 2 a 3 dimensiwn

WEDI'I ADOLYGU

UCHEL

Rheolau

1. Os yw cymhareb hydoedd siapiau cyflun yn $1 : x$, cymhareb arwynebeddau'r siapiau yw $1 : x^2$.
2. Os yw cymhareb hydoedd siapiau cyflun yn $1 : x$, cymhareb eu cyfeintiau yw $1 : x^3$.

Enghreifftiau

a Mae'r triongl P yn helaethiad o'r triongl Q. Arwynebedd y triongl Q yw 3 cm^2. Cyfrifwch arwynebedd y triongl P.

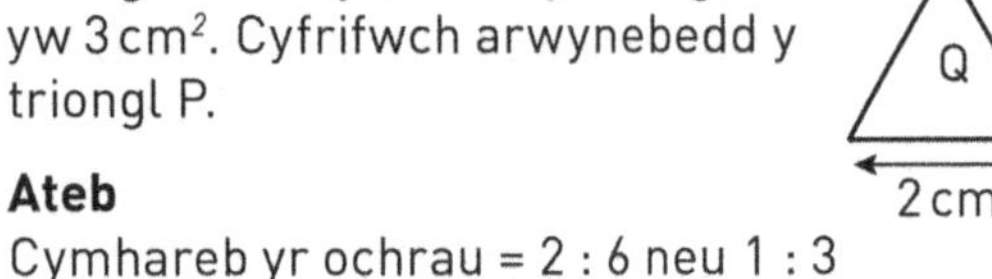

Ateb

Cymhareb yr ochrau = 2 : 6 neu 1 : 3

Cymhareb yr arwynebeddau = $1 : 3^2$ neu 1 : 9 ❶

Arwynebedd y triongl P = 9×3 cm^2

= 27 cm^2

b Mae'r diagram yn dangos dau giwboid. Cyfaint y ciwboid mwyaf yw 64 cm^3. Cyfrifwch beth yw cyfaint y ciwboid lleiaf.

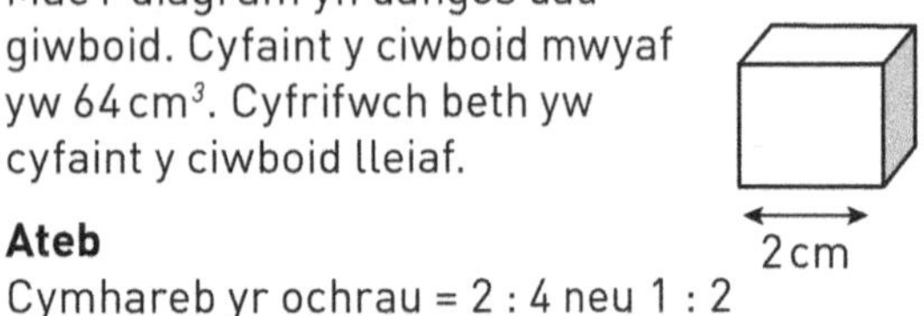

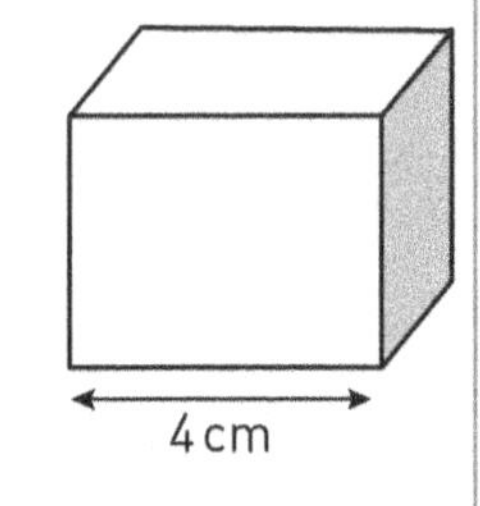

Ateb

Cymhareb yr ochrau = 2 : 4 neu 1 : 2

Cymhareb y cyfeintiau = $1 : 2^3$ neu 1 : 8 ❷

Cyfaint y ciwboid lleiaf = 64 cm^3 ÷ 8

= 8 cm^3

Cyngor

Lleihau cymarebau i'w ffurf symlaf bob amser wrth ateb y math hwn o gwestiwn.

Term allweddol

Cymhareb

Gofal

Gan ein bod yn darganfod cyfaint y siâp lleiaf, mae angen rhannu ag 8 i ddarganfod yr ateb.

Cwestiynau dull arholiad

1 Mae'r ddwy groes yn y diagram yn fathemategol gyflun. Arwynebedd y siâp lleiaf yw 90 cm^2.

a Cyfrifwch arwynebedd y siâp mwyaf. **[2]**

Trawstoriadau dau brism mathemategol gyflun yw'r croesau.

b Ysgrifennwch beth yw cymhareb eu cyfeintiau. **[1]**

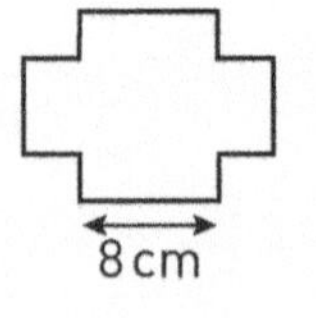

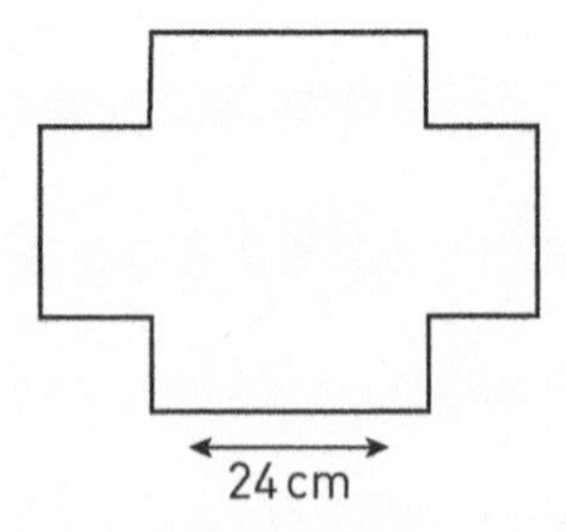

2 Mae gwneuthurwr yn gwneud ceir tegan metel mewn dau faint gwahanol. Mae'r car mawr yn helaethiad o'r car bach. Hyd y car bach yw 5 cm a hyd y car mawr yw 7.5 cm. Mae'n cymryd 16 cm^3 o fetel i wneud y car bach.

Cyfrifwch y cyfaint o fetel sy'n angenrheidiol i wneud y car mawr. **[3]**

3 Mae'r diagram yn dangos dau gôn. Mae côn B yn helaethiad o A. Radiws sylfaen côn A yw 2 cm. Mae arwynebedd sylfaen côn B 6 gwaith cymaint ag arwynebedd sylfaen côn A.

Cyfrifwch radiws sylfaen côn B. **[3]**

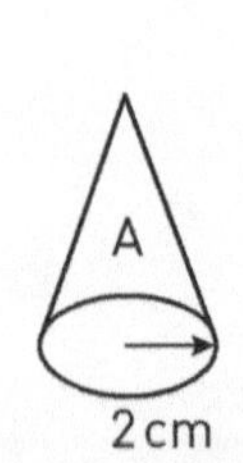

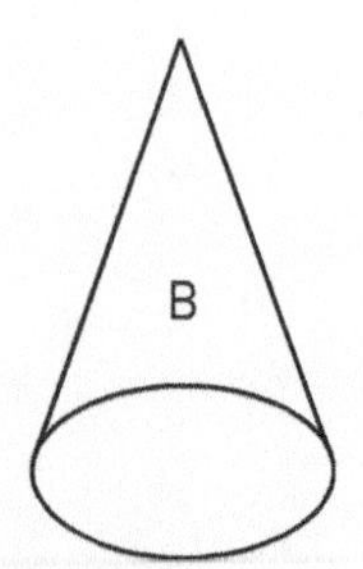

ATEBION WEDI'U GWIRIO

Llunio uwcholygon a golygon

WEDI'I ADOLYGU

UCHEL

Rheolau

1. Mae lluniadau isometrig yn cael eu defnyddio i gynrychioli gwrthrychau 3D yn fanwl gywir.
2. Mewn diagramau isometrig mae ymylon fertigol yn cael eu lluniadu'n fertigol, mae ymylon llorweddol yn cael eu lluniadu ar oledd.
3. Uwcholwg siâp 3D yw'r golwg oddi uchod.
4. Blaenolwg siâp 3D yw'r golwg o'r blaen, ochrolwg yw'r golwg o'r ochr.

Termau allweddol

Uwcholwg

Golwg

Isometrig

Enghreifftiau

a Gwnewch ddiagram isometrig ar sail y golygon a'r uwcholwg hyn. ❶ ❷

Blaenolwg Ochrolwg Uwcholwg

Ateb

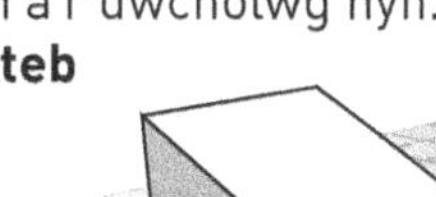
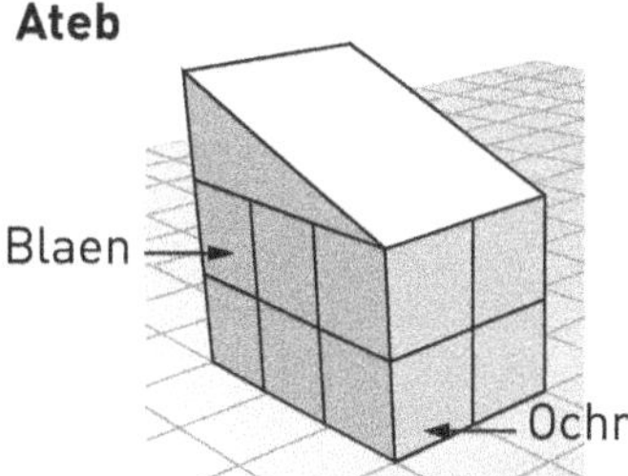

Gofal

Gwneud yn siŵr bod y papur isometrig yn wynebu'r ffordd iawn!

b Lluniadwch uwcholwg, blaenolwg ac ochrolwg y siâp 3D hwn. ❸ ❹

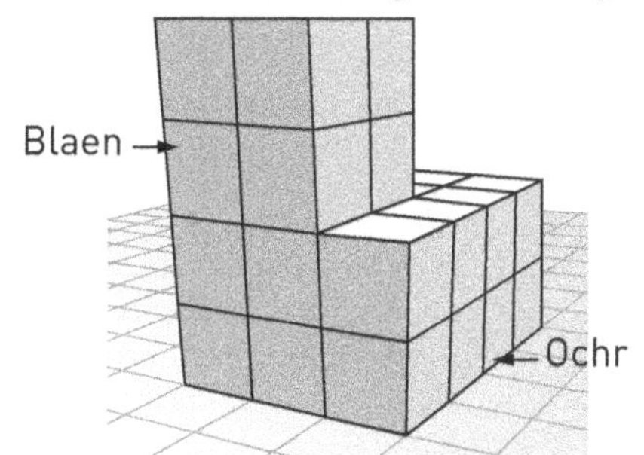

Ateb

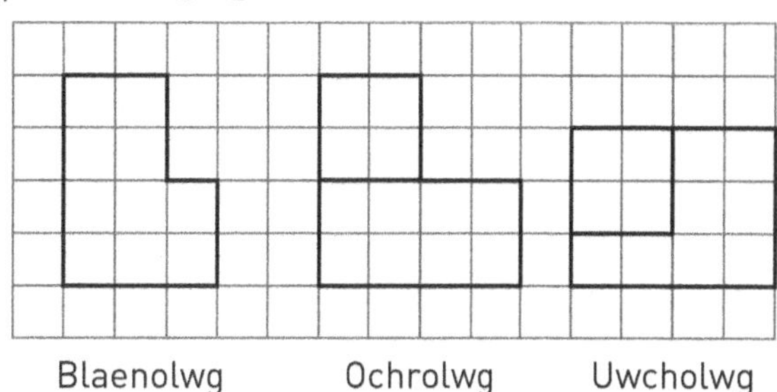

Cyngor

Dylech labelu blaen ac ochr lluniad 3D.

Dylech nodi'n glir pa ddiagram yw'r uwcholwg neu'r golwg.

Cwestiynau dull arholiad

1 Gwnewch ddiagram isometrig o'r siâp sydd â'r golygon a'r uwcholwg hyn. **[3]**

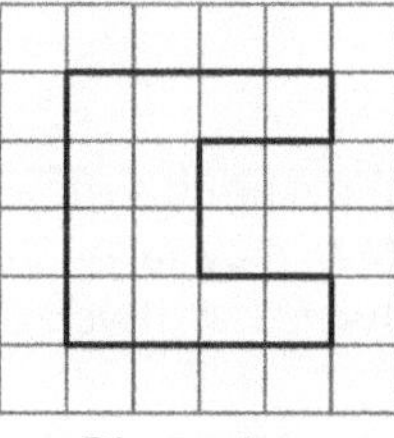
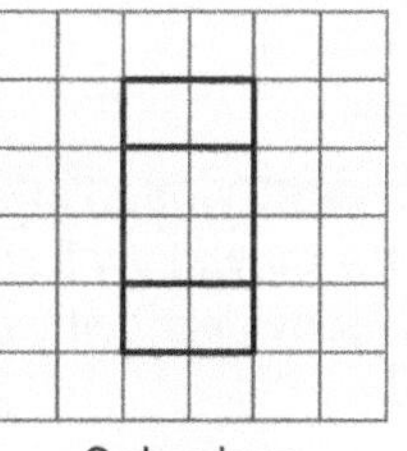
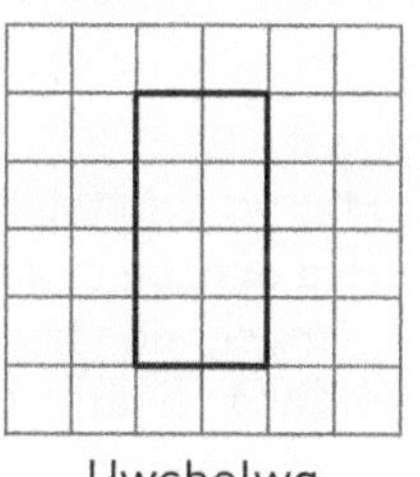
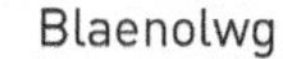

Blaenolwg Ochrolwg Uwcholwg

2 Lluniadwch uwcholwg, blaenolwg ac ochrolwg y canlynol:

a

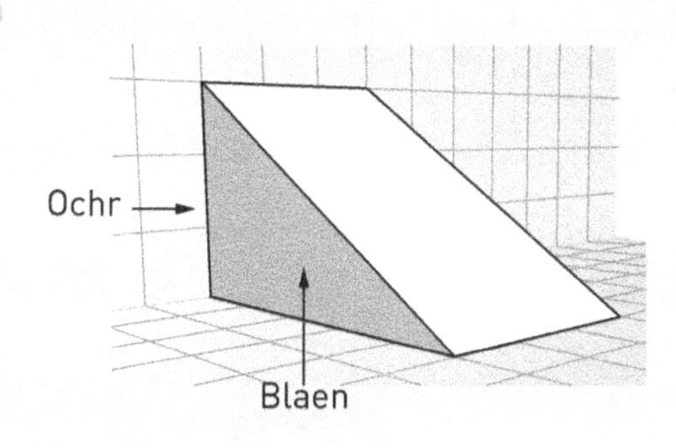

[3]

b

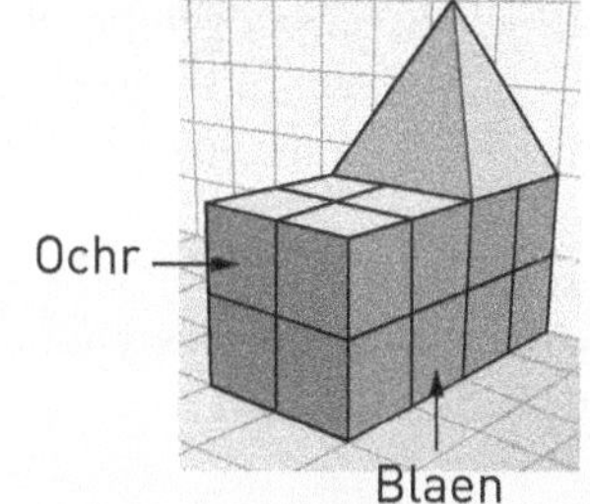

[3]

ATEBION WEDI'U GWIRIO

Arwynebedd arwyneb a chyfaint siapiau 3D

WEDI'I ADOLYGU

ISEL

Rheolau

1. Cyfaint pyramid = $\frac{1}{3}$ arwynebedd sylfaen × uchder
2. Cyfaint côn = $\frac{1}{3}\pi r^2 u$
3. Cyfaint silindr = $\pi r^2 u$
4. Arwynebedd arwyneb silindr = $2\pi ru + 2\pi r^2$
5. Cyfaint sffêr = $\frac{4}{3}\pi r^3$
6. Arwynebedd arwyneb sffêr = $4\pi r^2$

Termau allweddol

Arwynebedd arwyneb

Pyramid

Côn

Sffêr

Enghreifftiau

a Radiws côn yw 4 cm a'i uchder yw 9 cm. Cyfrifwch beth yw cyfaint y côn. Rhowch eich ateb yn nhermau π.

9 cm

4 cm

Ateb

Cyfaint côn = $\frac{1}{3}\pi r^2 u$ ❷

Cyfaint = $\frac{1}{3} \times \pi \times 4 \times 4 \times 9$

Cyfaint = $48\pi \text{cm}^3$

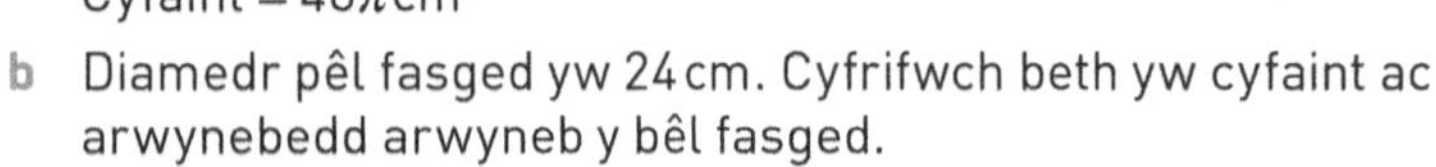

b Diamedr pêl fasged yw 24 cm. Cyfrifwch beth yw cyfaint ac arwynebedd arwyneb y bêl fasged.

Ateb

Cyfaint = $\frac{4}{3}\pi r^3$ ❺

Cyfaint = $\frac{4}{3}\pi \times 12 \times 12 \times 12$

Cyfaint = 7230 cm^3 (3 ffigur ystyrlon)

Arwynebedd arwyneb = $4\pi r^2$ ❻

Arwynebedd arwyneb = $4 \times \pi \times 12 \times 12$

Arwynebedd arwyneb = 1810 cm^2 (3 ffigur ystyrlon)

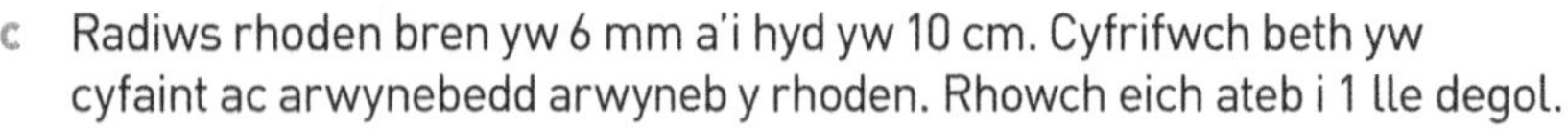

c Radiws rhoden bren yw 6 mm a'i hyd yw 10 cm. Cyfrifwch beth yw cyfaint ac arwynebedd arwyneb y rhoden. Rhowch eich ateb i 1 lle degol.

Ateb

Cyfaint silindr = $\pi r^2 u$ ❸

Cyfaint = $\pi \times 0.6 \times 0.6 \times 10$

Cyfaint = 11.3 cm^3 (1 lle degol)

Arwynebedd arwyneb silindr = $2\pi ru + 2\pi r^2$ ❹

Arwynebedd arwyneb = $2\pi \times 0.6 \times 10 + 2\pi \times 0.6 \times 0.6$

Arwynebedd arwyneb = 40.0 cm^2 (1 lle degol)

Gofal

Gwneud yn siŵr eich bod yn darllen y cwestiwn yn ofalus, e.e. yn y cwestiwn hwn rydych chi'n cael gwybod y diamedr ond mae'r fformiwla yn gofyn am y radiws.

Rhoi eich atebion i o leiaf 3 ffigur ystyrlon bob amser os nad yw'r cwestiwn yn nodi'r manwl gywirdeb sy'n ofynnol.

Weithiau mae'r unedau'n gymysg ac felly mae angen newid pob hyd i'r un unedau.

Cyngor

Mae myfyrwyr yn aml yn cael y math hwn o gwestiwn yn anghywir oherwydd dydyn nhw ddim yn newid y mesuriadau i'r un unedau.

Cwestiynau dull arholiad

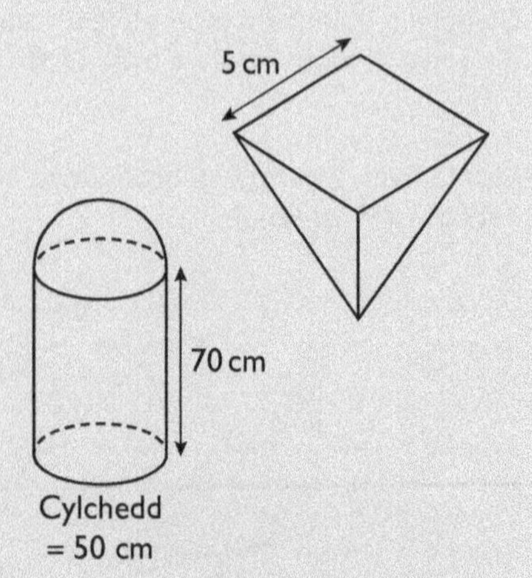

1. Mae mowld teisen wedi'i wneud ar siâp pyramid sylfaen sgwâr. Hyd ochrau sylfaen y mowld yw 5 cm. Mae'n cymryd 50 cm^3 o gymysgedd teisen i lenwi'r mowld yn llwyr. Cyfrifwch uchder y mowld teisen. **[4]**

2. Mae'r diagram yn dangos bolard. Mae'n cael ei ffurfio o silindr a hemisffer. Uchder y silindr yw 70 cm a'i gylchedd yw 50 cm.
   a. Mae'r bolard yn mynd i gael ei wneud o fetel. Cyfrifwch beth yw cyfaint cyfan y metel sy'n angenrheidiol i wneud y bolard. **[6]**
   b. Bydd holl arwynebau agored y bolard gorffenedig yn cael eu paentio'n lliw gwyn. Cyfrifwch yr arwynebedd arwyneb cyfan sy'n mynd i gael ei baentio. **[4]**

ATEBION WEDI'U GWIRIO

Arwynebedd a chyfaint mewn siapiau cyflun

WEDI'I ADOLYGU

CANOLIG

Rheolau

1. Yn gyffredinol cymhareb yr hydoedd mewn ffigurau cyflun yw $a : b$.
2. Yn gyffredinol cymhareb yr arwynebeddau mewn ffigurau cyflun yw $a^2 : b^2$.
3. Yn gyffredinol cymhareb y cyfeintiau neu'r masau mewn ffigurau cyflun yw $a^3 : b^3$.

Termau allweddol

Cymhareb

Cyflun

Màs

Enghreifftiau

a Mae dau gôn cyflun yn cael eu gwneud o gerdyn. Mae'n cymryd 125 cm² o gerdyn i wneud y côn mwyaf. Uchder y côn mwyaf yw 9 cm. Uchder y côn lleiaf yw 3 cm.

Cyfrifwch arwynebedd y cerdyn sy'n angenrheidiol i wneud y côn lleiaf.

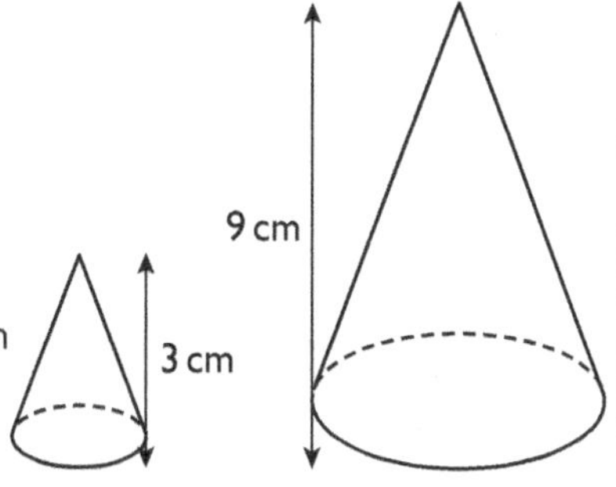

Ateb

1. Cymhareb uchder y conau yw 9 : 3 neu 3 : 1.
2. Cymhareb arwynebeddau arwyneb y conau yw $3^2 : 1^2$ neu 9 : 1.
   Maint y cerdyn sy'n angenrheidiol ar gyfer y côn lleiaf = 125 ÷ 9 = 13.9 cm²

b Mae dau dun crwn cyflun ar gyfer teisennau yn mynd i gael eu defnyddio i bobi dwy haen o deisen briodas. Radiws y tun lleiaf yw 8 cm a'i uchder yw 5 cm ac mae angen 800 g o gymysgedd teisen ar ei gyfer. Mae angen 1.6 kg o gymysgedd teisen ar gyfer y tun mwyaf. Cyfrifwch radiws ac uchder y tun mwyaf.

Ateb

Cymhareb masau'r teisennau yw 1 : 2.
Cymhareb hydoedd y tuniau teisen yw = $\sqrt[3]{1} : \sqrt[3]{2}$.
Radiws y tun mwyaf yw $8 \times \sqrt[3]{2} = 10.1$ cm. ❸
Uchder y tun mwyaf yw $5 \times \sqrt[3]{2} = 6.3$ cm (i'r cm agosaf). ❸

Cyngor

Mae llawer o fyfyrwyr yn cael y math hwn o gwestiwn yn anghywir oherwydd eu bod yn defnyddio'r ffactor graddfa anghywir neu oherwydd dydyn nhw ddim yn gwybod a ddylen nhw rannu â'r ffactor graddfa neu luosi ag ef.

Gofal

Defnyddio gwerthoedd ail a thrydydd israddau heb eu talgrynnu bob amser wrth gyfrifo datrysiadau i broblemau.

Cwestiynau dull arholiad

1. Mae gwneuthurwr celfi/dodrefn yn gwneud set o fyrddau coffi o ddau faint gwahanol sy'n fathemategol gyflun. Uchderau'r byrddau coffi yw 40 cm a 50 cm. Arwynebedd pen uchaf y bwrdd coffi mwyaf yw 2475 cm².

   Cyfrifwch arwynebedd pen uchaf y bwrdd lleiaf. **[3]**

2. Mae gwneuthurwr siocled yn gwneud cwningod siocled o ddau faint. Mae'r cwningod siocled yn fathemategol gyflun. Uchder y gwningen leiaf yw 11.3 cm a'i màs yw 100 g. Màs y gwningen fwyaf yw 500 g.

   Cyfrifwch uchder y gwningen siocled fwyaf. **[3]**

3. Mae gwneuthurwr yn gwneud tuniau ffa o ddau faint. Mae'r tuniau'n silindrog ac yn fathemategol gyflun. Mae'r tun lleiaf yn cynnwys 300 g, y diamedr yw 6 cm a'r uchder yw 8 cm. Mae'r tun mwyaf yn cynnwys 500 g.

   Mae gan y tuniau label sy'n mynd dros arwynebedd arwyneb crwm y tun.

   Cyfrifwch arwynebedd y label ar y tun mwyaf. **[5]**

ATEBION WEDI'U GWIRIO

Cwestiynau dull arholiad cymysg

1 Mae llong yn hwylio ar gyfeiriant o 030° am 11.8 km.

Cyfrifwch yn union pa mor bell i'r dwyrain mae'r llong o'i man cychwyn. **[3]**

2 Diamedr y Lleuad yw 3474 km. Diamedr y Ddaear yw 12 742 km.
Cyfrifwch beth yw cymhareb arwynebeddau arwyneb y Lleuad a'r Ddaear. Rhowch eich ateb ar y ffurf $1:x$. **[3]**

3 Mae gan brism trionglog drawstoriad sydd ar siâp triongl hafalochrog.
Mae ochrau'r triongl yn 9 cm. Hyd y prism yw 15 cm.

a Cyfrifwch arwynebedd y trawstoriad. **[4]**

b Cyfrifwch beth yw cyfaint y prism. **[2]**

Mae fersiwn llai o'r prism yn fathemategol gyflun â'r gwreiddiol.
Hyd y prism newydd yw 5 cm.

c Cyfrifwch arwynebedd trawstoriad y prism newydd. **[2]**

ch Cyfrifwch arwynebedd arwyneb y prism newydd. **[3]**

4 Mae Eleri yn sefyll 5 m i ffwrdd o waelod clogwyn.
Mae hi'n gweld pen uchaf y clogwyn ar ongl godiad o 20°.
Mae llygad Eleri 1.4 m uwchlaw'r ddaear.

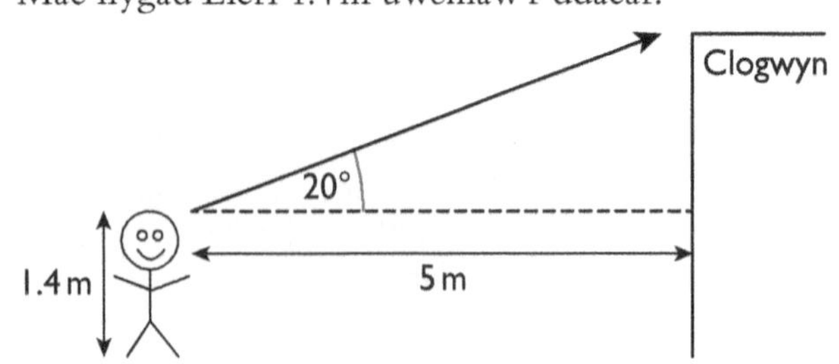

Cyfrifwch uchder y clogwyn. **[3]**

5 Mae gan byramid sylfaen sgwâr o 4 cm. Hyd ymylon goleddol y pyramid yw 6 cm.

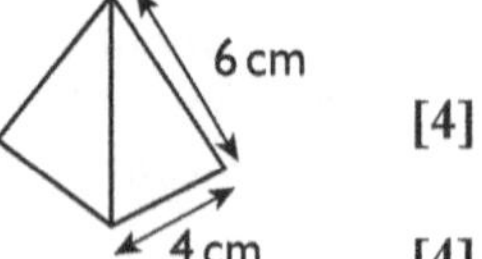

a Gan ddefnyddio dim ond pren mesur a chwmpas, gwnewch luniad manwl gywir o rwyd y pyramid. **[4]**

b Gan ddefnyddio mesuriadau wedi'u cymryd o'ch lluniad, cyfrifwch arwynebedd arwyneb y pyramid. **[4]**

6 Mae tanc dŵr wedi'i wneud ar siâp silindr.
Uchder y silindr yw 1.3 m a'i radiws yw 40 cm.
Mae'r tanc yn cael ei lenwi â dŵr ar y gyfradd 20 litr/munud.
Cyfrifwch yr amser mae'n ei gymryd i lenwi'r tanc dŵr yn llwyr. **[5]**

7 Mae lluniadau wrth raddfa o uwcholwg, blaenolwg ac ochrolwg sied ardd i'w gweld isod.

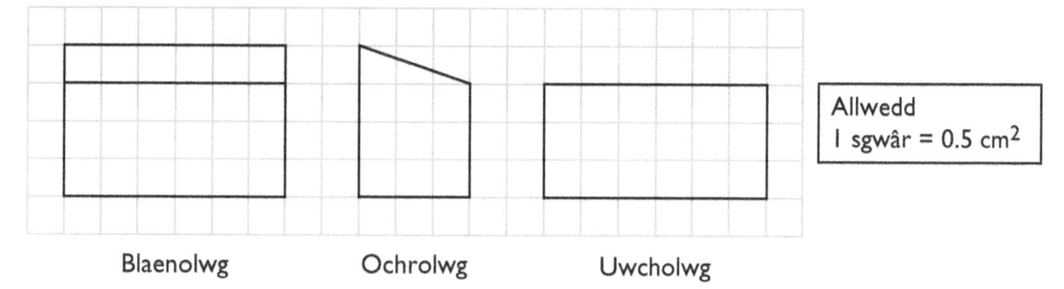

a Gwnewch luniad isometrig o'r sied. **[3]**

Cymhareb y lluniad wrth raddfa yw 1 : 200.

Mae to a phedair ochr y sied yn mynd i gael eu peintio â phaent gwrthdywydd.

Mae gwneuthurwr y paent yn dweud bydd 1 litr yn ddigon ar gyfer $12\,m^2$. Mae'r paent yn dod mewn tuniau 5 litr.

b Sawl tun o'r paent fydd yn angenrheidiol ar gyfer paentio'r sied? Rhowch reswm dros eich ateb. **[5]**

8 Disgrifiwch yn llawn y trawsffurfiad fydd yn mapio siâp A ar ben siâp B. **[2]**

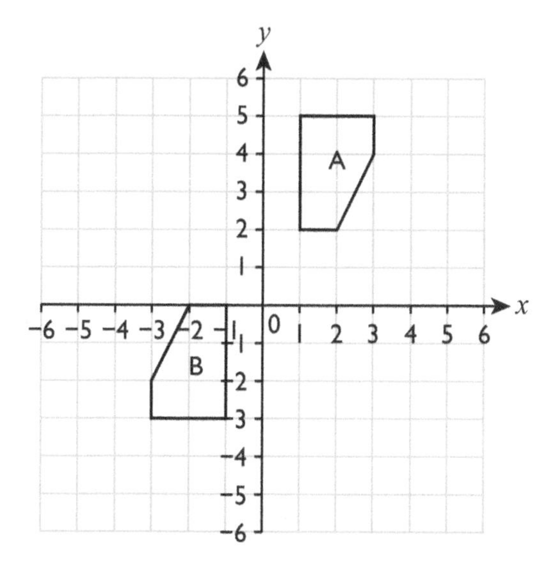

9 Mae'r diagram yn dangos y dyluniad ar gyfer tlws arian. Tangadau i'r cylch, canol O, yw AB ac AC. Radiws y cylch yw 9 mm. BAC = 30°.

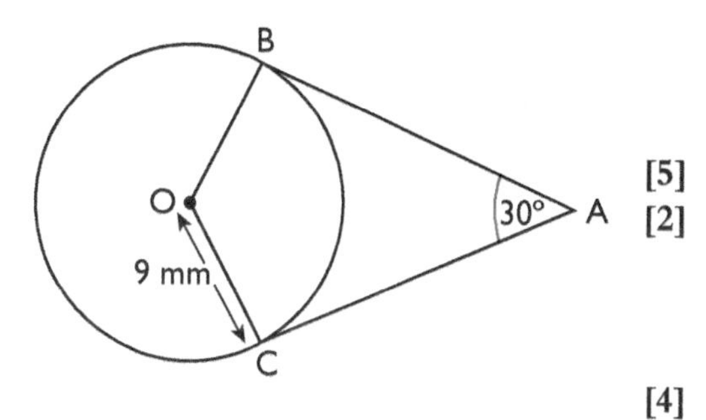

a Cyfrifwch arwynebedd y barcut ABOC. **[5]**

b Cyfrifwch arwynebedd sector mwyaf y cylch. **[2]**

Mae'r tlws yn mynd i gael ei wneud o arian a'r trwch fydd 3 mm.

Dwysedd arian yw $10.49\,g/cm^3$.

c Cyfrifwch beth yw màs y tlws i'r gram agosaf. **[4]**

Ystadegaeth a Thebygolrwydd: gwiriad cyn adolygu

Gwiriwch pa mor dda rydych chi'n gwybod pob testun drwy ateb y cwestiynau hyn. Os cewch chi gwestiwn yn anghywir, ewch i'r dudalen sydd â'i rhif mewn cromfachau i adolygu'r testun hwnnw.

1 Mae'r plotiau blwch yn rhoi gwybodaeth am bwysau'r pysgod, mewn kg, ym mhob un o ddau lyn.

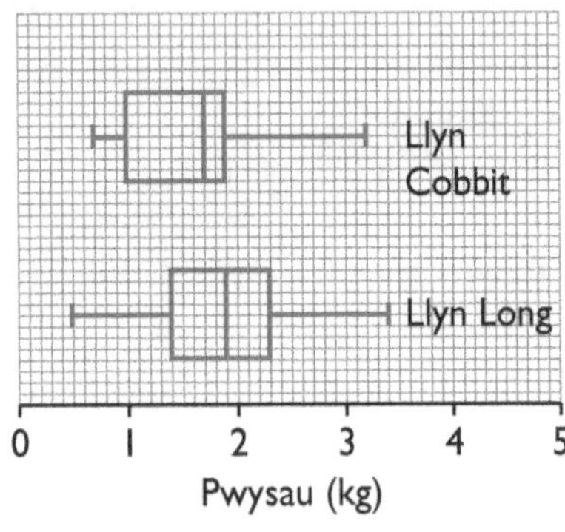

a Cyfrifwch amrediad rhyngchwartel pwysau'r pysgod yn Llyn Long.

b Cymharwch ddosraniadau pwysau'r pysgod yn y ddau lyn hyn. (tudalen 89)

2 Mae'r tabl yn rhoi gwybodaeth am oed a radiws boncyff pob un o wyth coeden.

Oed (blynyddoedd)	26	42	50	33	55	58	36	48
Radiws boncyff (cm)	14	30	42	22	44	52	22	34

a Lluniadwch ddiagram gwasgariad i ddangos y wybodaeth hon.

b Disgrifiwch a dehonglwch y cydberthyniad sydd i'w weld yn eich diagram gwasgariad.

Mae coeden arall yn 65 oed.

c **i** Darganfyddwch amcangyfrif ar gyfer radiws boncyff y goeden hon.

ii Pa mor ddibynadwy yw eich amcangyfrif? Esboniwch pam. (tudalen 91)

3 Mae'r tabl yn rhoi gwybodaeth am uchderau rhai mynyddoedd, mewn metrau.

Uchder (u metrau)	$1000 < u \leqslant 2000$	$2000 < u \leqslant 2500$	$2500 < u \leqslant 3250$	$3250 < u \leqslant 4500$
Amlder	12	8	15	5

Lluniadwch histogram i gynrychioli'r data hyn. (tudalen 93)

4 Mae pedwar cownter glas a dau gownter melyn mewn bag.
Mae Terri yn mynd i dynnu dau gownter ar hap o'r bag.
Cyfrifwch y tebygolrwydd bydd y ddau gownter â'r un lliw. (tudalen 100)

5 Mewn arolwg o 50 o bobl, dywedodd 35 o bobl eu bod yn hoffi llaeth hanner sgim, dywedodd 40 o bobl eu bod yn hoffi llaeth sgim a dywedodd 28 o bobl eu bod yn hoffi'r ddau.

a Lluniadwch ddiagram Venn i ddangos y wybodaeth hon.

b Mae un o'r bobl hyn yn cael ei ddewis ar hap. Cyfrifwch y tebygolrwydd nad yw'r person hwn yn hoffi llaeth hanner sgim na llaeth sgim. (tudalen 102)

6 Dyma rai cardiau. Mae llythyren ar bob cerdyn.

S	T	A	T	I	S	T	I	C	S

Mae Naomi yn cymryd dau o'r cardiau hyn ar hap. Cyfrifwch y tebygolrwydd y bydd hi'n cymryd dau T o wybod y bydd hi'n cymryd o leiaf un T. (tudalen 102)

Defnyddio tablau amlder grŵp

WEDI'I ADOLYGU

UCHEL

Rheolau

1. Y grŵp modd yw'r grŵp sydd â'r amlder uchaf.
2. Y canolrif yw'r gwerth canol pan fydd y data yn nhrefn maint. Y gwerth canol yw'r $\frac{n+1}{2}$fed gwerth.
3. I gyfrifo'r cymedr o dabl amlder grŵp mae angen ychwanegu colofn gwerth canol cyfwng, colofn $f \times x$, a rhes cyfanswm at y tabl.
4. Y cymedr amcangyfrifol yw swm yr holl werthoedd $f \times x$ wedi'i rannu â nifer y gwerthoedd.
   Cymedr $= \frac{\Sigma f \times x}{n}$

Enghraifft

Mae'r tabl yn rhoi gwybodaeth am daldra rhai plant.

Taldra (x cm)	Amlder (f)	Gwerth canol cyfwng	$f \times x$
$130 < x \leqslant 140$	10	135	$10 \times 135 = 1350$
$140 < x \leqslant 150$	16	145	$16 \times 145 = 2320$
$150 < x \leqslant 160$	17	155	$17 \times 155 = 2635$
$160 < x \leqslant 170$	7	165	$7 \times 165 = 1155$
Cyfanswm	50		7460

i Ysgrifennwch y grŵp modd.
ii Darganfyddwch y grŵp sy'n cynnwys y taldra canolrifol.
iii Cyfrifwch amcangyfrif ar gyfer y taldra cymedrig.

Ateb

i Y grŵp modd yw $150 < x \leqslant 160$ ❶. Y grŵp sydd â'r amlder uchaf (17) yw $150 < x \leqslant 160$, ac felly dyma'r grŵp modd.

ii Y grŵp sy'n cynnwys y taldra canolrifol yw $140 < x \leqslant 150$ ❷. Gwerth canol y data yw'r $\frac{50+1}{2}$fed = 25.5ed gwerth, h.y. hanner ffordd rhwng y 25ed a'r 26ed gwerth. Mae 10 gwerth yn y grŵp $130 < x \leqslant 140$ ac mae 16 gwerth yn y grŵp $140 < x \leqslant 150$, ac felly mae'r 25ed gwerth a'r 26ed gwerth i'w cael yn y grŵp $140 < x \leqslant 150$. Felly mae'r gwerth canolrifol yn y grŵp $140 < x \leqslant 150$.

iii Ychwanegu colofn gwerth canol cyfwng, colofn $f \times x$, a rhes cyfanswm at y tabl ❸.
Cymedr $= \frac{7460}{50} = 149.2$ cm ❹. Swm yr holl werthoedd $f \times x$ yw 7460, nifer y gwerthoedd yw 50, ac felly y cymedr amcangyfrifol yw $7460 \div 50 = 149.2$

Termau allweddol

Amlder

Gwerth canol cyfwng

Cyngor

Rhoi'r unedau gyda'ch ateb.

Cwestiynau dull arholiad

1 Mae'r tabl yn dangos gwybodaeth am yr amser, mewn eiliadau, gymerodd pob un o 70 o bobl i gwblhau problem resymeg.

Amser wedi'i gymryd (x eiliad)	Amlder (f)
$30 < x \leqslant 40$	5
$40 < x \leqslant 50$	8
$50 < x \leqslant 60$	12
$60 < x \leqslant 70$	28
$70 < x \leqslant 80$	17

Cyfrifwch amcangyfrif ar gyfer yr amser cymedrig wedi'i gymryd. **[4]**

2 Mae Jai wedi cofnodi pwysau rhai pecynnau, mewn kg. Mae'r canlyniadau wedi'u crynhoi yn y tabl.

Pwysau (p kg)	Amlder (f)
$1 < p \leqslant 1.5$	29
$1.5 < p \leqslant 2$	17
$2 < p \leqslant 2.5$	11
$2.5 < p \leqslant 3$	8

a Ysgrifennwch y grŵp modd. **[1]**
b Darganfyddwch y grŵp sy'n cynnwys y pwysau canolrifol. **[1]**
c Cyfrifwch amcangyfrif ar gyfer y pwysau cymedrig. **[4]**

ATEBION WEDI'U GWIRIO

Amrediad rhyngchwartel

WEDI'I ADOLYGU

CANOLIG

Rheolau

1. Ar gyfer data di-dor, chwartel isaf = $\frac{n}{4}$fed gwerth y data, canolrif = $\frac{n}{2}$fed gwerth, chwartel uchaf = $\frac{3n}{4}$fed gwerth y data.
2. Ar gyfer data arwahanol, chwartel isaf = $\frac{n+1}{4}$fed gwerth y data trefnedig, canolrif = $\frac{n+1}{2}$fed gwerth, chwartel uchaf = $\frac{3(n+1)}{4}$fed gwerth y data trefnedig.
3. Amrediad rhyngchwartel = chwartel uchaf − chwartel isaf.

Termau allweddol

Data di-dor

Data arwahanol

Enghraifft

Mae'r diagram amlder cronnus yn rhoi gwybodaeth am bwysau 48 sampl o graig lleuad.

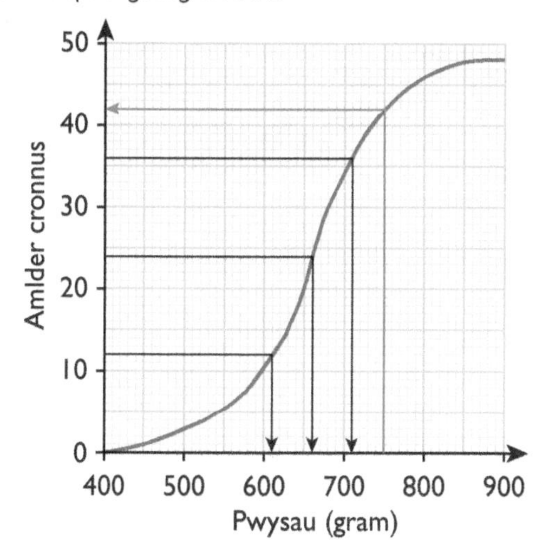

i Darganfyddwch amcangyfrif o'r pwysau canolrifol.

ii Darganfyddwch amcangyfrif o'r amrediad rhyngchwartel.

iii Cyfrifwch amcangyfrif ar gyfer y ganran o'r samplau hyn sydd â'u pwysau'n fwy na 750 gram.

Ateb

i Mae 48 sampl o graig lleuad. Mae'r pwysau yn ddata di-dor.

Felly y pwysau canolrifol yw'r $\frac{48}{2}$fed = 24ydd gwerth = 660 gram o'r diagram amlder cronnus. ❶

ii Y chwartel isaf = $\frac{48}{4}$fed = 12fed gwerth = 610 gram o'r diagram amlder cronnus. ❶

Y chwartel uchaf = $\frac{3 \times 48}{4}$fed = 36ed gwerth = 710 gram o'r diagram amlder cronnus. ❶

Felly yr amrediad rhyngchwartel = 710 − 610 = 100 gram. ❸

iii Mae 6 sampl o graig lleuad sydd â'u pwysau'n fwy na 750 gram, h.y. 48 − 42 = 6 o'r diagram amlder cronnus.

Felly y ganran o'r samplau sydd â'u pwysau'n fwy na 750 gram = $\frac{6}{48} \times 100 = 12.5\%$.

Cyngor

Dangos eich gwaith cyfrifo drwy dynnu llinellau priodol ar ddiagramau amlder cronnus.

Cwestiynau dull arholiad

Mae'r tabl yn rhoi gwybodaeth am y tymheredd cyfartalog yn Newcastle ar bob un o 40 diwrnod.

a Lluniadwch ddiagram amlder cronnus ar gyfer y wybodaeth hon. **[4]**

b Darganfyddwch amcangyfrif ar gyfer amrediad rhyngchwartel y tymereddau. **[2]**

Tymheredd cyfartalog (A °C)	$15 < A \leqslant 17$	$17 < A \leqslant 19$	$19 < A \leqslant 21$	$21 < A \leqslant 23$
Amlder	3	14	20	3

Mae'r plotiau blwch yn dangos gwybodaeth am yr amserau, mewn munudau, wedi'u cymryd ar gyfer pob un o 100 o deithiau ar y ffyrdd yn 1995 ac ar gyfer yr un teithiau ar y ffyrdd yn 2015.

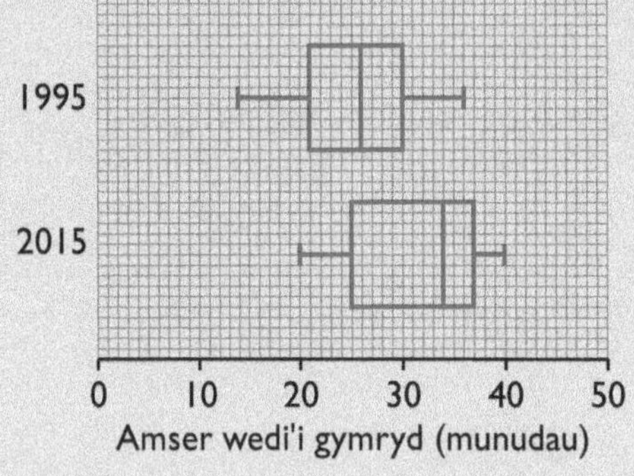

Cymharwch y dosraniadau hyn. **[2]**

ATEBION WEDI'U GWIRIO

Dangos data wedi'u grwpio

WEDI'I ADOLYGU

ISEL

Rheolau

1. Defnyddio grwpiau â lled hafal wrth luniadu diagram amlder.
2. Mae marciau rhifo yn cael eu defnyddio i gofnodi data yn y grwpiau priodol.
3. Cwblhau'r golofn amlder yn y tabl amlder grŵp drwy nodi cyfanswm y marciau rhifo.
4. Mae llinell ddanheddog (*jagged line*) yn cael ei defnyddio i ddangos nad yw'r raddfa ar echelin yn dechrau ar sero.

Enghraifft

Mae 24 myfyriwr yn cymryd rhan mewn cystadleuaeth naid uchel. Dyma'r uchder gorau, u metr, neidiodd pob myfyriwr.

1.1	1.4	1.3	1.3	1.6	1.1	1.5	1.3	1.1	1.4	1.2	1.5
1.5	1.3	1.6	1.2	1.3	1.8	1.7	1.3	1.7	1.5	1.9	1.3

i Dangoswch y wybodaeth mewn tabl amlder grŵp. Defnyddiwch y grwpiau $1 < u \leqslant 1.2$, $1.2 < u \leqslant 1.4$, ac yn y blaen.
ii Lluniadwch ddiagram amlder i ddangos y data.
iii Disgrifiwch siâp y dosraniad.

Ateb

i

Uchder (u metr)	Marciau rhifo	Amlder
$1 < u \leqslant 1.2$	~~IIII~~	5
$1.2 < u \leqslant 1.4$	~~IIII~~ IIII	9
$1.4 < u \leqslant 1.6$	~~IIII~~ I	6
$1.6 < u \leqslant 1.8$	III	3
$1.8 < u \leqslant 2$	I	1

Lluniadu tabl amlder grŵp ar gyfer y wybodaeth. Parhau patrwm y grwpiau. Mae lled pob grŵp yn hafal i 0.2 metr. 1

Defnyddio marciau rhifo i gwblhau'r tabl amlder grŵp. 2

Cwblhau'r golofn amlder yn y tabl amlder grŵp. 3

Lluniadu diagram amlder ar gyfer y wybodaeth yn eich tabl. Defnyddio llinell ddanheddog i ddangos nad yw'r raddfa ar yr echelin lorweddol yn dechrau ar sero. 4

ii

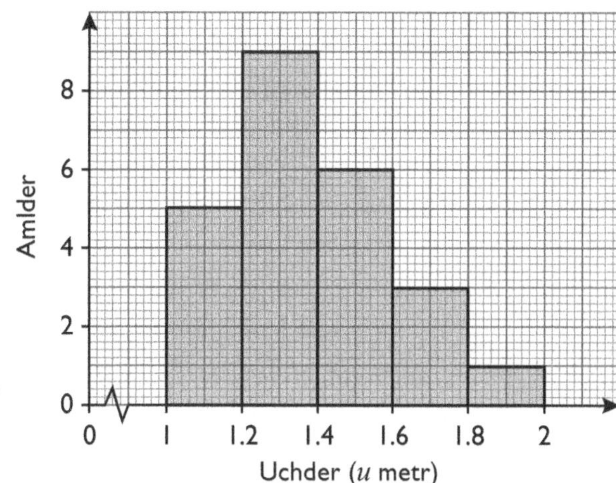

iii Y grŵp modd yw $1.2 < u \leqslant 1.4$. Dydy'r dosraniad ddim yn gymesur. Mae'r grŵp modd ar ochr chwith y dosraniad ac felly mae sgiw bositif ganddo.

Cyngor

Cofio bod, e.e. 1.2 yn cael ei gynnwys yn y grŵp $1 < u \leq 1.2$.

Gwirio eich bod wedi cynnwys yr holl ddata yn eich tabl amlder grŵp drwy adio'r holl amlderau. Dylai'r cyfanswm fod yn hafal i swm y data.

Termau allweddol

Data arwahanol

Data di-dor

Sgiw

Cwestiwn dull arholiad

Cofnododd Franz yr amser, t eiliad, wedi'i gymryd ar gyfer pob un o 25 galwad ffôn. Dyma'r canlyniadau.

20.6	5.7	20.1	11.2	25.8	13.7	26.8	27.9	14.6	24.3	21.7	25.2	18.1
16.9	24.6	22.8	21.9	19.6	26.7	23.7	18.4	17.0	28.4	29.5	22.3	

a Mae amser wedi'i gymryd yn enghraifft o ddata di-dor. Esboniwch pam. **[1]**

b Dangoswch y wybodaeth mewn tabl amlder grŵp. Defnyddiwch y grwpiau $5 < a \leq 10$, $10 < a \leq 15$, ac yn y blaen. **[3]**

c Lluniadwch ddiagram amlder i ddangos y data. **[3]**

ch Mae Franz yn dweud mai'r un grŵp yw'r grŵp sy'n cynnwys yr amser canolrifol wedi'i gymryd a'r grŵp modd. Ydy e'n gywir? Esboniwch pam. **[2]**

ATEBION WEDI'U GWIRIO

Histogramau

WEDI'I ADOLYGU

UCHEL

Rheolau

1. Dwysedd amlder = $\frac{\text{amlder}}{\text{lled dosbarth}}$.
2. Amlder = dwysedd amlder × lled dosbarth.

Termau allweddol

Dosbarth

Lled dosbarth

Enghreifftiau

Mae'r tabl anghyflawn (glas) a'r histogram (glas) yn rhoi rhywfaint o wybodaeth am y cynnwys haearn sydd gan sampl o greigiau.

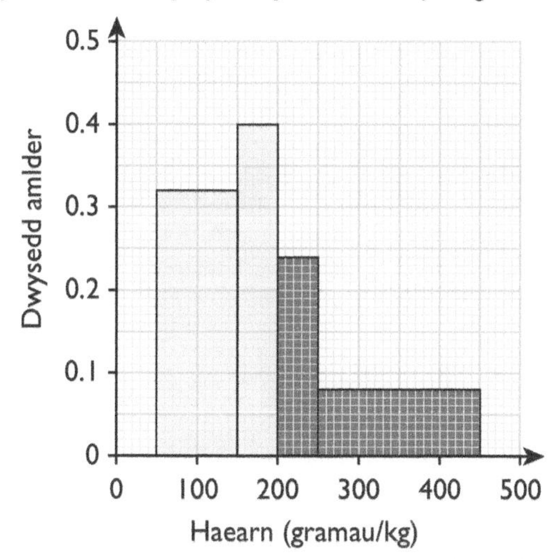

Haearn (x gramau/kg)	Amlder	Dwysedd amlder
$50 < x \leqslant 150$	32	0.32
$150 < x \leqslant 200$	20	0.4
$200 < x \leqslant 250$	12	0.24
$250 < x \leqslant 450$	16	0.08

i Defnyddiwch y tabl i gwblhau'r histogram.
ii Defnyddiwch yr histogram i gwblhau'r tabl.

Atebion

i Ar gyfer y dosbarth $200 < x \leqslant 250$, lled dosbarth = 250 − 200 = 50 ac amlder = 12 (o'r tabl).

Felly dwysedd amlder = $\frac{\text{amlder}}{\text{lled dosbarth}} = \frac{12}{50} = 0.24$. ❶

Ar gyfer y dosbarth $250 < x \leqslant 450$, lled dosbarth = 450 − 250 = 200 ac amlder = 16 (o'r tabl).

Felly dwysedd amlder = $\frac{\text{amlder}}{\text{lled dosbarth}} = \frac{16}{200} = 0.08$. ❶

Cwblhau'r histogram (wedi'i ddangos mewn lliw coch yn yr histogram uchod).

ii Ar gyfer y dosbarth $50 < x \leqslant 150$, lled dosbarth = 150 − 50 = 100 a dwysedd amlder = 0.32 (o'r histogram).

Felly amlder = dwysedd amlder × lled dosbarth = 0.32 × 100 = 32. ❷

Ar gyfer y dosbarth $150 < x \leqslant 200$, lled dosbarth = 200 − 150 = 50 a dwysedd amlder = 0.4 (o'r histogram).

Felly amlder = dwysedd amlder × lled dosbarth = 0.4 × 50 = 20. ❷

Cwblhau'r tabl (wedi'i ddangos mewn lliw glas yn y tabl uchod).

Cyngor

Ychwanegu colofn at y tabl amlder grŵp a chofnodi'r dwyseddau amlder.

Cwestiynau dull arholiad

Mae Jamie wedi cofnodi pwysau 100 torth o fara. Mae'r canlyniadau wedi'u crynhoi yn y tabl isod.

Pwysau (p gramau)	Amlder
$450 < p \leqslant 480$	15
$480 < p \leqslant 500$	25
$500 < p \leqslant 510$	24
$510 < p \leqslant 550$	36

Lluniadwch histogram i ddangos y wybodaeth hon. **[4]**

Mae'r histogram yn dangos gwybodaeth am uchderau rhai coed.

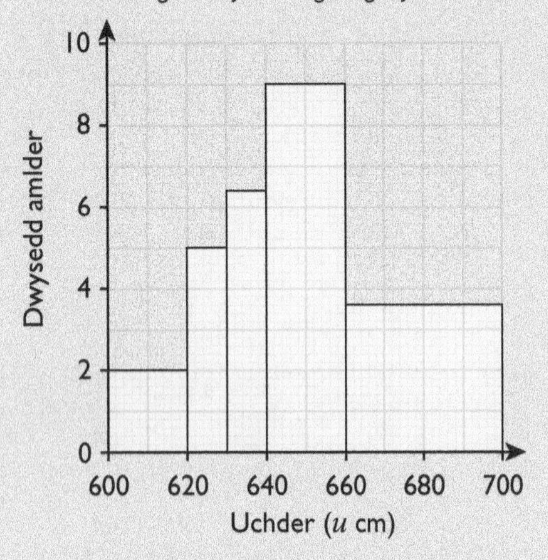

Cyfrifwch nifer y coed sydd ag uchder sy'n llai na 620 cm. **[2]**
Cyfrifwch amcangyfrif ar gyfer yr uchder canolrifol. **[4]**

ATEBION WEDI'U GWIRIO

Cwestiynau dull arholiad cymysg

1 Cofnododd John yr amserau, mewn munudau, gymerodd pob un o wyth myfyriwr i gwblhau pos jig-so â 250 o ddarnau a phos jig-so â 500 o ddarnau. Mae'r canlyniadau i'w gweld yn y tabl.

Jig-so â 250 o ddarnau (munudau)	35	41	70	71	62	74	45	51
Jig-so â 500 o ddarnau (munudau)	68	70	70	90	86	99	75	78

a Lluniadwch ddiagram gwasgariad ar gyfer y wybodaeth hon. [3]

b Efallai fod un o'r pwyntiau data yn allwerth. Pa bwynt data? Rhowch reswm dros eich ateb. [1]

c Disgrifiwch a dehonglwch y cydberthyniad. [2]

Myfyriwr arall yw Kyle. Mae'n cymryd 57 munud i wneud y jig-so â 250 o ddarnau.

ch i Darganfyddwch amcangyfrif ar gyfer faint o amser mae Kyle yn ei gymryd i wneud y jig-so â 500 o ddarnau.

ii Rhowch sylwadau am ba mor ddibynadwy yw eich amcangyfrif. [3]

2 Mae'r plot blwch yn dangos gwybodaeth am y milltiroedd wedi'u teithio gan rai ceir.

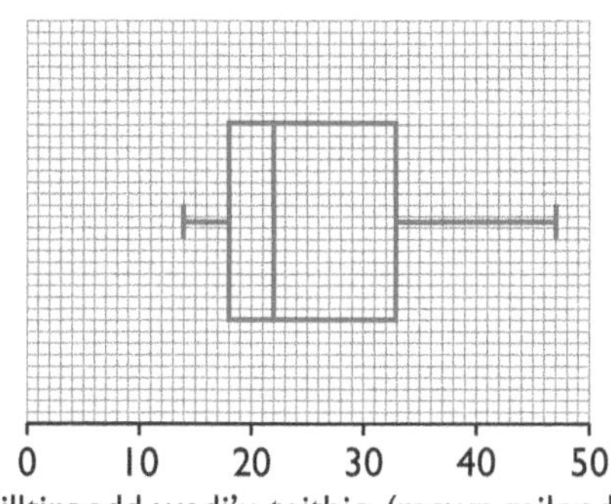

a Darganfyddwch y milltiroedd canolrifol. [1]

b Cyfrifwch yr amrediad rhyngchwartel. [2]

c Pa ganran o'r ceir hyn sydd â'u milltiroedd yn fwy na 33 000? [2]

3 Cofnododd Pym faint o amser, t eiliad, gallai pob un o 120 o ddawnswyr sefyll ar un goes. Mae'r histogram anghyflawn yn dangos rhywfaint o wybodaeth am y canlyniadau.
Cofnododd Pym 22 o ddawnswyr yn y dosbarth $0 < t \leq 100$.

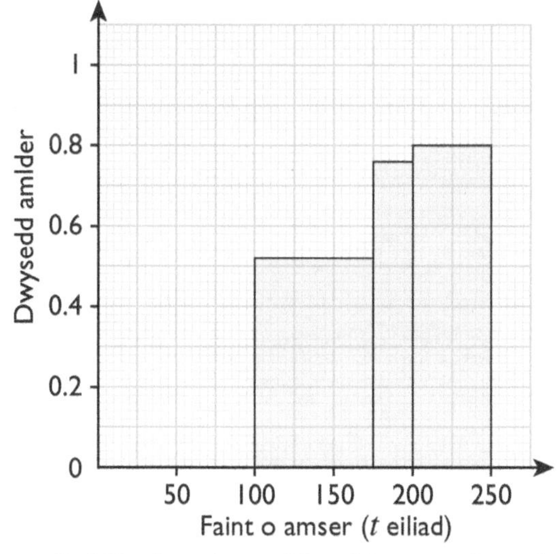

a Cyfrifwch y dwysedd amlder ar gyfer y dosbarth hwn. [2]

b Cyfrifwch amcangyfrif ar gyfer nifer y dawnswyr allai sefyll ar un goes am fwy na 2 funud. [3]

4 Mae'r tabl yn rhoi gwybodaeth am faint absoliwt dwysedd y goleuni sy'n dod o bob un o 46 seren yr Arth Fach.

Maint absoliwt (M)	$-4 < M \leqslant -1$	$-1 < M \leqslant 0$	$0 < M \leqslant 1$	$1 < M \leqslant 3$	$3 < M \leqslant 6$
Amlder	10	10	10	8	8

Lluniadwch histogram i ddangos y wybodaeth hon. **[4]**

5 Mae 40 o bobl wedi prynu ffrwythau mewn siop.
O'r rhain, mae 23 person wedi prynu afalau ac mae 18 person wedi prynu bananas.
Mae rhai pobl wedi prynu afalau a bananas ac mae 10 person sydd ddim wedi prynu'r naill na'r llall.
Mae un o'r bobl hyn yn cael ei ddewis ar hap.
O wybod bod y person hwn wedi prynu afalau, darganfyddwch y tebygolrwydd ei fod hefyd wedi prynu bananas. **[4]**

6 Mae blwch A yn cynnwys 3 botwm lliw gwyrdd a 2 fotwm lliw oren.
Mae blwch B yn cynnwys 2 fotwm lliw gwyrdd a 5 botwm lliw oren.
Mae blwch C yn cynnwys 4 botwm lliw gwyrdd a 7 botwm lliw oren.
Mae Hattie yn cymryd botwm ar hap o flwch A.
Os yw'r botwm yn lliw gwyrdd bydd hi'n cymryd botwm ar hap o flwch B.
Os yw'r botwm yn lliw oren bydd hi'n cymryd botwm ar hap o flwch C.
Darganfyddwch y tebygolrwydd bydd yr ail fotwm yn lliw gwyrdd o wybod ei bod hi'n cymryd dau fotwm o'r un lliw. **[6]**

Gweithio â thechnegau samplu haenedig a diffinio hapsampl

WEDI'I ADOLYGU

UCHEL

Rheolau

1. Mae hapsampl yn golygu bod gan bob eitem o ddata siawns hafal o gael ei dewis.
2. Mae sampl haenedig yn golygu y dylai'r sampl sy'n cael ei ddewis fod mewn cyfrannedd â'r data sydd wedi cael eu rhoi.
3. Yn achos sampl haenedig, cyfrifo ar gyfer pob categori bob amser, oherwydd efallai bydd angen edrych yn ôl ar eich gwaith cyfrifo. Peidio byth â gadael allan unrhyw waith cyfrifo.
4. Peidio byth â thalgrynnu hyd nes cam olaf y gwaith cyfrifo, ar ôl i bob categori gael ei gyfrifo.

Enghreifftiau

a Ydy dewis yr holl fyfyrwyr sydd â'u cyfenw yn dechrau â'r llythryen W i ateb holiadur yn ddull o ddefnyddio hapsampl? Rhowch reswm dros eich ateb.

Ateb

Nac ydy. Oherwydd nad oes gan bob myfyriwr siawns hafal o gael ei ddewis. Er enghraifft, os yw eich cyfenw yn dechrau ag H does gennych ddim siawns o gael eich dewis.

b Mae cynhadledd y bydd 50 o bobl yn mynd iddi yn mynd i fod yn sampl haenedig wedi'i ddewis o weithwyr sy'n gweithio mewn tair gwlad wahanol.

Gwlad	Nifer y gweithwyr
Yr Eidal	2340
Gwlad Pwyl	7725
Sweden	9230

Faint o weithwyr ddylai fynd yno o bob un o'r tair gwlad?

Ateb

Cyfanswm y gweithwyr $2340 + 7725 + 9230 = 19295$.

Cyfran o bob gwlad:

$\frac{\text{Y nifer o'r wlad honno}}{\text{Cyfanswm y gweithwyr}} \times$ nifer y bobl sy'n mynd yno

Rhoi atebion i ychydig o leoedd degol i ddechrau, yna talgrynnu nifer y bobl i rif cyfan yn ddiweddarach.

Yr Eidal $\frac{2340}{19295} \times 50 = 6.0637...$ Gwlad Pwyl $\frac{7725}{19295} \times 50 = 20.0181...$

Sweden $\frac{9230}{19295} \times 50 = 23.918...$

Ar ôl talgrynnu nifer y bobl i rif cyfan, rhaid gwirio mai'r cyfanswm yw'r 50 sy'n ofynnol.

$6 + 20 + 24 = 50$. Felly: 6 gweithiwr o'r Eidal, 20 o Wlad Pwyl a 24 o Sweden.

Termau allweddol

Hap

Dewis

Sampl

Haenedig

Cwestiynau dull arholiad

Yn y tabl mae poblogaeth tri phentref.
Mae cyngor yn mynd i gael ei ffurfio gyda chyfanswm o 16 aelod.
Bydd cynrychiolwyr yn dod o'r tri phentref. Mae dull samplu haenedig yn mynd i gael ei ddefnyddio. Faint o aelodau o bob un o'r tri phentref fydd ar y cyngor?

Pentref	Poblogaeth
Brewyn	3050
Dafddu	6735
Cae Ben	5634

ATEBION WEDI'U GWIRIO

Cyngor

Os na fydd eich cyfanswm wrth weithio â dull samplu haenedig yn adio i'r rhif rydych yn ei ddisgwyl, er enghraifft, efallai bydd 1 neu 2 yn ormod, ewch yn ôl i addasu eich penderfyniadau yn seiliedig ar ychydig o leoedd degol.

Cyfrifo'r cyfrifiadau fel cyfran bob amser, yna edrych yn ôl ar eich talgrynnu.

Y rheol luosi

WEDI'I ADOLYGU

ISEL

Rheolau

1. $P(A) + P(\text{ddim } A) = 1$
2. Ar gyfer digwyddiadau annibynnol, $P(A \text{ a } B) = P(A) \times P(B)$
3. Ar gyfer digwyddiadau cydanghynhwysol, $P(A \text{ neu } B) = P(A) + P(B)$

Enghraifft

Mae tri chreon lliw glas a dau greon lliw coch mewn blwch. Mae Tina yn tynnu dau greon ar hap o'r blwch.

i Lluniadwch ddiagram canghennog i ddangos y sefyllfa hon.

ii Cyfrifwch y tebygolrwydd y bydd y ddau greon â'r un lliw.

Ateb

i Lluniadwch y diagram canghennog.

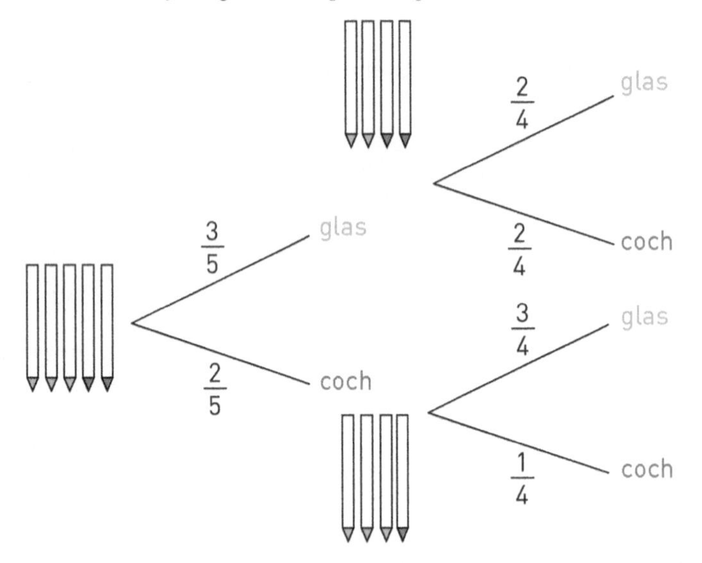

Tynnu'r creonau o'r blwch un ar y tro. Mae lliw'r creon cyntaf yn effeithio ar y creonau sydd ar ôl yn y blwch. Os yw'r creon cyntaf yn lliw glas bydd dau greon lliw glas a dau greon lliw coch ar ôl yn y blwch. Os yw'r creon cyntaf yn lliw coch, bydd tri chreon lliw glas ac un creon lliw coch ar ôl yn y blwch.

Rhaid i'r tebygolrwyddau ar bob pâr o ganghennau adio i 1, gan fod P(lliw glas) + P(ddim yn lliw glas, h.y. lliw coch) = 1 ❶

Termau allweddol

Digwyddiadau annibynnol

Digwyddiadau dibynnol

Digwyddiadau cydanghynhwysol

ii Er mwyn i'r ddau greon fod â'r un lliw, naill ai mae dau greon lliw glas yn cael eu tynnu o'r blwch neu mae dau greon lliw coch yn cael eu tynnu o'r blwch. Tebygolrwydd tynnu creon lliw glas yn gyntaf a chreon lliw glas yn ail yw:

P(lliw glas yn gyntaf a lliw glas yn ail) = P(lliw glas yn gyntaf) × P(lliw glas yn ail) $= \frac{3}{5} \times \frac{2}{4} = \frac{6}{20}$ ❷

Tebygolrwydd tynnu creon lliw coch yn gyntaf a chreon lliw coch yn ail yw:

P(lliw coch yn gyntaf a lliw coch yn ail) = P(lliw coch yn gyntaf) × P(lliw coch yn ail) $= \frac{2}{5} \times \frac{1}{4} = \frac{2}{20}$ ❷

Felly, tebygolrwydd tynnu dau greon lliw glas neu ddau greon lliw coch yw:

P(lliw glas yn gyntaf a lliw glas yn ail neu liw coch yn gyntaf a lliw coch yn ail) =

P(lliw glas yn gyntaf a lliw glas yn ail) + P(lliw coch yn gyntaf a lliw coch yn ail) $= \frac{6}{20} + \frac{2}{20} = \frac{8}{20} = \frac{2}{5}$ ❸

Cyngor

Lluosi'r tebygolrwyddau 'ar hyd' canghennau'r diagram canghennog.

Adio'r tebygolrwyddau 'i lawr' canghennau'r diagram canghennog.

Gadael y ffracsiynau heb eu symleiddio, gan gynnwys yr ateb terfynol.

Cwestiynau dull arholiad

1 Mae Taavi yn cael tocyn raffl ddydd Mercher a thocyn raffl ddydd Sadwrn. Y tebygolrwydd y bydd e'n ennill ddydd Mercher yw 0.1. Y tebygolrwydd y bydd e'n ennill ddydd Sadwrn yw 0.05.

a Lluniadwch ddiagram canghennog i ddangos y wybodaeth hon. **[3]**

b Cyfrifwch y tebygolrwydd y bydd e'n ennill ar y ddau ddiwrnod. **[2]**

c Cyfrifwch y tebygolrwydd na fydd e'n ennill ddydd Mercher ac yn ennill ddydd Sadwrn. **[2]**

2 Mae bag yn cynnwys 3 chownter lliw gwyrdd a 4 cownter lliw melyn. Mae blwch yn cynnwys un cownter lliw gwyrdd a 5 cownter lliw melyn. Mae Jim yn tynnu cownter ar hap o'r blwch. Os yw'r cownter yn lliw gwyrdd, mae Jim yn tynnu cownter ar hap o'r bag. Os yw'r cownter yn lliw melyn, mae Jim yn tynnu cownter arall o'r blwch. Darganfyddwch y tebygolrwydd y bydd lliw y cownter cyntaf yn wahanol i liw yr ail gownter. **[5]**

ATEBION WEDI'U GWIRIO ☐

Y rheol adio a nodiant diagram Venn

WEDI'I ADOLYGU

ISEL

Rheolau

❶ P(digwyddiad yn digwydd) = $\frac{\text{cyfanswm y canlyniadau llwyddiannus}}{\text{cyfanswm y canlyniadau posibl}}$

❷ Ar gyfer digwyddiadau cydanghynhwysol, P(A neu B) = P(A) + P(B)

❸ Ar gyfer digwyddiadau sydd ddim yn gydanghynhwsyol, P(A neu B) = P(A) + P(B) – P(A a B)

Enghreifftiau

a Mae blwch yn cynnwys 17 cownter, o'r rhain mae 6 chownter yn lliw du ac mae 3 chownter yn lliw gwyn. Mae'r diagram Venn yn dangos y wybodaeth hon. Mae rhywun yn tynnu cownter ar hap o'r blwch. Darganfyddwch y tebygolrwydd y bydd y cownter yn

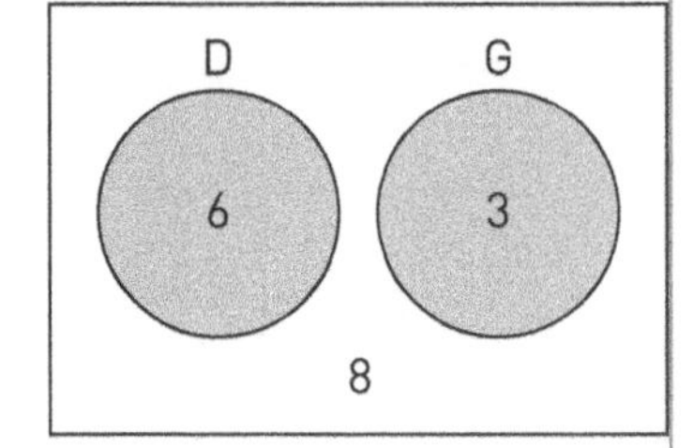

i lliw du
ii lliw gwyn
iii lliw du neu liw gwyn.

Atebion

a i P(D) = $\frac{\text{cyfanswm y canlyniadau llwyddiannus}}{\text{cyfanswm y canlyniadau posibl}} = \frac{6}{17}$ ❶

ii P(G) = $\frac{\text{cyfanswm y canlyniadau llwyddiannus}}{\text{cyfanswm y canlyniadau posibl}} = \frac{3}{17}$ ❶

iii Mae tynnu cownter lliw du a thynnu cownter lliw gwyn yn gydanghynhwysol, dydy'r ddau ddim yn gallu digwydd, felly P(D neu G) = P(D) + P(G); P(D neu G) $= \frac{6}{17} + \frac{3}{17} = \frac{9}{17}$ ❷

b Mewn arolwg gofynnodd rhywun i 29 myfyriwr oedden nhw'n hoffi seleri neu riwbob. Dywedodd 12 eu bod yn hoffi seleri, dywedodd 13 eu bod yn hoffi riwbob a dywedodd 11 nad oedden nhw'n hoffi seleri na riwbob. Mae'r diagram Venn yn dangos y wybodaeth hon. Mae un o'r myfyrwyr hyn yn cael ei ddewis ar hap. Darganfyddwch y tebygolrwydd bod y myfyriwr hwn yn hoffi

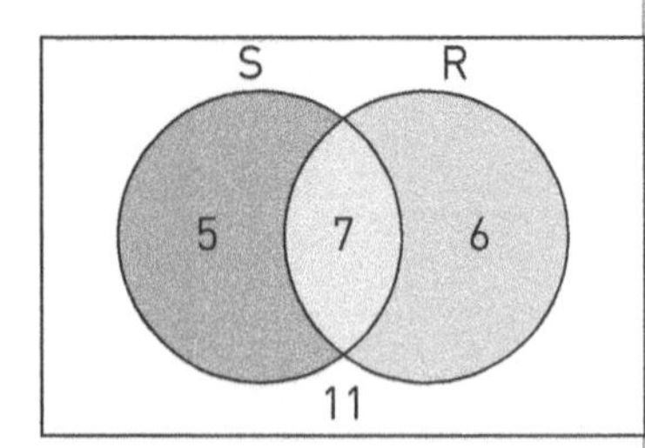

i seleri
ii riwbob
iii seleri a riwbob
iv seleri neu riwbob.

Atebion

b i P(S) = $\frac{\text{cyfanswm y canlyniadau llwyddiannus}}{\text{cyfanswm y canlyniadau posibl}} = \frac{12}{29}$ ❶

ii P(R) = $\frac{\text{cyfanswm y canlyniadau llwyddiannus}}{\text{cyfanswm y canlyniadau posibl}} = \frac{13}{29}$ ❶

iii Mae 7 myfyriwr yn hoffi seleri a riwbob.

Felly P(S ac R) = $\frac{\text{cyfanswm y canlyniadau llwyddiannus}}{\text{cyfanswm y canlyniadau posibl}} = \frac{7}{29}$ ❶

iv Dydy hoffi seleri a hoffi riwbob ddim yn gydanghynhwysol, mae 7 myfyriwr yn hoffi'r ddau, felly P(S neu R) = P(S) + P(R) – P(S ac R);

P(S neu R) = $\frac{12}{29} + \frac{13}{29} - \frac{7}{29} = \frac{18}{29}$

Termau allweddol

Digwyddiadau cydanghynhwysol

Digwyddiadau annibynnol

Cyngor

Ysgrifennu'r fformiwla briodol cyn ei defnyddio.

Lluniadu diagram Venn i ddangos yr holl wybodaeth.

c Tywyllwch y rhanbarthau canlynol yn y diagram Venn hwn.

i $A \cup B \cup C$

ii A'

iii $B \cap C$

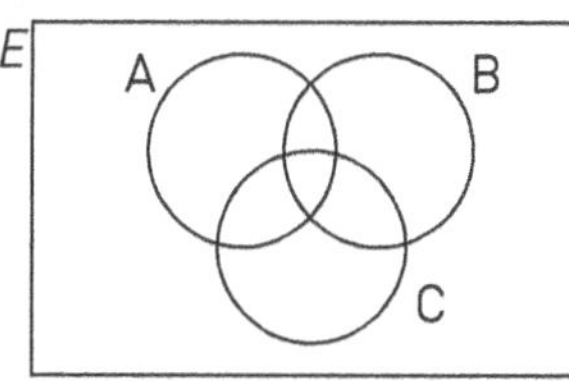

Ateb

i Mae $\cup$ yn golygu uniad, 'ynghyd â'.
Felly, A ynghyd â B ynghyd ag C.

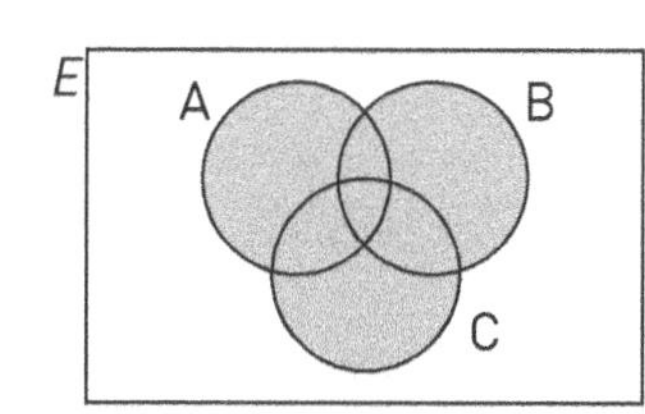

ii Mae A' yn golygu cyflenwad A.
Felly, pob rhanbarth ar wahân i A.

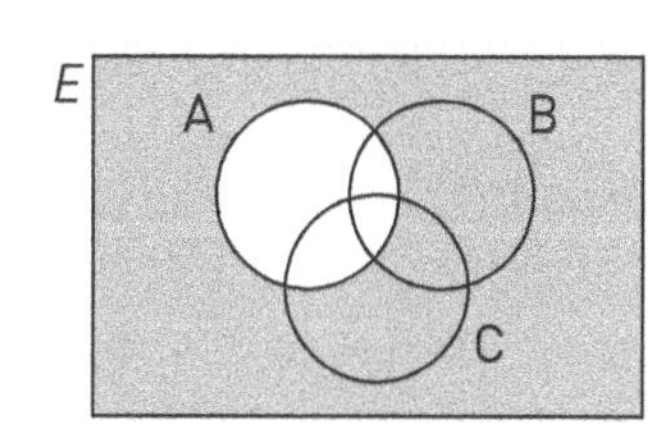

iii Mae $B \cap C$ yn golygu croestoriad ($\cap$) B ac C.

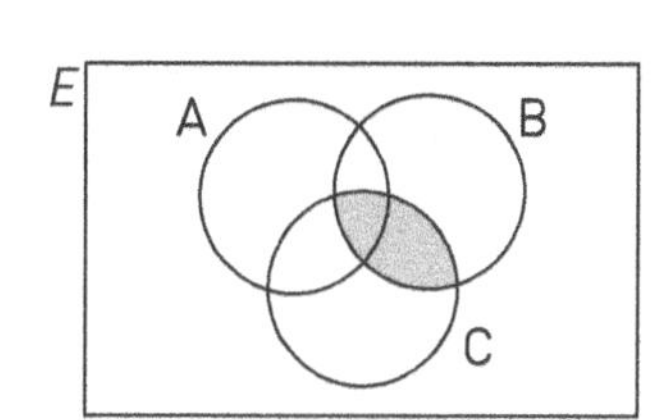

Cwestiynau dull arholiad

1 Mae'r diagram Venn yn dangos gwybodaeth am niferoedd a lliwiau gleiniau mewn bag.

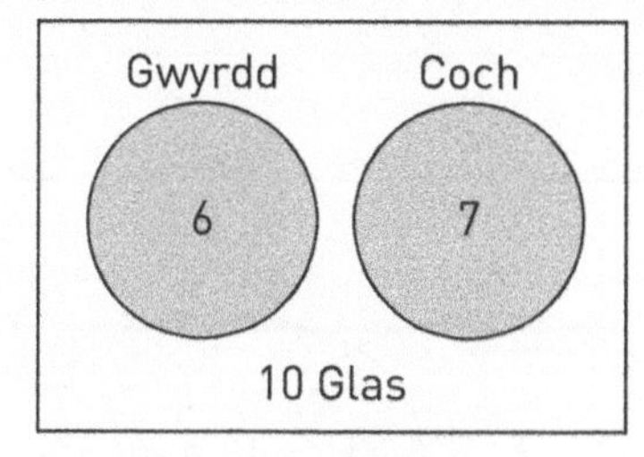

Mae rhywun yn tynnu un glain ar hap o'r bag. Darganfyddwch y tebygolrwydd y bydd y glain yn

a lliw gwyrdd

b lliw gwyrdd neu liw glas

c lliw gwyrdd a lliw coch. **[4]**

2 Mae 67 o bobl yn mynd i gyngerdd. Mae 35 o'r bobl hyn yn prynu rhaglen, mae 27 yn prynu hufen iâ a dydy 18 ddim yn prynu rhaglen na hufen iâ. Mae rhai pobl yn prynu'r ddau.

a Lluniadwch ddiagram Venn i ddangos y wybodaeth hon. **[3]**

b Mae un o'r bobl hyn yn cael ei ddewis ar hap. Darganfyddwch y tebygolrwydd bod y person hwn yn prynu

i rhaglen neu hufen iâ neu'r ddau

ii rhaglen neu hufen iâ. **[3]**

3 Mae A a B yn ddau ddigwyddiad annibynnol: $P(A) = 0.8$, $P(B) = 0.5$

a Darganfyddwch P(A a B). **[2]**

b Darganfyddwch P(A neu B). **[2]**

ATEBION WEDI'U GWIRIO

Tebygolrwydd amodol

WEDI'I ADOLYGU ☐

UCHEL

Rheolau

1. $P(\text{y digwyddiad yn digwydd}) = \dfrac{\text{cyfanswm y canlyniadau llwyddiannus}}{\text{cyfanswm y canlyniadau posibl}}$.
2. Ar gyfer digwyddiadau annibynnol, P(A a B) = P(A) × P(B).
3. P(A) = 1 − P(ddim yn A).
4. $P(\text{A o wybod B}) = \dfrac{P(\text{A a B})}{P(B)}$.

Termau allweddol

Digwyddiad annibynnol

Tebygolrwydd amodol

Gofod posibilrwydd

Enghreifftiau

Mae Yani yn rholio dau ddis teg. Cyfrifwch y tebygolrwydd ei bod hi'n rholio dau 6 o wybod bod o leiaf un o'r rhifau mae hi'n eu rholio yn 6.

Atebion

Dull 1

Rhestru'r canlyniadau perthnasol neu luniadu diagram gofod posibilrwydd yn dangos pob canlyniad posibl.

Mae 11 canlyniad posibl o wybod bod Yani yn rholio o leiaf un 6: (1, 6), (2, 6), (3, 6), (4, 6), (5, 6), (6, 6), (6, 5), (6, 4), (6, 3), (6, 2), (6,1).

O'r rhain, dim ond 1 sy'n ganlyniad llwyddiannus: (6, 6).

Felly $P(\text{dau }6) = \dfrac{\text{cyfanswm y canlyniadau llwyddiannus}}{\text{cyfanswm y canlyniadau posibl}} = \dfrac{1}{11}$. ❶

Dull 2 (yn ddefnyddiol mewn problemau mwy cymhleth)

Lluniadu diagram canghennog ar gyfer y wybodaeth.

$P(\text{dau }6) = \frac{1}{6} \times \frac{1}{6} = \frac{1}{36}$ ❷

P(o leiaf un 6) = 1 − P(dim 6) ❸

$= 1 - \frac{5}{6} \times \frac{5}{6} = 1 - \frac{25}{36}$

$= \frac{11}{36}$

Felly P(dau 6 o gael o leiaf un 6)

$= \dfrac{P(\text{dau 6 ac o leiaf un 6})}{P(\text{o leiaf un 6})} = \dfrac{\left(\frac{1}{36}\right)}{\left(\frac{11}{36}\right)} = \dfrac{1}{11}$ ❹

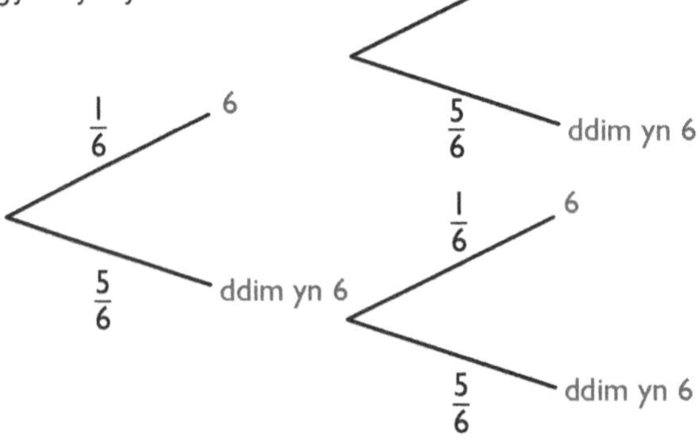

Cyngor

Dangos eich gwaith cyfrifo drwy ysgrifennu'r fformiwlâu rydych chi'n eu defnyddio.

Cwestiynau dull arholiad

Mae'r diagram Venn yn rhoi gwybodaeth am nifer y bobl sy'n gyrru (G) i'r gwaith neu sy'n beicio (B) i'r gwaith. Mae rhai sy'n gwneud y ddau a rhai sydd ddim yn gwneud y naill na'r llall. Mae un o'r bobl hyn yn cael ei ddewis ar hap.

Darganfyddwch y tebygolrwydd bod y person hwn:

yn beicio i'r gwaith

yn gyrru ac yn beicio i'r gwaith. **[2]**

Darganfyddwch y tebygolrwydd bod y person hwn yn gyrru i'r gwaith o wybod ei fod yn beicio i'r gwaith. **[2]**

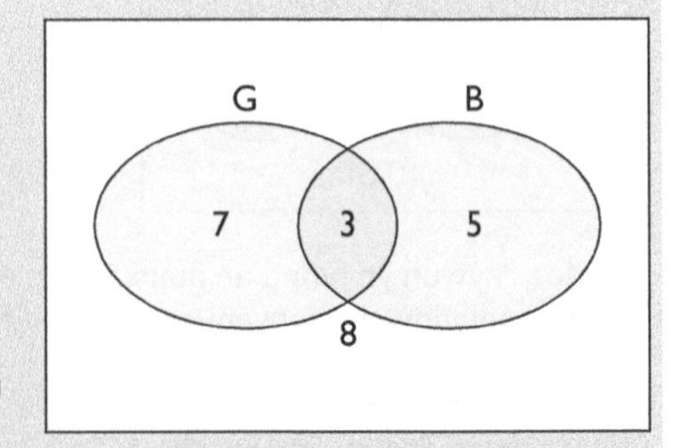

Mae Michael yn taflu tri darn arian. Darganfyddwch y tebygolrwydd bydd e'n cael dau Pen o wybod ei fod e'n cael o leiaf un Cynffon. **[4]**

Mae bag yn cynnwys 4 glain lliw coch a 7 glain lliw gwyrdd. Mae Kieran yn tynnu dau lain ar hap o'r bag. Darganfyddwch y tebygolrwydd bod y ddau lain yn lliw gwyrdd o wybod bod y ddau lain o'r un lliw. **[5]**

ATEBION WEDI'U GWIRIO ☐

Cwestiynau dull arholiad cymysg

1 Roedd cwmni yswiriant wedi derbyn cyfanswm o 3467 o hawliadau llynedd. O'r rhain roedd 2125 am ddifrod i'r cartref. Eleni mae'r cwmni yswiriant yn disgwyl derbyn cyfanswm o 5000 o hawliadau. Amcangyfrifwch nifer yr hawliadau am ddifrod i'r cartref eleni. **[2]**

2 Mae Cheri yn troi troellwr teg â 5 ochr, sydd â'r rhifau 1, 2, 3, 4 a 5 arno, ac mae'n rholio dis cyffredin. Beth yw'r tebygolrwydd bydd Cheri yn cael
a 3 ar y troellwr a 3 ar y dis **[2]**
b 3 ar y troellwr neu 3 ar y dis? **[2]**

3 Mae bag A yn cynnwys 3 chownter coch a 2 gownter gwyrdd. Mae bag B yn cynnwys 4 cownter coch a 5 cownter gwyrdd. Mae bag C yn cynnwys 1 cownter coch a 6 chownter gwyrdd. Mae Hamish yn mynd i dynnu cownter ar hap o'r bag A. Os bydd e'n tynnu cownter coch bydd e'n tynnu cownter ar hap o'r bag B. Os bydd e'n tynnu cownter gwyrdd bydd e'n tynnu cownter ar hap o'r bag C. Cyfrifwch y tebygolrwydd bydd y ddau gownter â'r un lliw. **[4]**

4 Mae Nima yn rholio 5 dis cyffredin. Cyfrifwch y tebygolrwydd bydd e'n cael tri 6 yn union. **[3]**

5 Roedd 24 o bobl wedi rhoi anrhegion ar Sul y Mamau. Roedd 7 person wedi rhoi blodau yn unig. Roedd 5 person wedi rhoi siocledi yn unig, roedd x person wedi rhoi blodau a hefyd siocledi, a doedd 9 person ddim wedi rhoi blodau na siocledi.
a Lluniadwch ddiagram Venn i ddangos y wybodaeth hon. **[3]**
b Cyfrifwch beth yw gwerth x. **[2]**
c Mae un o'r bobl hyn yn cael ei ddewis ar hap. Darganfyddwch y tebygolrwydd bod y person hwn wedi rhoi
i blodau a hefyd siocledi
ii blodau neu siocledi neu'r ddau. **[3]**

Yr iaith sy'n cael ei defnyddio mewn arholiadau mathemateg

- **Rhaid i chi ddangos eich gwaith cyfrifo...** byddwch chi'n colli marciau os na fyddwch yn dangos gwaith cyfrifo.
- **Amcangyfrifwch...** yn aml yn golygu talgrynnu rhifau i 1 ffigur ystyrlon.
- **Cyfrifwch...** mae angen rhywfaint o waith cyfrifo; felly dangoswch hynny!
- **Cyfrifwch/darganfyddwch...** mae angen gwaith cyfrifo ysgrifenedig neu yn y pen.
- **Ysgrifennwch...** fel arfer does dim angen gwaith cyfrifo ysgrifenedig.
- **Rhowch union werth...** dim talgrynnu na brasamcanu:
  - yn achos papur lle caniateir cyfrifiannell, ysgrifennwch bob rhif ar eich cyfrifiannell.
  - yn achos papur lle na chewch ddefnyddio cyfrifiannell, rhowch eich ateb yn nhermau π, ffracsiwn neu swrd.
- **Rhowch eich ateb i raddau priodol o fanwl cywirdeb...** os yw'r rhifau yn y cwestiwn wedi'u rhoi i 2 le degol, rhowch eich ateb i 2 le degol.
- **Rhowch eich ateb ar ei ffurf symlaf ...** fel arfer mae angen canslo ffracsiwn neu gymhareb.
- **Symleiddiwch...** casglwch dermau tebyg at ei gilydd mewn mynegiad algebraidd.
- **Datryswch...** fel arfer yn golygu darganfod gwerth x mewn hafaliad.
- **Ehangwch...** lluosi'r cromfachau.
- **Lluniwch, gan ddefnyddio pren mesur a chwmpas...** defnyddio'r pren mesur fel ymyl syth a rhaid defnyddio'r cwmpas i luniadu arcau. Rhaid i chi ddangos pob llinell lunio.
- **Mesurwch...** defnyddio pren mesur neu onglydd i fesur hydoedd neu onglau yn fanwl gywir.
- **Lluniadwch ddiagram manwl gywir...** defnyddio pren mesur ac onglydd – rhaid i hydoedd fod yn union gywir, rhaid i onglau fod yn fanwl gywir.
- **Gwnewch *y* yn destun y fformiwla...** ad-drefnu'r fformiwla i gael y ar ei phen ei hun ar un ochr, e.e. $y = \frac{2x-3}{4}$.
- **Brasluniwch...** does dim angen lluniad manwl gywir – bydd lluniad llawrydd yn cael ei dderbyn.
- **NID yw'r diagram wedi'i luniadu'n fanwl gywir...** peidiwch â mesur onglau nac ochrau – rhaid i chi eu cyfrifo os byddan nhw'n gofyn i chi amdanyn nhw.
- **Rhowch resymau dros eich ateb... NEU esboniwch pam...** mae angen esboniadau mewn geiriau gan gyfeirio at y theori gwnaethoch chi ei defnyddio.
- **Defnyddiwch eich/y graff...** darllenwch y gwerthoedd o'ch graff a defnyddiwch nhw.
- **Disgrifiwch yn llawn...** fel arfer trawsffurfiadau:
  - Trawsfudiad
  - Adlewyrchiad mewn llinell
  - Cylchdro drwy ongl o amgylch pwynt
  - Helaethiad yn ôl ffactor graddfa o amgylch pwynt
- **Rhowch reswm dros eich ateb...** fel arfer mewn cwestiynau onglau, mae angen rheswm ysgrifenedig, e.e. 'onglau mewn triongl yn adio i 180°' neu 'onglau cyfatebol'.
- **Rhaid i chi esbonio eich ateb...** mae angen esboniad mewn geiriau ynghyd â'r ateb.
- **Dangoswch sut gwnaethoch chi gael eich ateb...** dangoswch eich holl waith cyfrifo. Efallai bydd angen geiriau hefyd.
- **Disgrifiwch...** atebwch y cwestiwn gan ddefnyddio geiriau.
- **Ysgrifennwch unrhyw dybiaethau rydych chi'n eu gwneud...** disgrifiwch unrhyw bethau rydych chi wedi tybio eu bod yn gywir wrth roi eich ateb.
- **Dangoswch...** fel arfer mae gofyn i chi ddefnyddio algebra neu resymau i ddangos bod rhywbeth yn gywir.
- **Cwblhewch...** Cwblhewch dabl neu ddiagram.
- **Unedau...** Ysgrifennwch yr unedau sy'n mynd gyda'r cwestiwn e.e. m yr eiliad neu ms^{-1}

Techneg arholiad a fformiwlâu fydd yn cael eu rhoi

- Byddwch yn barod a gwybod beth i'w ddisgwyl.
- Peidiwch â dysgu pwyntiau allweddol yn unig.
- Gweithiwch drwy gyn-bapurau. Dechreuwch o'r cefn a gweithio tuag at y cwestiynau hawsaf. Bydd eich athro yn gallu eich helpu.
- Ymarfer yw'r peth allweddol, fyddwch chi ddim yn llwyddo heb hynny.
- Darllenwch y cwestiynau'n fanwl.
- Croeswch atebion allan os byddwch chi'n eu newid, rhowch **un** ateb yn unig.
- Tanlinellwch y ffeithiau allweddol yn y cwestiwn.
- Amcangyfrifwch yr ateb.
- Ydy'r ateb yn gywir/realistig?
- Gwnewch yn siŵr bod gennych yr offer iawn.
  - Cyfrifiannell
  - Pensiliau
  - Rwber
  - Offer sbâr
  - Beiros
  - Pren mesur, cwmpas, onglydd
  - Papur dargopïo
- Peidiwch byth â rhoi dau ateb gwahanol i gwestiwn.
- Peidiwch byth â rhoi dim ond un ateb os oes mwy nag 1 marc.
- Peidiwch â mesur diagramau pan nad yw'r diagram wedi'i luniadu'n fanwl gywir.
- Peidiwch byth â rhoi dim ond yr ateb wedi'i dalgrynnu; dylech chi bob amser ddangos yr ateb llawn yn y lle gwag ar gyfer cyfrifo.
- Darllenwch bob cwestiwn yn ofalus.
- Dangoswch gamau yn eich gwaith cyfrifo.
- Gwiriwch fod eich ateb yn cynnwys yr unedau.
- Gweithiwch yn gyson drwy'r papur.
- Gadewch gwestiynau na allwch chi eu gwneud ac yna ewch yn ôl atyn nhw os oes amser.
- Defnyddiwch farciau fel canllaw ar gyfer amser: 1 marc = 1 munud.
- Cyflwynwch atebion clir ar waelod y lle gwag priodol.
- Ewch yn ôl at gwestiynau dydych chi ddim wedi'u gwneud.
- Darllenwch y wybodaeth o dan y diagram – mae hon yn fanwl gywir.
- Defnyddiwch gofeiriau Saesneg a Chymraeg i helpu i gofio fformiwlâu bydd eu hangen arnoch, er enghraifft:
  - SOH sin = *cyferbyn/hypotenws*
  - CAH cos = *cyfagos/hypotenws*
  - TOA tan = *cyferbyn/cyfagos*
  - neu *'silly old hens cackle and hale, till old age'*.
  - Ar gyfer trefn gweithrediadau, CORLAT: Cromfachau, Orchmynion/pŵer O (indecsau), Rhannu, Lluosi, Adio, Tynnu
  - Trionglau fformiwla ar gyfer y berthynas rhwng tri pharamedr, e.e. buanedd, pellter ac amser

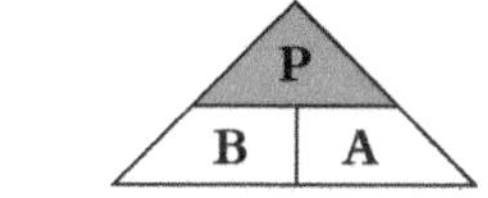

Pellter = Buanedd × Amser

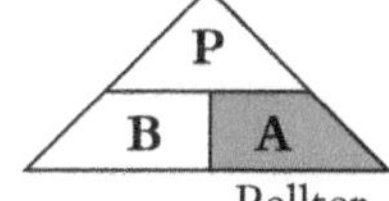

Amser = $\frac{\text{Pellter}}{\text{Buanedd}}$

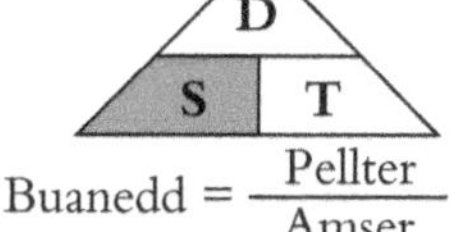

Buanedd = $\frac{\text{Pellter}}{\text{Amser}}$

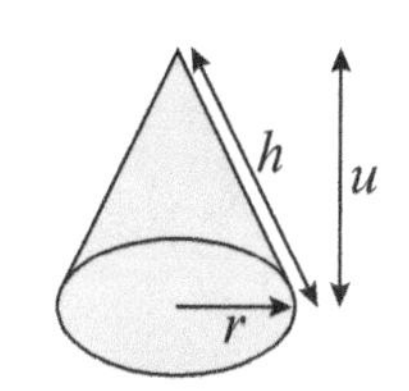

- Bydd y fformiwlâu canlynol yn cael eu rhoi i ddysgwyr o fewn y cwestiynau arholiad perthnasol. **Rhaid** i'r holl fformiwlâu a rheolau eraill gael eu dysgu.

  Lle mai r yw radiws y sffêr neu'r côn, h yw uchder goledd y côn ac u yw uchder perpendicwlar y côn:

  - Arwynebedd arwyneb crwm côn = πrl
  - Cyfaint côn= $\frac{1}{3}\pi^2 u$
  - Arwynebedd arwyneb sffêr = $4\pi r^2$
  - Cyfaint sffêr = $\frac{4}{3}\pi r^3$

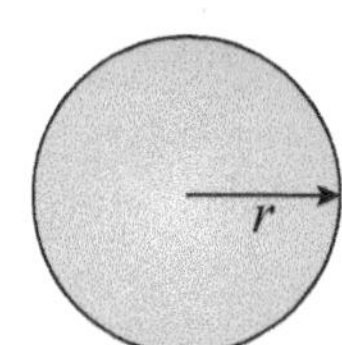

Meysydd cyffredin lle mae myfyrwyr yn gwneud camgymeriadau

Mae myfyrwyr yn aml yn gwneud gwallau mewn rhai testunau yn ystod arholiad. Dyma rai ohonyn nhw.

Rhif

	Cwestiwn	Gwaith cyfrifo	Ateb
Amcangyfrif	Amcangyfrifwch $\frac{76.15 \times 0.49}{19.04}$	Ysgrifennu pob rhif i un ffigur ystyrlon, fel bod: 76.15 yn dod yn 80 0.49 yn dod yn 0.5 19.04 yn dod yn 20 Cofio bod angen i faint yr amcangyfrif fod yn debyg i'r rhif gwreiddiol. Felly $80 \times 0.5 = 40$ a $40 \div 20 = 2$	2
	Cwestiwn	**Gwaith cyfrifo**	**Ateb**
Defnyddio cyfrifiannell	Cyfrifwch $\frac{76.15 + 5.62^2}{19.04}$	Mae angen naill ai rhoi'r cyfrifiad cyfan i mewn i'r cyfrifiannell gan ddefnyddio'r botwm ffracsiwn neu gyfrifo'r rhan uchaf yn gyntaf ac yna rhannu'r ateb â'r rhan isaf. $76.15 + 5.62^2 = 107.7344$ $107.73 \div 19.04 = 5.658319327$	5.658319327
Ffracsiynau	**Cwestiwn**	**Gwaith cyfrifo**	**Ateb**
Adio	$5\frac{2}{3} + 2\frac{1}{4}$	Delio â'r rhifau cyfan yn gyntaf $5 + 2 = 7$ yna delio â'r ffracsiynau drwy eu hysgrifennu fel ffracsiynau cywerth $\frac{2}{3} = \frac{4}{6} = \frac{6}{9} = \frac{8}{12}$ ac $\frac{1}{4} = \frac{2}{8} = \frac{3}{12}$ 12 yw Lluosrif Cyffredin Lleiaf 3 a 4, felly ysgrifennu'r ffracsiynau yn rhannau o 12. $\frac{8}{12} + \frac{3}{12} = \frac{8+3}{12} = \frac{11}{12}$	$7\frac{11}{12}$
Tynnu	$5\frac{2}{3} - 2\frac{1}{4}$	Defnyddio'r un dull ag adio ond tynnu, felly rydyn ni'n cael $5 - 2 = 3$ ac $\frac{8}{12} - \frac{3}{12} = \frac{8-3}{12} = \frac{5}{12}$	$3\frac{5}{12}$
Lluosi	$3\frac{2}{5} \times 2\frac{3}{4}$	Ysgrifennu'r ffracsiynau fel ffracsiynau pendrwm, yna lluosi'r rhannau uchaf â'i gilydd ac yna rhannau isaf y ffracsiynau. $\frac{17}{5} \times \frac{11}{8} = \frac{187}{40}$ yna canslo drwy rannu â 40.	$4\frac{27}{40}$
Rhannu	$3\frac{1}{2} \div 2\frac{2}{3}$	Ysgrifennu'r ffracsiynau fel ffracsiynau pendrwm, ysgrifennu'r ffracsiwn cyntaf ac yna troi'r ail ffracsiwn wyneb i waered a lluosi $\frac{7}{2} \div \frac{8}{3} = \frac{7}{2} \times \frac{3}{8} = \frac{21}{16}$ Yna ysgrifennu fel rhif cymysg.	$1\frac{5}{16}$

	Cwestiwn	Gwaith cyfrifo	Ateb
Darganfod canran gwrthdro	Darganfyddwch y pris gwreiddiol os yw'r pris yn y sêl yn £60 ar ôl gostyngiad o 20%.	80%o'r pris gwreiddiol yw £60 100% o'r pris gwreiddiol yw $60 \div 80 \times 100$	£75

	Cwestiwn	Gwaith cyfrifo	Ateb
Gweithio ag arffiniau	Darganfyddwch arffin uchaf y defnydd o betrol os yw rhywun yn gyrru 238 o filltiroedd i'r filltir agosaf, gan ddefnyddio 27.3 litr o betrol i'r ddegfed-rhan-o-litr agosaf.	Cael y gwerth mwyaf drwy: arffin uchaf y milltiroedd ÷ arffin isaf y petrol wedi'i ddefnyddio = $238.5 \div 27.25 =$	8.75 yn gywir i 3 ffigur ystyrlon

Algebra

Rheolau				
$n^a \times n^b = n^{a+b}$	$n^a \div n^b = n^{a-b}$	$(n^a)^b = n^{a \times b}$	$n^{\frac{1}{2}} = \sqrt{n}$	$n^{\frac{1}{3}} = \sqrt[3]{n}$
$n^{-a} = \frac{1}{n^a}$	$\sqrt{a \times b} = \sqrt{a} \times \sqrt{b}$	$\sqrt{\frac{a}{b}} = \frac{\sqrt{a}}{\sqrt{b}}$	$(a-b)(a+b) = a^2 + b^2$	

	Cwestiwn	Gwaith cyfrifo	Ateb
Deddfau indecsau	Symleiddiwch		
	a $7f^4 g^3 \times 2f^3 g$	$= 7 \times 2 \times f^{4+3} \times g^{3+1}$	$14f^7g^4$
	b $\frac{12t^5}{u^4} \times \frac{u^3}{3t^2}$	$= \frac{12}{3} t^{5-2} u^{3-4} = 4t^3 u^{-1}$	$\frac{4t^3}{u}$
	c $(y^2)^3$	$= y^{2 \times 3}$	y^6
	ch $(9x^2y^4)^{\frac{3}{2}}$	$= 9^{\frac{3}{2}} x^{2 \times \frac{3}{2}} y^{4 \times \frac{3}{2}} = 27x^3y^6$	$27x^3y^6$

	Cwestiwn	Gwaith cyfrifo	Ateb
Lluosi'r cromfachau	Ehangwch		
	a $7p - 4(p - q)$	$= 7p - 4 \times p - 4 \times -q = 7p - 4p + 4q$	$3p + 4q$
	b $(y + 3)(y - 4)$	$= y \times y + y \times - 4 + 3 \times y + 3 \times - 4$ $= y^2 - 4y + 3y - 12$	$y^2 - y - 12$
	c $(3a + 2b)(3a - 2b)$	$= 3a \times 3a + 3a \times -2b + 2b \times 3a + 2b \times - 2b = 9a^2 + 6ab - 6ab - 4b^2$	$9a^2 - 4b^2$

	Cwestiwn	Gwaith cyfrifo	Ateb
Ffactorio mynegiadau	Ffactoriwch yn llwyr		
	a $12e^2f - 9ef^2$	$= 3 \times 4 \times e \times e \times f - 3 \times 3 \times e \times f \times f$	$3ef(4e - 3f)$
	b $x^2 - 7x + 12$	$= x^2 - (3 + 4)x + -3 \times -4$	$(x - 3)(x - 4)$
	c $6x^2 - 11x + 3$	$= 2 \times 3x^2 - (5 + 6)x + -3 \times -1$	$(2x - 3)(3x - 1)$
	ch $25p^2 - 9t^2$	Y gwahaniaeth rhwng dau sgwâr ac felly =	$(5p + 3t)(5p - 3t)$

	Cwestiwn	Gwaith cyfrifo	Ateb
Datrys hafaliadau	Datryswch		
	a $3f + 4 = 5f - 3$	$4 + 3 = 5f - 3f$ felly $7 = 2f$ neu $2f = 7$	$f = 3.5$
	b $5(x + 2) = 3$	$5x + 10 = 3$ felly $5x = 3 - 10$ neu $5x = -7$	$x = -1.4$
	c $y^2 - 3y - 10 = 0$	$(y + 2)(y - 5) = 0$ felly $y + 2 = 0$ neu $y - 5 = 0$	$y = -2$ neu $y = 5$
	ch $2x + 3y = 7$	$2 \times (2x + 3y = 7) \quad = 4x + 6y = 14$	
	$3x - 2y = 17$	$3 \times (3x - 2y = 17) \quad = 9x - 6y = 51$	
		Mae adio'n dileu'r y ac felly $13x = 65$	
		Felly $x = 5$; mae amnewid yn $2x + 3y = 7$	
		yn rhoi $2 \times 5 + 3y = 7$ felly $y = -1$	$x = 5, y = -1$

	$n$fed term	Nodiadau	Y dilyniant yw
Dilyniant llinol	$a + (n - 1)d$	a yw'r term cyntaf a d yw'r gwahaniaeth rhwng pob term.	$a, a + d, a + 2d, \ldots$

	Cwestiwn	Gwaith cyfrifo	Ateb
Symleiddio ffracsiynau	Ysgrifennwch fel ffracsiwn sengl	Defnyddio cyfenwadur.	
	$3 + \frac{6x+15}{2x^2+7x+5}$	$\frac{3(2x^2 + 7x + 5)}{2x^2 + 7x + 5} + \frac{6x + 15}{2x^2 + 7x + 5}$	
		$\frac{6x^2 + 21x + 15 + 6x + 15}{2x^2 + 7x + 5}$	
		$\frac{6x^2 + 27x + 30}{2x^2 + 7x + 5}$ yna ffactorio i gael	
		$\frac{3(2x + 5)(x + 2)}{(2x + 5)(x + 1)}$ canslo'r $(2x + 5)$	$\frac{3(x+2)}{x+1}$

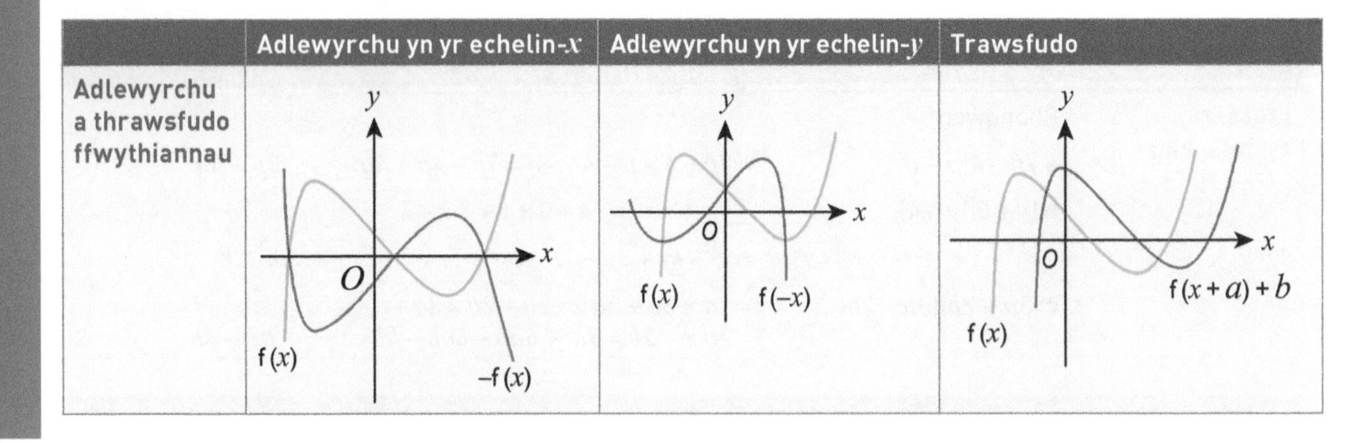

Geometreg a Mesurau

Rheolau

Perimedr siâp yw'r pellter o gwmpas ei ymyl. Rydyn ni'n **adio** hydoedd pob ochr at ei gilydd.

Arwynebedd siâp yw faint o arwyneb gwastad sydd ganddo. Rydyn ni'n **lluosi** dau hyd.

Cyfaint siâp yw faint o le sydd ganddo. Rydyn ni'n **lluosi** tri hyd.

Mae onglau eiledol ar siâp y llythyren **Z**.

Mae onglau cyfatebol ar siâp y llythyren **F**.

Mae onglau mewnol neu onglau atodol ar siâp y llythyren **C**.

	Cwestiwn	Gwaith cyfrifo	Ateb
Perimedr siâp	Darganfyddwch beth yw cylchedd cylch sydd â'i ddiamedr yn 5 cm.	$C = \pi D$ $C = \pi \times 5$ Rydyn ni wedi defnyddio un hyd.	5π cm neu 15.7 cm

	Cwestiwn	Gwaith cyfrifo	Ateb
Arwynebedd siâp	Darganfyddwch arwynebedd cylch sydd â'i radiws yn 5 cm.	$A = \pi r^2$ $A = \pi \times 5^2$ neu $\pi \times 5 \times 5$ Rydyn ni wedi lluosi 2 hyd.	25π cm^2 neu 78.5 cm^2

	Cwestiwn	Gwaith cyfrifo	Ateb
Cyfaint solid	Darganfyddwch beth yw cyfaint y siâp hwn sydd â'i radiws yn 5 cm a'i uchder yn 12 cm.	Ar gyfer y silindr hwn mae angen defnyddio'r fformiwla Cyfaint $= \pi \times r^2 \times u$ Felly y cyfaint yw $\pi \times 5 \times 5 \times 12 = 300\pi$ Rydyn ni wedi lluosi tri hyd.	300π cm^3

	Cwestiwn	Gwaith cyfrifo ac ateb
Onglau rhwng llinellau paralel	Darganfyddwch yr onglau coll yn y diagram hwn. Rhowch resymau dros eich ateb. 50° a b c	$a = 50°$ (Onglau eiledol yn hafal) $b = 130°$ (Onglau mewnol neu atodol yn adio i 180°) $c = 50°$ (Onglau cyfatebol yn hafal)

	Cwestiwn	Gwaith cyfrifo ac ateb
Darganfod onglau coll a rhoi rhesymau	Tangiad i'r cylch yw TAP. Triongl isosgeles yw ABC. Darganfyddwch ongl $x°$.	Ongl ACB = 50° (Ongl rhwng tangiad a chord yn hafal i'r ongl yn y segment eiledol) Ongl ABC = (180 – 50) ÷ 2 = 65° (Onglau mewn triongl yn adio i 180° ac onglau sail triongl isosgeles yn hafal) Ongl x = 180 – 65 = 115° (Onglau cyferbyn pedrochr cylchol yn adio i 180° (atodol))

	Cwestiwn	Gwaith cyfrifo ac ateb
Siapiau cyflun	Mae David yn gwneud cerfluniau cyflun. Mae uchder pob un yn ôl y gymhareb 4 : 5. **a** Arwynebedd arwyneb y cerflun lleiaf yw 100 cm². Darganfyddwch arwynebedd arwyneb y cerflun mwyaf. **b** Cyfaint y cerflun mwyaf yw 75 cm³. Darganfyddwch beth yw cyfaint y cerflun lleiaf.	**a** Ffactor graddfa llinol yw 4 : 5 Ffactor graddfa arwynebedd yw $4^2 : 5^2 = 16 : 25$ Arwynebedd y cerflun lleiaf yw 100 cm² Arwynebedd y cerflun mwyaf yw $100 \times \frac{25}{16} = 156.25\text{ cm}^2$ **b** Ffactor graddfa llinol yw 4 : 5 Ffactor graddfa cyfaint yw $4^3 : 5^3 = 64 : 125$ Cyfaint y cerflun mwyaf yw 75 cm³ Cyfaint y cerflun lleiaf yw $75 \times \frac{64}{125} = 38.4\text{ cm}^3$

Ystadegaeth a Thebygolrwydd

<table>
<tr><th></th><th>Cwestiwn</th><th>Gwaith cyfrifo</th><th>Ateb</th></tr>
<tr><td>Cymedr o dabl amlder grŵp</td><td>Cyfrifwch amcangyfrif o'r oed cymedrig o'r tabl amlder hwn.
<table>
<tr><th>Oed</th><th>a</th></tr>
<tr><td>$0 < o \leqslant 10$</td><td>4</td></tr>
<tr><td>$10 < o \leqslant 20$</td><td>6</td></tr>
<tr><td>$20 < o \leqslant 30$</td><td>12</td></tr>
<tr><td>$30 < o \leqslant 40$</td><td>5</td></tr>
<tr><td>$40 < o \leqslant 50$</td><td>3</td></tr>
</table></td><td>Lluosi gwerth canol y grwpiau oed â'r amlder.
$5 \times 4 = 20$
$15 \times 6 = 90$
$25 \times 12 = 300$
$35 \times 5 = 175$
$45 \times 3 = 135$
Rhannu cyfanswm yr oed × amlder â chyfanswm yr amlder: 720 ÷ 30
Nodwch: Cofiwch rannu â chyfanswm yr amlder (30), nid nifer y grwpiau (5).</td><td>24</td></tr>
</table>

<table>
<tr><th></th><th>Cwestiwn</th><th>Gwaith cyfrifo</th><th>Ateb</th></tr>
<tr>
<td>Siartiau cylch</td>
<td>Lluniadwch siart cylch ar sail y wybodaeth hon.
<table>
<tr><th>Hoff liw</th><th>a</th></tr>
<tr><td>Coch</td><td>7</td></tr>
<tr><td>Glas</td><td>4</td></tr>
<tr><td>Gwyrdd</td><td>2</td></tr>
<tr><td>Melyn</td><td>3</td></tr>
<tr><td>Du</td><td>4</td></tr>
</table>
</td>
<td>Gan fod siartiau cylch yn seiliedig ar gylch, mae angen rhannu nifer y graddau mewn tro cyfan (360°) â chyfanswm yr amlder, sef 20. Felly $360° \div 20 = 18°$

Yna cyfrifo'r ongl ar gyfer pob lliw drwy luosi ei amlder ag 18°.</td>
<td>Coch $7 \times 18° = 126°$
Glas $4 \times 18° = 72°$
Gwyrdd $2 \times 18° = 36°$
Melyn $3 \times 18° = 54°$
Du $4 \times 18° = 72°$

Yna lluniadu'r siart cylch.</td>
</tr>
</table>

<table>
<tr><th></th><th>Cwestiwn</th><th>Gwaith cyfrifo</th><th>Ateb</th></tr>
<tr>
<td>Histogramau</td>
<td>Lluniadwch histogram ar sail y wybodaeth hon
<table>
<tr><th>hydoedd</th><th>a</th></tr>
<tr><td>$0 < h \leqslant 30$</td><td>9</td></tr>
<tr><td>$30 < h \leqslant 50$</td><td>12</td></tr>
<tr><td>$50 < h \leqslant 60$</td><td>20</td></tr>
<tr><td>$60 < h \leqslant 80$</td><td>18</td></tr>
<tr><td>$80 < h \leqslant 100$</td><td>10</td></tr>
</table>
</td>
<td>Mae histogramau yn cynrychioli amlderau yn ôl arwynebedd. Rhannu'r amlder â lled y grŵp i gael uchder y dwysedd amlder e.e. $9 \div 30 = 0.3$, $12 \div 20 = 0.6$ etc.</td>
<td>Uchder colofn y barrau yw
<table>
<tr><th>hydoedd</th><th>h</th></tr>
<tr><td>$0 < h \leqslant 30$</td><td>0.3</td></tr>
<tr><td>$30 < h \leqslant 50$</td><td>0.6</td></tr>
<tr><td>$50 < h \leqslant 60$</td><td>2.0</td></tr>
<tr><td>$60 < h \leqslant 80$</td><td>0.9</td></tr>
<tr><td>$80 < h \leqslant 100$</td><td>0.5</td></tr>
</table>
</td>
</tr>
</table>

Wythnos i fynd...

Mae angen i chi wybod y fformiwlâu a'r technegau hanfodol hyn.

Rhif

Testun	Fformiwla	Pryd i'w defnyddio
Trefn gweithrediadau	CORLAT	Os oes angen gwneud cyfrifiad. Defnyddio'r drefn Cromfachau, Orchmynion/pŵer O (indecsau), Rhannu, Lluosi, Adio, Tynnu.
Llog syml	Llog syml ar £150 am 5 mlynedd ar 3% $\frac{3}{100} \times 150 \times 5$	I ddarganfod y **llog syml**, darganfod y llog ar gyfer un flwyddyn a lluosi â nifer y blynyddoedd.
Adlog	Adlog ar £150 am 2 flynedd ar 3% Bl 1 $\frac{3}{100} \times 150 = £4.50$ Bl 2 $\frac{3}{100} \times (150 + 4.50)$	Ar gyfer **adlog**, darganfod y llog canrannol ar gyfer un flwyddyn, adio hyn at y swm cychwynnol a darganfod y llog ar y cyfanswm ac yn y blaen. Rydyn ni hefyd yn gallu gwneud hyn gan ddefnyddio dilyniannau geometrig ac ysgrifennu $£150 \times (1.03)^2 =$
Ffurf safonol	$2.5 \times 10^3 = 2500$ $2.5 \times 10^{-3} = 0.0025$	Rhif yn y ffurf safonol yw (rhif rhwng 1 a 10) × (pŵer o 10)
Brasamcanu	Lleoedd degol	Rydyn ni'n talgrynnu i nifer o leoedd degol drwy edrych ar y lle degol nesaf a thalgrynnu i fyny neu i lawr.
	Ffigurau ystyrlon	Y digid cyntaf sydd ddim yn sero yw'r ffigur ystyrlon cyntaf bob tro. Cyfrif y nifer o ffigurau ystyrlon, yna edrych ar y ffigur nesaf a thalgrynnu i fyny neu i lawr. Cadw mewn cof y syniad o faint y rhif.
Degolion cylchol	Newidiwch $0.\dot{1}\dot{8}$ yn ffracsiwn	Gadewch i $x = 0.\dot{1}\dot{8}$ yna $100x = 18.\dot{1}\dot{8}$ (Lluosi â 10 i bŵer y nifer o ddigidau cylchol); 2 y tro hwn Mae tynnu yn rhoi $99x = 18$ ac felly y ffracsiwn yw $\frac{18}{99}$ neu $\frac{2}{11}$

Algebra

Testun	Fformiwla	Pryd i'w defnyddio
Rheolau indecsau	$n^a \times n^b = n^{a+b}$	Wrth luosi, adio'r indecsau neu'r pwerau.
	$n^a \div n^b = n^{a-b}$ $\left(n^a\right)^b = n^{a \times b}$	Wrth rannu, tynnu'r indecsau neu'r pwerau.
	$n^{\frac{1}{2}} = \sqrt{n}$ $n^{\frac{1}{3}} = \sqrt[3]{n}$	Wrth godi pŵer i bŵer, lluosi'r indecsau neu'r pwerau.
	$n^{-a} = \frac{1}{n^a}$	Mae indecs ffracsiynol yn isradd.
	$\sqrt{a \times b} = \sqrt{a} \times \sqrt{b}$	Mae indecs negatif yn golygu'r cilydd.
	$\sqrt{\frac{a}{b}} = \frac{\sqrt{a}}{\sqrt{b}}$	Ail isradd lluoswm yw lluoswm yr ail israddau.
		I gael ail isradd rhaniad, rhannu'r ail israddau.
	$(a - b)(a + b) = a^2 + b^2$	Mae'r gwahaniaeth rhwng 2 sgwâr i'w weld yn aml.

Testun	Fformiwla	Pryd i'w defnyddio
Graff llinell syth	$y = mx + c$	m yw'r graddiant a $(0, c)$ yw'r rhyngdoriad ar yr echelin-y.
Llinellau paralel a pherpendicwlar	$y = mx + c$ ac $y = mx + d$ $y = mx + c$ ac $y = -\frac{1}{m}x + d$	Maen nhw'n llinellau paralel gan fod y graddiannau'n hafal. Maen nhw'n llinellau perpendicwlar gan fod y graddiannau'n lluosi i –1.
Graffiau llinellau crwm	$y = ax^2 + bx + c$ lle $a \neq 0$ $y = ax^3 + bx^2 + cx + d$ lle $a \neq 0$ $y = \frac{k}{x}$ $y = ab^x$ $x^2 + y^2 = r^2$	Graff cwadratig. Pan fo a yn bositif, y siâp yw ∪. Pan fo a yn negatif y siâp yw ∩. Graff ciwbig. Mae ar siâp ∽. Graff cilydd. Mae mewn 2 ran ac mae'r llinellau crwm yn nesáu at asymptotau. Mae'n ffwythiant twf pan fo x yn bositif ac yn ffwythiant dirywiad pan fo x yn negatif. Hafaliad cylch sydd â'r tarddbwynt yn ganol iddo ac sydd â'i radiws yn r.
Hafaliadau cwadratig	$x = \frac{-b \pm \sqrt{b^2 - 4ac}}{2a}$	Mae'r fformiwla hafaliad cwadratig hon yn cael ei defnyddio i ddatrys hafaliad cwadratig sydd ar y ffurf $ax^2 + bx + c = 0$. Amnewid gwerthoedd a, b ac c i mewn i'r fformiwla.
Dilyniant llinol	$a + (n - 1)\,d$ d yw'r $n$fed term	a yw'r term cyntaf a d yw'r gwahaniaeth rhwng pob term.
Trawsffurfiadau graffiau	Pan ddaw f(x) yn –f(x) Pan ddaw f(x) yn f$(-x)$ Pan ddaw f(x) yn f$(x - a) + b$	Mae'n adlewyrchiad yn yr echelin-x. Mae'n adlewyrchiad yn yr echelin-y. Mae'n drawsfudiad o $\begin{pmatrix} a \\ b \end{pmatrix}$.

Geometreg a Mesurau

Testun	Fformiwla	Pryd i'w defnyddio
Ochrau paralel		Dangos ochrau paralel â saethau.
Ochrau hafal	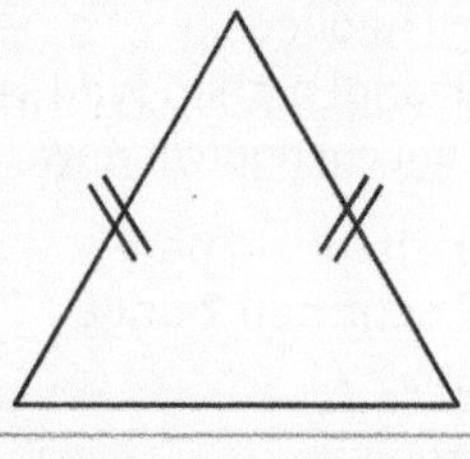	Dangos ochrau hafal â llinellau byr.
Perimedr	Adio hydoedd pob ochr.	Darganfod perimedr unrhyw siâp 2D.
Arwynebeddau siapiau 2D	Arwynebedd = $h \times ll$ Arwynebedd = $\frac{1}{2}s \times u$ Arwynebedd = $s \times u$ Arwynebedd = $\frac{1}{2}(a + b) \times u$	Arwynebedd petryal yw hyd × lled 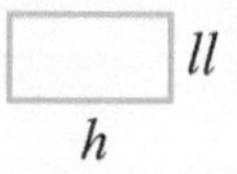 Arwynebedd triongl yw $\frac{1}{2}$ sail × uchder fertigol 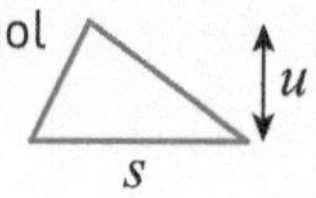 Arwynebedd paralelogram yw sail × uchder fertigol 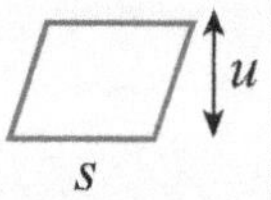 Arwynebedd trapesiwm yw $\frac{1}{2}$ swm yr ochrau paralel × yr uchder fertigol 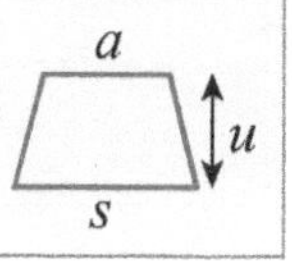

Cylchedd ac arwynebedd cylch	$C = \pi \times D$ neu $C = \pi \times 2r$ $A = \pi \times r^2$	Cylchedd neu berimedr cylch yw: pi × diamedr **neu** pi × dwbl y radiws Arwynebedd cylch yw pi × radiws wedi'i sgwario
Cyfeintiau siapiau 3D	$C = h \times ll \times u$ $C = \pi r^2 u$	Cyfaint ciwboid yw: hyd × lled × uchder Cyfaint silindr yw: arwynebedd pen crwn × uchder
Cyfaint prism	Cyfaint prism = arwynebedd pen × hyd	Lluosi arwynebedd trawstoriad â'r hyd.
Cyfaint pyramid	Cyfaint pyramid: $\frac{1}{3}$ arwynebedd y sylfaen × uchder	Lluosi arwynebedd y sylfaen â'r uchder fertigol a rhannu â 3
Cyfaint côn	Cyfaint côn yw: $C = \frac{1}{3} \pi r^2 u$	Traean arwynebedd y sylfaen gron × uchder
Theorem Pythagoras	$c = \sqrt{a^2 + b^2}$	Rydyn ni'n gallu darganfod hypotenws triongl ongl sgwâr drwy ddarganfod ail isradd swm sgwariau'r ddwy ochr fyrraf. Rydyn ni'n gallu darganfod un o ochrau byrraf triongl ongl sgwâr drwy ddarganfod ail isradd y gwahaniaeth rhwng yr hypotenws wedi'i sgwario a'r ochr fyrraf arall wedi'i sgwario.
Trigonometreg, trionglau ongl sgwâr	$\sin = \frac{\text{cyferbyn}}{\text{hypotenws}}$ $\cos = \frac{\text{cyfagos}}{\text{hypotenws}}$ $\tan = \frac{\text{cyferbyn}}{\text{cyfagos}}$	Rydyn ni'n gallu darganfod ochr goll neu ongl goll drwy ddewis a defnyddio un o'r fformiwlâu hyn. Rydyn ni'n defnyddio'r gymhareb drigonometrig sydd â dau ddarn o wybodaeth wedi'u rhoi a'r un mae'n rhaid ei ddarganfod.
Trigonometreg, trionglau sydd ddim yn drionglau ongl sgwâr	$c^2 = a^2 + b^2 - 2ab \cos C$ $\frac{a}{\sin A} = \frac{b}{\sin B} = \frac{c}{\sin C}$ Arwynebedd = $\frac{1}{2} ab \sin C$	Rydyn ni'n defnyddio'r rheol cosin pan fydd gennym ni driongl a phan fyddwn yn gwybod 2 ochr a'r ongl rhyngddyn nhw. Rydyn ni'n defnyddio'r rheol sin pan fyddwn ni'n gwybod 2 ochr neu 2 ongl ac angen darganfod un. Rydyn ni'n defnyddio fformiwla arwynebedd triongl pan fyddwn ni'n gwybod 2 ochr a'r ongl rhyngddyn nhw. Defnyddio'r rheol cosin i ddarganfod ochr pan fyddwn ni'n gwybod 2 ochr, a'r ongl sydd wedi'i chynnwys neu ongl pan fyddwn ni'n gwybod 3 ochr.

Ystadegaeth a Thebygolrwydd

Testun	Fformiwla	Pryd i'w defnyddio
Tebygolrwydd	**P**(A a B) = **P**(A) × **P**(B)	Defnyddio hyn ar gyfer dau ddigwyddiad annibynnol.
	P(A neu B) = **P**(A) + **P**(B)	Defnyddio hyn ar gyfer digwyddiadau cydanghynhwysol.
	P(A neu B) = **P**(A) + **P**(B) − **P**(A) × **P**(B)	Defnyddio hyn ar gyfer digwyddiadau sydd ddim yn gydanghynhwysol.

Atebion

Rhif

Rhif: gwiriad cyn adolygu (tudalen 1)

1 a 5357.142… neu $5.357\ldots \times 10^3$
b 2302 neu 2.302×10^3
2 a $1.0\dot{3}\dot{7}$ b $\frac{2}{11}$
3 arffin isaf = 8.365, arffin uchaf = 8.375
4 a 3.22, 3.24 b 13.391 775, 13.471 875
5 £112 000 6 £8603 7 6 blynedd
8 A = gwrthdro, B = union, C = gwrthdro
9 $T = \frac{35}{x}$ 10 $P = 6\sqrt{A}$ 11 a 4 b 10 000
12 a 9 b 0.2 13 a $10\sqrt{7}$ b $\frac{\sqrt{3}}{6}$

Cyfrifo â'r ffurf safonol (tudalen 2)

1 a 4.5188×10^3 b $3.994\ldots \times 10^9$
2 29 nanometr 3 $6.324\ldots \times 10^4$

Degolion cylchol (tudalen 3)

1 $100x - 10x = 54.4444\ldots - 5.4444\ldots$; $90x = 49$
2 $1000x - x = 425.425\,425\ldots - 0.425\,425\ldots$; $999x = 425$
3 $2.\dot{1}\dot{8} - 1.\dot{1} = 1.\dot{0}\dot{7}$ wedi'i ddilyn gan brawf safonol

Talgrynnu i leoedd degol, ffigurau ystyrlon a brasamcanu (tudalen 4)

1 $11.44\,\text{cm}^2$ 2 11.5 cm 3 2000

Terfannau manwl gywirdeb (tudalen 5)

1 a 2.25 m ac 1.15 m b 2.35 m ac 1.25 m
2 2495 m neu 2.495 km
3 Na. Mae'r buanedd cyfartalog rhwng $61\frac{2}{3}$ a 65 m.y.a.

Cyfrifo ag arffiniau isaf ac uchaf (tudalen 6)

1 arffin isaf = $\sqrt{\frac{53}{3.14}} = 4.1084$
arffin uchaf = $\sqrt{\frac{55}{3.14}} = 4.1852$
Hyd y radiws = 4 cm
2 $62.25 - 58.75 = 3.5$ eiliad

Canrannau gwrthdro (tudalen 7)

1 £320 2 Nac ydy, roedd ganddo 5020 yn 2014
3 Maen nhw'n £234.89 yn well eu byd

Cynnydd/gostyngiad canrannol sy'n cael ei ailadrodd (tudalen 8)

1 £4589.96
2 Nac ydy, gan mai £8109.52 fydd gwerth y car ar ôl 5 mlynedd ond hanner y gost yw £8750
3 3.5 blynedd

Twf a dirywiad (tudalen 9)

1 15.1 °C 2 4 blynedd

Cwestiynau dull arholiad cymysg (tudalen 10)

1 Noreen sy'n gywir.
2 a 30.2 b 7.81×10^8 o filltiroedd
3 $100x - 10x = 572.222\ldots - 57.222\ldots = 515$;
$90x = 515$; $x = 5\frac{15}{90} = 5\frac{13}{18}$
4 Gallai, gan fod $30.5 \times 18.5 = 564.25\,\text{cm}^2$
5 Gallai, gan fod $3.55 \div \left(\frac{7.25}{60}\right) = 29.38\ldots$ h.y. mae arffin isaf ÷ arffin uchaf yn llai na 30
6 £840
7 Dydy'r cynnydd ddim yn 500 bob blwyddyn; y cynnydd canrannol yw 3.2258% y flwyddyn, sy'n rhoi poblogaeth o 21 2912 ar ôl 10 mlynedd.
8 2930 o bysgod

Gweithio gyda meintiau cyfrannol (tudalen 11)

1 £9.75 2 £1.35 3 88

Y cysonyn cyfrannol (tudalen 12)

1 a 4.00, 8.10, 8.00 b $E = 1.35P$
c y gyfradd gyfnewid 2 87.5

Gweithio â mesurau sydd mewn cyfrannedd gwrthdro (tudalen 13)

1 a gwrthdro, gan fod $8 \times 25 = 10 \times 20 = 200$
b 50 diwrnod
2 $x = 25, y = 12$ neu $x = 2.5, y = 120$ 3 10

Llunio hafaliadau i ddatrys problemau cyfrannedd (tudalen 14)

1 a $D = 5t^2$ b 4 eiliad

2

x	1	8	64	216	1000
y	2400	1200	600	400	240

3 1600 o unedau

Nodiant indecs a rheolau indecsau (tudalen 15)

1 a 10^4 b 32 768 2 2^{15}
3 $10^4 \times 10^5 = 10^9$; $10 \times 10^2 = 10^3$; $\frac{10^{20}}{10^2} = 10^{18}$;
$10^{10} = 10\,000\,000\,000$

Indecsau ffracsiynol (tudalen 16)

1 a 8 b 0.25
2 $25^{-\frac{1}{2}}$ $16^{-\frac{1}{4}}$ 27^0 $\frac{1}{4^{-\frac{1}{2}}}$ $81^{\frac{3}{4}}$ 3 $\frac{11}{6}$

Syrdiau (tudalen 17)

1 a $\frac{\sqrt{21}}{7}$ b $2\sqrt{5} + 4$ 2 $\frac{32\sqrt{3}}{27}$ 3 $7 + 5\sqrt{2}$

Cwestiynau dull arholiad cymysg (tudalen 18)

1 a $y = kx$ ac $x = cz$, felly $y = kcz$ = cysonyn $\times z$
b 50
2 a Mae t mewn cyfrannedd gwrthdro ag s. b $3\frac{1}{3}$
3 281.25 m 4 −2.5 5 1254
6 a 0.1 b 0.4 7 $2\sqrt{5}$

Algebra

Algebra: gwiriad cyn adolygu (tudalen 19)

1 a **i** a^{10} **ii** x^3 **iii** $\frac{3f^2}{2e^3}$

b **i** $t^2 + 7t + 10$ **ii** $v^2 - 2v - 35$ **iii** $y^2 - 11y + 30$

2 a 100 **b** $a = \frac{2(s - ut)}{t^2}$

3 $n - 1 + n + n + 1 = 3n$. Mae hwn yn lluosrif 3 gan fod 3 yn ffactor bob amser.

4 a $\frac{a^3b^4}{c^2}$ **b** $\frac{a^{\frac{3}{2}}c^{\frac{1}{4}}}{b^{\frac{3}{2}}}$ **5** $x = 1.25$

6 a 34.6 i 3 ffigur ystyrlon **b** $x = \frac{3y - 5}{1 + 2y}$ **7** 30

8 a 3 **b** 98 415

9 $2n^2 - 3n + 4$ **10** $y = -\frac{1}{2}x + \frac{3}{2}$

11 a Braslun wedi'i luniadu trwy (0, 3), (1, 0), (3, 0), isafbwynt yn (2, −1)

b $x = 1$ ac $x = 3$ **c** $x = 2$

12 a Cromlin wedi'i lluniadu trwy (−3, −9), (−2, 2), (−1, 3), (0, 0), (1, −1), (2, 6), (3, 27)

b $x = -2.3$ neu $x = 0$ neu $x = 1.3$

13 $y = -\frac{1}{2}x + 5$ **14 a** $-3 \leqslant x < 4$

b **i** $x < 2$ **ii** $t > 1.2$ **iii** $y \leqslant 4.5$

15 $x = 2, y = -1$ **16** $x = \frac{1}{2}, y = 2$

17 Y llinellau $x + y = -1$, $y = 1 - 2x$ ac $y = x + 3$ wedi'u plotio'n fanwl gywir, a'r rhanbarth trionglog rhwng y llinellau wedi'i dywyllu.

18 a **i** $x^2 - x - 20$ **ii** $y^2 - 64$ **iii** $36 - a^2$

b **i** $(x + 3)(x + 4)$ **ii** $(e + 2)(e - 5)$

iii $(b + 5)(b - 5)$

19 a $x = 2$ neu $x = 3$ **b** $x = -3$ neu $x = 5$

c $p = -7$ neu $p = 7$

20 a **i** $(2x - 1)(2x + 3)$ **ii** $(3b + 8)(3b - 8)$

b **i** $x = -5$ neu $x = \frac{4}{3}$ **ii** $x = -\frac{3}{2}$ **c** $\frac{1}{x - 5}$

21 a $x = -1.366$ neu $x = 0.366$

b $x = -10.424$ neu $x = -0.576$

22 a Tua $5.3\,\text{m/s}^2$ **b** $3.75\,\text{m/s}^2$

23 a Lluniad manwl gywir.

b Lluniad manwl gywir.

24 Tua 326 m

Symleiddio mynegiadau mwy anodd ac ehangu dwy set o gromfachau (tudalen 21)

1 a $\frac{3y^6}{4}$ **b** $\frac{5a^3b^2}{4}$

2 $(2a + 5)(a + 3) - a^2 = 2a^2 + 6a + 5a + 15 - a^2$
$= a^2 + 11a + 15$

Defnyddio fformiwlâu cymhleth a newid testun fformiwla (tudalen 22)

1 −540 **2** $t = \sqrt{\frac{y - 3s}{5a}}$

Unfathiannau (tudalen 23)

1 $x^2 - 7x + 12 = (x - 3)(x - 4)$
felly $p = -3$ a $q = -4$ neu i'r gwrthwyneb

Defnyddio indecsau mewn algebra (tudalen 24)

1 a $p^2q^{\frac{3}{2}}r^{\frac{1}{2}}$ neu $p^2\sqrt{q^3r}$ **b** $x^{\frac{11}{6}}y^{-\frac{7}{4}}$ neu $\frac{\sqrt[6]{x^{11}}}{\sqrt[4]{y^7}}$

2 $n = -\frac{16}{3}$

Trin mwy o fynegiadau; ffracsiynau algebraidd a hafaliadau (tudalen 25)

1 a $\frac{5x^2 + 23x - 12}{x^2 - 16}$ **b** $x = \frac{25}{13}$

2 $(n + 1)^3 - (n + 1)^2$
$= (n + 1)(n^2 + 2n + 1) - (n^2 + 2n + 1)$
$= n^3 + 3n^2 + 3n + 1 - (n^2 + 2n + 1)$
$= n^3 + 3n^2 + 3n + 1 - n^2 - 2n - 1$
$= n^3 + 2n^2 + n$
$= n(n^2 + 2n + 1)$
$= n(n + 1)^2$

Ad-drefnu mwy o fformiwlâu (tudalen 26)

1 $m = \frac{P - 8c}{2 - 3c}$ neu $\frac{8c - P}{3c - 2}$ **2** $T = \frac{K^2s}{P - K^2}$

Dilyniannau arbennig (tudalen 27)

1 a $n^2 + 1$ **b** 401 **2** $(n + 1)(n + 2)$

Dilyniannau cwadratig (tudalen 28)

1 14 a 34 **2** $2n^2 + 5$

*n*fed term dilyniant cwadratig (tudalen 29)

1 $3n^2 - 2n + 1$ **2** $n = 1$ felly y rhif yw 5

Hafaliad llinell syth (tudalen 30)

1 $y = 2x - 1$

2 Mae P, S a T yn baralel i'w gilydd ac mae Q ac R yn baralel i'w gilydd.

Plotio graffiau cwadratig a chiwbig (tudalen 31)

1 a drwy archwilio **b** $x = 1$ neu $x = 3$

2 drwy archwilio

Darganfod hafaliadau llinellau syth (tudalen 32)

1 $y = 3x + 3$ **2** $y = -2x + 1$

Ffwythiannau polynomaidd a chilyddol (tudalen 33)

1 a Graff manwl gywir.

b Mae'r tri yn cwrdd yn (0, 0), (1, 1) ac mae $y = x$ ac $y = x^3$ hefyd yn cwrdd yn (−1, −1).

2 Graff manwl gywir. Mae'r defnydd o danwydd yn nesáu at 60 wrth i'r buanedd gynyddu.

Llinellau perpendicwlar (tudalen 34)

1 $4y + x = 6$ neu $y = -\frac{1}{4}x + \frac{3}{2}$ **2** 5 uned sgwâr

Ffwythiannau esbonyddol (tudalen 35)

1 a Y gwahaniaeth rhwng pob blwyddyn yw: 330, 262, 208, 165, 131, 104. Mae hyn yn golygu bod cyfradd y lleihad yn lleihau bob mis. Bob 3 blynedd mae'r boblogaeth yn haneru ac felly mae'r boblogaeth yn lleihau'n esbonyddol.

b $P = 1600 \times 2^{-\frac{t}{3}}$ neu $P = 1600 \times \left(\frac{1}{2}\right)^{\frac{t}{3}}$

Ffwythiannau trigonometregol (tudalen 37)

1 20°, 100°, 140°, 220°, 260°, 340°

2 a $t = 6$ a $t = 18$ b $t = 0, t = 12$ a $t = 24$

c $t = 3, 9, 15, 21$

Cwestiynau dull arholiad cymysg (tudalen 38)

1 10:20 a.m.

2 $4(10x + 15) = 5(8x + 12)$;
$10x + 15 - (8x + 12) = 2x + 3$

3 Arwynebedd y sgwâr mawr yw $36x^2 - 12x - 1$
Arwynebedd y sgwâr oren yw $36x^2 - 12x + 1 - (10x^2 + 14x - 12) = 26x^2 - 26x + 13 = 13(2x^2 - 2x + 1)$

4 a $n + n + 1 + n + 2 + 10 + n + 1 + 20 + n + 1 = 5n + 35 = 5(n + 7)$

b Os yw $5n + 35 = 130$; yna mae $n = 19$. Ni all n fod yn hafal i 19 oherwydd na fydd ar y grid.

5 $2n^2 - 3n + 2$ 6 a $x = \frac{20\pi^2}{y^2 - 12\pi^2}$

b Lluosrif cyffredin lleiaf yw $72a^3b^3c^4$. Ffactor cyffredin mwyaf yw $6a^2b^2c$.

7 $\frac{x+4}{2x+5}$ 8 $n = -\frac{1}{3}$ 9 a $\frac{1}{32}$ b $n \geqslant 12$

10 a £15

b Tynnu llinell ar y graff o (0, 0) i (4, 100) neu gymharu'r gost am bob diwrnod. Mae hyd at 1 diwrnod yn rhatach gyda ***Car Co***, mae 3 diwrnod neu fwy yn rhatach gyda ***Cars 4 U***, ar gyfer 2 ddiwrnod mae'r ddau gwmni'n codi'r un tâl (£50).

11 a $y = 2x - 7$

b Mae amnewid gwerthoedd x ac y o $(3, -1)$ i mewn yn rhoi $y = -1$ ac mae $2 \times 3 - 7 = 6 - 7$ hefyd yn rhoi -1. Felly mae'r pwynt $(3, -1)$ ar y llinell l.

c $y = -\frac{1}{2}x - 2$

12 a $y = -1$ b $x = 3.3, y = 0.7$ ac $x = -0.3, y = 4.3$

13 a Graff manwl gywir.

b $y = (x - 2)^2$ neu $y = x^2 - 4x + 4$

14 Mae Cathy yn 24 oed.

15 Graff wedi'i luniadu a'r cyfesurynnau wedi'u darganfod yw $(4\frac{1}{3}, \frac{2}{3})$, $(\frac{2}{3}, 4\frac{1}{3})$ a $(-3, -3)$

16 $(x - 8)$ yw'r lled ac $(x - 4)$ yw'r hyd ac felly y perimedr yw $4x - 24$

17 a $4y = 3x - 8$ b $4y = 3x + 5$ c $3y + 4x + 1 = 0$

18 Rhwng 06:00 ac 11:00

Cynnig a gwella (tudalen 40)

1 2.51

Anhafaleddau llinol (tudalen 41)

1 a Llinell rif o −5 i 5 (x), wedi'i lliwio o −3 (cylch llawn) i 4 (cylch gwag)

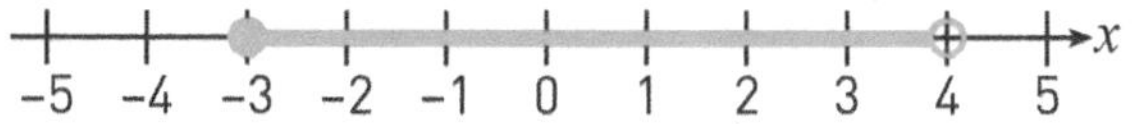

b $y \leqslant 3$ 2 Rhif sy'n llai na 10

Datrys hafaliadau cydamserol trwy ddileu ac amnewid (tudalen 42)

1 $a = 2$ a $b = 3$

2 12 bws cyffredin a 3 bws gwell

Defnyddio graffiau i ddatrys hafaliadau cydamserol (tudalen 43)

1 $x = -1$ ac $y = 1$

2 *Peach* yw'r rhataf i fyny at 40 Mbyte.
Ar 40 Mbyte mae'r ddau gwmni'n codi £40.
Ar ôl 40 Mbyte *M–mobile* yw'r rhataf.

Datrys anhafaleddau llinol (tudalen 45)

1 Lluniad manwl gywir.

Ffactorio mynegiadau cwadratig ar y ffurf $x^2 + bx + c$ (tudalen 46)

1 $x^2 + 6x + 8 = (x + 2)(x + 4)$

2 $x^2 - 2x - 8 = (x + 2)(x - 4)$

3 $x^2 + 2x - 8 = (x - 2)(x + 4)$

4 $x^2 - 6x + 8 = (x - 2)(x - 4)$

5 $x^2 - 16 = (x + 4)(x - 4)$

Datrys hafaliadau trwy ffactorio (tudalen 47)

1 a $x = -6$ neu $x = 2$ b $x = 0$ neu $x = 5$

c $x = 9$ neu $x = -2$ ch $x = +5$ neu $x = -5$

2 Gallai Ben ddefnyddio 2 neu −12

Ffactorio mynegiadau cwadratig mwy anodd a symleiddio ffracsiynau algebraidd (tudalen 48)

1 $x = 2\frac{1}{3}$; yr ochr fyrraf = 3 cm 2 $\frac{4}{3x + 4}$

Y fformiwla gwadratig (tudalen 49)

1 $x = 1.74$ neu -0.34

2 Mae'r hafaliad yn dod yn $2x^2 - 8x + 8 = 0$
Gwerth $b^2 - 4ac$ yw $(-8)^2 - 4 \times 2 \times 8 = 64 - 64 = 0$
Gan fod hyn yn 0 dim ond un datrysiad neu ddau ddatrysiad sydd yr un peth

Defnyddio cordiau a thangiadau (tudalen 51)

1 a Lluniadu'r graff a darganfod y graddiant pan fo $t = 5$. Yr ateb yw 5 m/s

b Darganfod graddiant y llinell sy'n cysylltu (0, 0) â (5, 12.5). Yr ateb yw 2.5 m/s

Trawsfudiadau ac adlewyrchiadau o ffwythiannau (tudalen 52)

1 Graffiau manwl gywir.

2 Os yw $f(x)$ yn cael ei adlewyrchu yn yr echelin-y mae'n dod yn $f(-x)$. Felly mae $y = x^3 - 4x$ yn dod yn $y = (-x)^3 - 4(-x)$ neu $y = -x^3 + 4x$ neu $y = 4x - x^3$.
Os yw hyn yn cael ei drawsfudo yn ôl $\begin{pmatrix} 2 \\ -3 \end{pmatrix}$ mae $f(x)$ yn dod yn $f(x - 2) - 3$.
Sy'n gwneud: $y = 4(x - 2) - (x - 2)^3 - 3$
$y = 4x - 8 - (x^3 - 6x^2 + 12x - 8) - 3$
$y = 4x - 8 - x^3 + 6x^2 - 12x + 8 - 3$
$y = -x^3 + 6x^2 - 8x - 3$

Arwynebedd dan graffiau aflinol (tudalen 54)

1 Graff manwl gywir. Arwynebedd = $\frac{1}{2} \times 1.8 \times 1 + \frac{1}{2}(1.8 + 3.2) \times 1 + \frac{1}{2}(3.2 + 4.2) \times 1 + \frac{1}{2}(4.2 + 4.8) \times 1 + \frac{1}{2}(4.8 + 5) \times 1 = 0.9 + 2.5 + 3.7 + 4.5 + 4.9 = 16.5$ metr

Cwestiynau dull arholiad cymysg (tudalen 55)

1 $x = 5.27$ neu $x = -1.27$

2 Pan fo $x = 2$, $x^3 - 3x - 5 = 2^3 - 3 \times 2 - 5 = -3$
Pan fo $x = 3$, $x^3 - 3x - 5 = 3^3 - 3 \times 3 - 5 = +13$ ac felly mae gwreiddyn rhwng $x = 2$ a 3
$x^3 - 3x - 5 = 0$ so $x^3 = 3x + 5$ ac $x_2 = \sqrt[3]{3x + 5}$
Pan fo $x_1 = 2\, x_2 = \sqrt[3]{3x + 5} = \sqrt[3]{11} = 2.223980091$
Pan fo $x_2 = 2.223\,980\,091, x_3 = 2.268\,372\,388$
Pan fo $x_3 = 2.268\,372\,388, x_4 = 2.276\,967\,162$
Pan fo $x_4 = 2.276\,967\,162, x_5 = 2.278\,623\,713$
Pan fo $x_5 = 2.278\,623\,713, x_6 = 2.278\,942\,719$
Felly $x = 2.279$ i 3 lle degol

3 $\frac{5}{n-2} - \frac{2}{n+2} = \frac{5(n+2) - 2(n-2)}{(n-2)(n+2)}$

$= \frac{5n + 10 - 2n + 4}{n^2 - 4} = \frac{3n + 14}{n^2 - 4}$

4 29.7 cm

5 a $\frac{25}{40} = 0.625\,\text{ms}^{-2}$
b $-\frac{15}{40}\text{ms}^{-2} = -0.375\,\text{ms}^{-2}$
c 1680 m o $10(0 + 0 + 2(20 + 25 + 25 + 10 + 4))$

6 (5, 2) ac (1.4, −5.2)

7 a Y gwahaniaeth rhwng pob blwyddyn yw: 2, 3, 4, 6, 8, 12. Mae hyn yn golygu bod cyfradd y cynnydd yn cynyddu bob mis. Bob 2 flynedd mae'r boblogaeth yn dyblu ac felly mae'r boblogaeth yn cynyddu'n esbonyddol.
b $P = 5 \times 2^{\frac{t}{2}}$

Geometreg a Mesurau

Geometreg a Mesurau: gwiriad cyn adolygu (tudalen 57)

1 14.98 g

2 A ac C, *SAS*

3 Mae gan bob triongl hafalochrog onglau o 60°, ac felly mae pob triongl hafalochrog yn gyflun. Gall trionglau hafalochrog gwahanol fod â hydoedd yr ochrau yn wahanol, ac felly dydy pob triongl hafalochrog ddim yn gyfath.

4 a $a = 90°$, yr ongl mewn hanner cylch yw 90°.
b $b = 40°$, mae'r ongl rhwng cord a thangiad yn hafal i'r ongl yn y segment eiledol.

5 8.1 cm (1 lle degol)

6 a 14.7 cm (3 ff.y.) b 51.3 cm^2 (3 ff.y.)

7 14.2 cm (3 ff.y.)

8 17.9 cm (3 ff.y.)

9 a cylch sydd â'i radiws yn 3 cm wedi'i luniadu o amgylch pwynt A
b llinell sy'n gytbell rhwng y llinellau paralel

10 $x = 6$

11 6.1 cm i 1 lle degol

12 $7\sqrt{3}$ cm

13 Cylchdro 90° yn wrthglocwedd o amgylch (3, −1)

14 Helaethiad ffactor graddfa −2, canol yr helaethiad (1, 2)

15 48.6°

16 Lluniad manwl gywir o'r uwcholwg, y blaenolwg, a'r ochrolwg.

17 a 254 mm^3 (3 ff.y.) a 226 mm^2 (3 ff.y.)
b 163 cm^3 (3 ff.y.)

18 52 cm^2

Gweithio gydag unedau cyfansawdd a dimensiynau fformiwlâu (tudalen 59)

1 Cynnydd o 3.72 person/km^2

2 a 7.78 g/cm^3 b 11 667 kg neu 11 700 i 3 ff.y.

3 Ei fod yn teithio ar fuanedd cyson o 64.6 neu 65 milltir/awr

Trionglau cyfath a phrawf (tudalen 60)

1 Mae AC yn gyffredin i AYC ac AXC. AX = CY, wedi'i roi. AY = CX, hanerydd perpendicwlar triongl hafalochrog. Felly mae AYC ac AXC yn gyfath (*SSS*).

2 Mae SQ yn gyffredin i XQS a QYS. PQ = SR (ochrau cyferbyn paralelogram yn hafal) felly XQ = SY gan mai X ac Y yw canolbwyntiau PQ ac RS. Ongl XQS = ongl QSY, onglau eiledol. Felly mae XQS a QYS yn gyfath (*SAS*).

Prawf gan ddefnyddio trionglau cyflun a chyfath (tudalen 61)

1 AXD = BXC, onglau croesfertigol
ADX = XBC, onglau eiledol
DAX = XCB, onglau eiledol
Mae gan y ddau driongl dair ongl hafal ac felly maen nhw'n gyflun.

2 PT = TS = QR = RS, ochrau pentagon rheolaidd yn hafal. Mae'r onglau PTS a QRS yn hafal, onglau mewnol pentagon rheolaidd yn hafal. Felly mae'r trionglau PTS a QRS yn gyfath (*SAS*). Gan fod y trionglau PTS a QRS yn gyfath, PS = QS, ac felly mae PQS yn isosgeles gan ei fod â 2 ochr hafal.

Theoremau'r cylch (tudalen 62)

1 a $a = 90°$, ongl mewn hanner cylch = 90°;
$b = 53°$, onglau mewn triongl;
$c = 37°$, ongl rhwng cord a thangiad yn hafal i'r ongl yn y segment eiledol.
b $d = 63°$ ongl ar y cylchyn ddwywaith cymaint â'r ongl yn y canol;
$e = 117°$, onglau cyferbyn pedrochr cylchol yn adio i 180°.

2 Ongl RQT = ongl RQP (RQ yn haneru PQT, wedi'i roi). Ongl RPQ = ongl RQT, (ongl rhwng cord a thangiad yn hafal i'r ongl yn y segment eiledol). Ongl RQP = ongl RPQ, felly mae'r triongl PQR yn isosgeles ac RP = RQ.

Theorem Pythagoras (tudalen 63)

1 7.6 cm   2 3855 m

Arcau a sectorau (tudalen 64)

1 31 cm   2 2.57 cm^2

Y rheol cosin (tudalen 66)

1 35°   2 386 km

Y rheol sin (tudalen 67)

1 096°   2 93.53 cm^2

3 a 4.3 cm   b 43.0 cm^2

Loci (tudalen 68)

1 Cylch â'i radiws yn 5 cm yn A, cylch â'i radiws yn 3.5 cm yn B. Lluniad manwl gywir.

2 Croestoriad haneryddion perpendicwlar 3 ochr XYZ.

Cwestiynau dull arholiad cymysg (tudalen 69)

1 AB = AC, BD = EC (wedi'u rhoi)
Ongl ABC = ongl ACB (triongl isosgeles), *SAS* felly mae ABD yn gyfath ag ACE: felly AD = AE felly mae'r triongl ADE yn isosgeles.

2 Ongl QPX = ongl XTS (onglau eiledol), ongl STX = ongl XPQ (onglau eiledol), ongl PXQ = angle SXT (croesfertigol). Mae PQX yn gyflun ag SXT (*AAA*). Mae ochrau cyfatebol yn hafal, felly mae'r trionglau'n gyfath.

3 a 2.12 cm (3 ff.y.)   b 1.28 cm^2 (3 ff.y.)

4 a 10.5 cm (3 ff.y.)   b 3.33 cm (3 ff.y.)

5 Ongl QPX = ongl XRS (onglau eiledol), ongl RSX = ongl XQP (onglau eiledol), ongl PXQ = ongl SXR (croesfertigol). Mae PQX yn gyflun ag SXR (*AAA*).

6 9.49 cm

7 a ABX = ACD, onglau yn yr un segment
BAC = BDC, onglau yn yr un segment
AXB = DXC, croesfertigol, felly mae ABX a DXC yn gyflun (*AAA*)

b AT = TD tangiadau ar bwynt
Mae'r triongl TAD yn isosgeles
ADT = DAT = 50°
PAB = ADB = 20°, onglau mewn segment eiledol yn hafal
ADT = ABD = 50°, onglau mewn segment eiledol yn hafal
ACD = ABD = 50°, onglau ar yr un arc yn hafal
BCA = ADB = 20°, onglau ar yr un arc yn hafal
BCD = 50 + 20 = 70°
BAD = 110°, onglau ar linell syth yn adio i 180°
BAD + BCD = 180°, rhaid bod ABCD yn gylchol gan fod onglau cyferbyn yn atodol.

8 255° i'r radd agosaf

9 a 40.3 cm^3 (1 lle degol)   b 89.3 cm^2 (1 lle degol)

Cyflunedd (tudalen 71)

1 4 cm   2 13.5 cm

Trigonometreg (tudalen 72)

1 a 21.8°   b 3.2 m   2 12.4 cm

Darganfod canolau cylchdro (tudalen 74)

1 a (−2,0)
b Cylchdro 90° yn wrthglocwedd o amgylch (−2, 0)

2 Cylchdro 90° yn glocwedd o amgylch (−1, −2)

Helaethu â ffactorau graddfa negatif (tudalen 76)

1 Helaethiad ffactor graddfa $-\frac{1}{2}$, canol yr helaethiad (3, −1)

2 a a b Lluniad manwl gywir.
c Helaethiad ffactor graddfa $\frac{2}{3}$, canol yr helaethiad (1, −1)

3 Cylchdro 180°, canol y cylchdro (x, y)

Trigonometreg mewn 2D a 3D (tudalen 77)

1 70.5° (1 lle degol)   2 a 35.3°   b 54.7°

3 2.8 cm (1 lle degol)

Cyfaint ac arwynebedd arwyneb ciwboidau a phrismau (tudalen 78)

1 a 98.2 m^3 b 9817 litr

2 a 6 cm^2 b 27 cm^3 c 66 cm^2

3 24 cm × 2 cm × 2 cm. 4 cm × 4 cm × 6 cm. 4 cm × 12 cm × 2 cm. 2 cm × 8 cm × 6 cm

Helaethu mewn 2 a 3 dimensiwn (tudalen 80)

1 a 810 cm^2 b 1 : 27   2 54 cm^3 3 4.9 cm

Llunio uwcholygon a golygon (tudalen 81)

1 Lluniad manwl gywir.

2 a Lluniad manwl gywir o'r uwcholwg, y blaenolwg a'r ochrolwg.
b Lluniad manwl gywir o'r uwcholwg, y blaenolwg a'r ochrolwg.

Arwynebedd arwyneb a chyfaint siapiau 3D (tudalen 82)

1 6 cm   2 a 15 000 cm^3 i 3 ff.y.
b 3900 cm^2 i 3 ff.y.

Arwynebedd a chyfaint mewn siapiau cyflun (tudalen 83)

1 1584 cm^2 2 19.3 cm   3 212 cm^2

Cwestiynau dull arholiad cymysg (tudalen 84)

1 5.9 km

2 Cymhareb fras y Lleuad i'r Ddaear 1 : 13.45

3 a 35.1 cm^2 b 526 cm^3 c 3.90 cm^2
ch 52.8 cm^2

4 3.22 m

5 a Lluniad manwl gywir wrth raddfa o'r rhwyd
b Atebion gan ddefnyddio uchder mesuredig yn yr ystod 50 cm^2–70 cm^2

6 32.67 munud   7 a Lluniad manwl gywir.

b Arwynebedd = 18(blaen) + 24(cefn) + 21(ochrau) + $6\sqrt{10}$ (to) = 81.97 m^2 6.83 litr, felly mae angen 2 o'r tuniau.

8 Cylchdro 180° o amgylch (0, 1)
9 a 302 mm^2 b 148 mm^2 c 14 g

Ystadegaeth a Thebygolrwydd

Ystadegaeth a Thebygolrwydd: gwiriad cyn adolygu (tudalen 86)

1 a 0.9
  b Canolrif LlL > canolrif LlC, h.y. ar gyfartaledd mae pwysau'r pysgod yn LlL yn fwy na phwysau'r pysgod yn LlC. Amrediad rhyngchwartel LlL = Amrediad rhyngchwartel LlC.
2 a Diagram gwasgariad manwl gywir.
  b Cydberthyniad positif. Yr hynaf yw'r goeden, mwyaf i gyd yw'r radiws boncyff.
  c i 50 – 65 cm ii Ddim yn ddibynadwy – allosodiad
3 Histogram manwl gywir. 4 $\frac{14}{30}$
5 a Diagram Venn manwl gywir. b $\frac{3}{50}$
6 $\frac{1}{8}$

Defnyddio tablau amlder grŵp (tudalen 88)

1 61.29 eiliad (2 le degol)
2 a $1 < p \leqslant 1.5$ b $1.5 < p \leqslant 2$
  c 1.73 kg (2 le degol)

Amrediad rhyngchwartel (tudalen 90)

1 a Diagram amlder cronnus manwl gywir.
  b 2.3 °C
2 Ar gyfartaledd roedd yr amserau wed'u cymryd yn 2015 yn fwy na'r amserau wedi'u cymryd yn 1995 (gan fod yr amser canolrifol wedi'i gymryd yn 2015 > yr amser canolrifol wedi'i gymryd yn 1995). Roedd yr amserau wedi'u cymryd yn 1995 yn fwy cyson na'r amserau wedi'u cymryd yn 2015 (gan fod yr amrediad rhyngchwartel ar gyfer 2015 > yr amrediad rhyngchwartel ar gyfer 1995). Mae dosraniad yr amserau yn 1995 yn gymesur, ond yn 2015 maen nhw â sgiw negatif.

Dangos data wedi'u grwpio (tudalen 92)

a Mae amser wedi'i gymryd yn gallu cymryd unrhyw werth mewn cyfwng penodol.
b Tabl amlder manwl gywir.
c Diagram amlder manwl gywir.
ch Y canolrif yw'r $\frac{25+1}{2}$ = 13ydd gwerth yn y data trefnedig. Mae'r 13ydd gwerth yn y data trefnedig i'w gael yn y grŵp $20 < t \leqslant 25$. Y grŵp modd yw'r grŵp sydd â'r amlder uchaf. Y grŵp sydd â'r amlder uchaf yw $20 < t \leqslant 25$. Dyma'r un grŵp sy'n cynnwys y canolrif. Felly mae Franz yn gywir.

Histogramau (tudalen 94)

1 Histogram manwl gywir.
2 a 40
  b 649.4 cm (649-650 cm)

Cwestiynau dull arholiad cymysg (tudalen 95)

1 a Diagram gwasgariad manwl gywir.
  b (70, 70). Nid yw'n cyd-fynd â phatrwm y data eraill.
  c Cydberthyniad positif. Yr hiraf yw'r amser sy'n cael ei gymryd i wneud y jig-so â 250 o ddarnau, yr hiraf yw'r amser sy'n cael ei gymryd i wneud y jig-so â 500 o ddarnau.
  ch i 82 – 84 munud
    ii Yn ddibynadwy ar gyfer y data oherwydd rhyngosodiad, ond efallai nad yw'n ddibynadwy yn gyffredinol oherwydd sampl bach o fyfyrwyr.
2 a 22 000
  b 15 000
  c 25%
3 a 0.22 b 87 (87.6)
4 Histogram manwl gywir.
5 $\frac{11}{23}$ 6 $\frac{33}{82}$

Gweithio â thechnegau samplu haenedig a diffinio hapsampl (tudalen 97)

1 Brewyn 3 aelod, Dafddu 7 aelod, Cae Ben 6 aelod

Y rheol luosi (tudalen 99)

1 a Diagram canghennog manwl gywir.
  b 0.005 c 0.045
2 $\frac{11}{42}$

Y rheol adio a nodiant diagram Venn (tudalen 100)

1 a $\frac{6}{23}$ b $\frac{16}{23}$ c 0
2 a Diagram Venn manwl gywir.
  b i $\frac{35}{67}$ ii $\frac{62}{67}$
3 a 0.4 b 0.9

Tebygolrwydd amodol (tudalen 102)

1 a i $\frac{8}{23}$ ii $\frac{3}{23}$ b $\frac{3}{8}$
2 $\frac{3}{7}$ 3 $\frac{42}{54}$

Cwestiynau dull arholiad cymysg (tudalen 103)

1 3065 2 a $\frac{1}{30}$ b $\frac{10}{30}$
3 $\frac{64}{105}$ 4 0.032
5 a Diagram Venn manwl gywir.
  b 3
  c i $\frac{3}{24}$ ii $\frac{15}{24}$